Isabel Allende (Lima, 1942), dochter van Chileense ouders, bracht haar kinderjaren door in Chili, Bolivia, Europa en Libanon. Op vijftienjarige leeftijd keert zij terug naar Chili, waar ze tien jaar later trouwt en waar ze werkt als journalist, schrijver van toneelstukken, tv-scenario's en kinderverhalen. Zij wordt een van de eerste bekende Chileense feministes. Na de militaire staatsgreep van 11 september 1973, waarbij president Salvador Allende, een oom van Isabel, wordt vermoord, voelt zij zich gedwongen om samen met haar kinderen het land te ontvluchten. Zij ontsnapt naar Caracas, waar ze begint aan *Het huis met de geesten*, de eerste roman in een reeks internationaal succesvolle boeken. Tegenwoordig woont en werkt zij in Los Angeles.

In Nederland zijn van haar boeken vele honderdenduizenden exemplaren verkocht: van haar debuut *Het huis met de geesten* tot aan haar meest recente romans *De stad van de wilde goden* en *Het Rijk van de Gouden Draak*. Van haar verscheen eerder als Rainbow Pocket *Liefde en schaduw*.

D0625116

Isabel Allende

Eva Luna

Vertaald door Giny Klatser

Rainbow Pockets
Uitgeverij Wereldbibliotheek

Rainbow Pockets® worden uitgegeven door Muntinga Pockets,
onderdeel van Uitgeverij Maarten Muntinga bv, Amsterdam

www.rainbow.nl

Een gezamenlijke uitgave van Muntinga Pockets, Amsterdam en
Uitgeverij Wereldbibliotheek bv, Amsterdam

www.wereldbibliotheek.nl

Oorspronkelijke titel: *Eva Luna*
© 1987 Isabel Allende
© 1988 Nederlandse vertaling: Uitgeverij Wereldbibliotheek bv,
Amsterdam
Omslagontwerp: Studio Jan de Boer
Foto voorzijde omslag: Getty Images/Photographer's Choice
Foto achterzijde omslag: Isolde Ohlbaum
Zetwerk: Stand By, Nieuwegein
Druk: Bercker, Kevelaer
Uitgave in Rainbow Pockets oktober 2003
Alle rechten voorbehouden

ISBN 90 417 0322 5   NUR 302

Daarop zei hij tot Sheherazade:
'Allah zij met je zuster,
vertel ons een verhaal
waarmee we de nacht kunnen
doorbrengen...'

Duizend-en-één-nacht

I

Ik heet Eva. Volgens het boek dat mijn moeder raad-
pleegde om een naam voor me uit te kiezen betekent die
naam leven. Ik ben geboren in een achterkamer van een
naargeestig huis en opgegroeid tussen oude meubelen,
boeken in het Latijn en mummies van mensen. Toch ben
ik daar niet melancholiek door geworden want ik ben ter
wereld gekomen met in mijn geheugen een vleugje oerwoud. Mijn vader, een indiaan met gele ogen, was afkomstig van de plaats waar honderd rivieren samenstro-
men, hij droeg de geur van het oerwoud en de hemel had
hij nooit rechtstreeks in de ogen gekeken, omdat hij was
opgegroeid onder de kruinen van de bomen en het licht
hem als iets onbetamelijks voorkwam. Consuelo, mijn
moeder, had haar jeugd doorgebracht in een sprookjes-
land waar avonturiers eeuwenlang op zoek waren geweest naar de stad van zuiver goud die de veroveraars
aanschouwd hadden toen ze zich over de rand van de af-
gronden van ambitie bogen. Dat landschap had een on-
uitwisbaar stempel op mijn moeder gedrukt en op de een
of andere wijze was het haar gelukt dat stempel op mij
over te dragen.

Toen Consuelo nog niet eens kon lopen en niet meer
was dan een naakt, met modder en uitwerpselen overdekt schepseltje, hadden missionarissen haar tegenstrib-
belend opgetild en over de loopbrug aan boord van het
schip gebracht, als een kleine Jonas die is uitgespuugd

door een zoetwaterwalvis. Nadat ze haar gewassen hadden, stelden ze vast dat er geen twijfel aan bestond dat ze een meisje was. Dat zaaide enige verwarring, maar ze was er nu eenmaal en ze konden haar moeilijk in de rivier gooien, dus deden ze haar een luier om om haar schaamte te bedekken, druppelden haar ogen in met citroensap om de infectie te genezen die haar belette haar ogen te openen, en doopten haar met de eerste meisjesnaam die hun in gedachten kwam. Zonder veel omslag en zonder zich het hoofd te breken over waar ze vandaan kwam, voedden ze haar op in de overtuiging dat als Gods voorzienigheid haar in leven had gehouden tot het moment waarop zij haar gevonden hadden, die ook wel zou waken over haar lichamelijk en geestelijk welzijn, of haar in het ergste geval net als andere onschuldige schepselen ten hemel zou voeren. Zonder vaste plaats in de strikte hiërarchie van de missie groeide Consuelo op. Ze was geen echte dienstmeid, ze bekleedde niet dezelfde rang als de indianen van de school en als ze vroeg wie van de paters haar vader was kreeg ze voor haar brutaliteit een draai om haar oren. Mij vertelde ze dat ze door een sloep van een Hollandse koopvaarder op de oever was achtergelaten, maar dat is een verhaal dat ze vast veel later heeft bedacht om van mijn hinderlijke gezeur af te zijn. Ik geloof dat ze er in feite geen idee van had wie haar verwekt hadden of hoe ze daar terechtgekomen was.

De missiepost was een kleine oase te midden van een weelderige vegetatie, die, in zichzelf verward, van de rand van het water tot aan de voet van de monumentale geologische gewrochten groeide, welke zich als vergissingen van God naar het firmament verhieven. De tijd is er scheefgegroeid en het menselijk oog wordt bedrogen door de afstanden, die de reiziger ertoe verleiden in cirkels rond te lopen. De vochtige, zware atmosfeer is afwisselend bezwangerd met de geuren van bloemen, kruiden, zweet van mensen en de adem van dieren. Het is er drukkend heet, geen zuchtje wind brengt verlichting, de stenen gloeien en het bloed kookt in de aderen. Bij het vallen van de avond wordt de lucht gevuld met fosforescerende muskieten, die met hun steken eindeloze nachtmerries veroorzaken, en in de nacht is het geritsel van de vogels en het gekrijs van de apen duidelijk te horen, evenals het verre geraas van watervallen, die hoog in de bergen ontsprongen en met veel gekletter neerstorten. Het eenvoudige, uit stro en leem opgetrokken gebouw met de toren van gekruiste boomstammen, en daarin een klok om op te roepen voor de mis, balanceerde, net als de andere hutten, op palen, die diep in de modder staken van een rivier met drabbig water, waarvan de einders verloren gingen in de weerspiegeling van het licht. Het leek alsof de behuizingen dreven, tussen geruisloze kano's, vuilnis, kadavers van honden en ratten en onverklaarbare witte bloemen.

Consuelo was ook vanuit de verte gemakkelijk te herkennen aan haar lange rode haar, dat als een vuurschicht opschoot tussen het eeuwige groen van deze natuur. Haar speelkameraadjes waren een paar indiaantjes met bolle buikjes, een brutale papegaai die het onzevader opzei doorspekt met lelijke woorden en een aap die met een ketting vastzat aan een tafelpoot en zo nu en dan door haar werd vrijgelaten om in het oerwoud een bruid te gaan zoeken, maar steeds weer terugkwam om zich op dezelfde plaats te gaan zitten vlooien. Ook toen al trokken daar protestanten rond die bijbels uitdeelden, tegen het Vaticaan predikten, en in zon en regen hun orgeltjes meezeulden om het gezang van bekeerlingen in openbare bijeenkomsten te begeleiden. Deze concurrentie eiste zo veel aandacht op van de katholieke priesters, dat ze weinig tijd hadden om op Consuelo te letten, die getaand door de zon, slecht gevoed met maniok en vis, belaagd door parasieten en gestoken door de muskieten, zo vrij als een vogeltje, toch kans zag in leven te blijven. Ze moest enige hulp bieden bij huishoudelijk werk en aanwezig zijn bij de godsdienstoefeningen en enkele lessen in lezen, rekenen en catechismus, maar afgezien daarvan had ze geen verplichtingen; ze zwierf rond en rook hier en daar aan de bloemen, zat de dieren achterna en vulde haar hoofd met beelden, geuren, kleuren en smaken, met van de grens meegebrachte verhalen en door de rivier meegevoerde mythes.

Ze was twaalf jaar toen ze de kippenman leerde kennen. Een door de buitenlucht gebruinde Portugees, uiterlijk hard en droog, innerlijk een en al lach. Zijn rondfladderende vogels slikten elk glimmend dingetje dat ze tegenkwamen door, zodat hun eigenaar later hun krop kon opensnijden en een paar korrels goud kon oogsten, niet voldoende om rijk van te worden maar net genoeg om zijn illusies te voeden. Op een ochtend ontwaarde de Portugees het meisje met de blanke huid en de vurige haardos, met haar rok opgetrokken en haar benen ondergedompeld in het moeraswater en hij dacht weer eens een aanval te hebben van de derdedaagse koorts. Van verrassing floot hij tussen zijn tanden, wat klonk als de aansporing voor een paard om zich in beweging te zetten. Het gefluit sneed door de ruimte en zij keek op, hun blikken kruisten elkaar en op beider gezicht verscheen een glimlach. Sinds die dag ontmoetten ze elkaar regelmatig, hij om met open mond naar haar te kijken en zij om Portugese liedjes te leren.

'Laten we goud gaan oogsten,' zei de man op een dag. Ze liepen het oerwoud in, tot waar ze de klok van de missiepost niet meer konden zien en drongen steeds dieper in de dichte begroeiing langs paadjes die alleen hij wist te vinden. De hele dag waren ze op zoek naar de kippen, ze maakten klokkende geluiden en als ze ze in het gebladerte ontdekten, vingen ze ze in de vlucht. Terwijl zij ze tussen haar benen in bedwang hield, sneed hij met een scherpe snee hun krop open en stak zijn vingers erin om de korrels eruit te halen. De kippen die niet doodgingen werden met naald en draad dichtgenaaid om hun meester te blijven dienen, de andere stopten ze in een zak om ze in het dorp te verkopen of als lokmiddel te gebruiken; van de veren stookten ze een vuurtje omdat die ongeluk brachten en snotziekte veroorzaakten. Tegen de avond keerde Consuelo met verwarde haren, blij en met bloed besmeurde kleren terug. Ze nam afscheid van haar vriend, stapte van de hangladder van de boot op het terras en stootte haar neus aan de vier weerzinwekkende sandalen van twee fraters uit Estremadura die haar met hun armen over hun borst gekruist en met een vreselijke walging op hun gezicht stonden op te wachten.

'Het is de hoogste tijd dat jij naar de stad vertrekt,' zeiden ze. Al haar smeekbeden waren vergeefs. Ze gaven haar zelfs geen toestemming om de aap of de papegaai mee te nemen, twee metgezellen die ongeschikt waren voor het nieuwe leven dat haar wachtte. Samen met vijf indiaanse meisjes werd ze meegenomen; om te verhinderen dat ze uit de prauw zouden springen en in de rivier zouden verdwijnen, waren ze met de enkels aan elkaar gebonden. De Portugees nam afscheid van Consuelo zonder haar aan te raken, met een lange blik, en hij gaf haar als herinnering een klompje goud mee dat aan een koordje hing en de vorm had van een kies. Dat zou zij vrijwel haar hele leven om haar hals dragen, totdat ze de man ontmoette die ze het als blijk van haar liefde kon geven. Het laatste wat hij van haar zag was een figuurtje met een verschoten katoenen schort, een strooien hoed op haar oren gedrukt, blootsvoets, dat hem treurig vaarwel wuifde.

De reis ging eerst per prauw over de zijarmen van de rivier door een verbijsterend landschap, vervolgens op de rug van een muildier over plateaus met steile wanden, waar het denken onmogelijk werd gemaakt door de nachtelijke koude en ten slotte per vrachtwagen door vochtige prairies, door wouden met wilde bananen en dwergananassen, en over verzilte, zanderige wegen, maar het meisje verwonderde zich nergens over, want wie het eerste daglicht zag in het meest hallucinerende gebied van de hele wereld verbaast zich nergens meer over. Gedurende de lange reis schreide ze alle tranen die ze in zich had, zonder nog één traan over te laten voor nog komende droefenis. Toen ze volkomen uitgehuild was, perste ze haar lippen op elkaar en nam het vaste besluit ze nog slechts te openen voor de allernoodzakelijkste antwoorden. Dagen later kwamen ze aan in de hoofdstad. De fraters brachten de doodsbange meisjes naar het klooster van de Zusters van Barmhartigheid, waar een non de ijzeren poort opende met een gevangenissleutel en hen vervolgens voorging naar een ruime, lommerrijke binnenplaats met rondom galerijen en in het midden een fontein van beschilderde tegels waar duiven, lijsters en kolibries zich laafden. In de schaduw zaten jonge meisjes gekleed in grijze uniformen in een kring matrassen te naaien met kromme naalden, of rieten manden te vlechten.

'In het gebed of in de inspanning zal de mens verlichting vinden voor zijn zonden. Ik ben niet gekomen om heiligen te genezen maar om zieken te verzorgen. De herder verheugt zich meer over het weervinden van één schaap dat was afgedwaald dan over zijn gehele bijeengebleven kudde. Het woord Gods, geloofd zij zijn heilige naam, amen,' luidden zo ongeveer de woorden die de non, haar handen verstopt tussen de plooien van haar habijt, uitsprak.

Consuelo begreep niets van haar geprevel en ze besteedde er ook geen enkele aandacht aan want ze was doodmoe en ze voelde zich terneergeslagen omdat ze nu opgesloten was. Ze had zich nooit eerder tussen muren bevonden en toen ze omhoogkeek en zag dat de hemel was gereduceerd tot een klein vierkant stukje, dacht ze dat ze zou stikken. Toen ze van haar reisgenoten werd gescheiden en werd meegenomen naar het kantoor van de moeder-overste had ze er geen idee van dat dat was vanwege haar huid en haar lichte ogen. De zusters hadden in jaren geen meisje zoals zij in huis gehad, maar uitsluitend meisjes met gemengd bloed en afkomstig uit de allerarmste wijken of indiaanse meisjes, die met bruut geweld door de missionarissen waren meegesleept.

'Wie zijn je ouders?'

'Weet ik niet.'

'Wanneer ben je geboren?'

'In het jaar van de komeet.'

Reeds toen had Consuelo de gewoonte ontwikkeld de haar ontbrekende informatie aan te vullen met verdichtsels. De allereerste keer dat ze over de komeet had horen spreken, had ze besloten dat tijdstip tot haar geboortedatum uit te roepen. In haar jeugd had iemand haar ooit verteld dat het hemelwonder door de hele wereld met angst en beven tegemoetgezien was. Men stelde zich voor dat de komeet zou opdoemen als een draak van vuur, en dat de staart, bij het eerste contact met de atmosfeer, de gehele planeet in giftige gassen zou hullen, en de hitte van gesmolten lava een einde zou maken aan elke vorm van leven. Sommige mensen benamen zichzelf het leven om niet verzengd door de hitte te sterven, anderen hadden op het laatste moment liever vergetelheid gezocht in vreetpartijen, dronkenschap of ontucht. Zelfs de Weldoener raakte onder de indruk toen hij zag hoe de hemel zich groen kleurde en hoorde hoe onder de invloed van de komeet mulatten steil haar en Chinezen kroeshaar hadden gekregen, en hij gaf opdracht tot het vrijlaten van een aantal opstandelingen, die al zo lang gevangen hadden gezeten dat ze zich niet meer konden herinneren wat daglicht was. Enkelen van hen hadden het zaad van de opstandigheid echter nog behouden en waren bereid geweest dat aan komende generaties door te geven. Consuelo was altijd verrukt geweest van het idee geboren te zijn te midden van zoveel gruwel, hoewel het praatje de ronde deed dat alle op dat moment geborenen afstotelijk waren en dat ook nog jaren nadat de komeet als een bol van ijs en sterrenstof uit het gezicht verdwenen was, zouden blijven.

'Om te beginnen moet die duivelsstaart eraf,' besloot moeder-overste, terwijl ze met haar beide handen de vlecht van glanzend koper woog die op de rug van de nieuwe pupil hing. Ze gaf opdracht het haar kort te knippen en het hoofd te wassen met een mengsel van bleekwater en Aureolina Onirem om de luizen te vernietigen en de aanmatigende kleur te verzwakken. Bij die operatie viel de helft van het haar uit en de rest kreeg een leemachtige kleur, die meer in overeenstemming was met het temperament en de doelstellingen van de religieuze instelling dan de originele vlammende haardos.

Consuelo zou daar drie jaar blijven, met kou in haar lichaam en in haar ziel, listig en alleen, en ze kon niet geloven dat het schrale zonnetje op de binnenplaats hetzelfde was als de zon die het oerwoud stoofde, haar thuis dat ze had moeten achterlaten. Profaan tumult drong hier niet binnen, net zomin als de nationale welvaart, die was ontstaan toen iemand een put had geslagen waaruit in plaats van water een zwarte blubber opspoot, die zo dik en stinkend was als de uitwerpselen van dinosaurussen. Het vaderland zat midden in een zee van aardolie. Dat wekte de dictatuur enigszins uit zijn verdoving. Het fortuin van de tiran en zijn familieleden nam zo enorm in omvang toe dat er zelfs voor de andere mensen iets overschoot. In de steden werd enige vooruitgang merkbaar, in de petroleumvelden werden oude tradities aan het wankelen gebracht door stoere, uit het noorden gekomen opzichters, en een vleugje modernisme maakte de rokken van de vrouwen korter, maar in het klooster van de Zusters van Barmhartigheid had dat alles geen enkele invloed. Daar begon het leven om vier uur 's morgens met de eerste gebeden; de dag verliep volgens een onwrikbare regelmaat en werd 's middags klokslag zes uur besloten, het tijdstip voor het boetgebed om de geest te reinigen en zich voor te bereiden op de eventuele dood, want de nacht kon een reis zonder terugkeer zijn. Lange stiltes, gangen met geboende tegels, geur van wierook en lelies, gemurmel van smeekbeden, banken van donker hout, witte wanden zonder versiering. God was een totalitaire aanwezigheid. Afgezien van de nonnen en enkele dienstboden, woonden in het reusachtige uit lemen bakstenen en dakpannen opgetrokken gebouw

slechts zestien, meest in de steek gelaten meisjes of wezen, die geleerd werd schoenen te dragen, met vork en
mes te eten en eenvoudig huishoudelijk werk te verrichten, zodat ze later ergens een baantje zouden kunnen
krijgen als dienstbode. Voor iets anders achtte men hen
ongeschikt. Uiterlijk onderscheidde Consuelo zich van
de andere meisjes, en de nonnen, die ervan overtuigd waren dat dit geen toeval was maar een teken van Gods goe-
dertierenheid, beijverden zich haar het geloof bij te brengen in de hoop dat ze zou besluiten tot het klooster toe te
treden en de Kerk te dienen, doch al hun inspanningen
liepen stuk op de instinctieve afweer van het meisje. Ze
was best bereid het te proberen maar slaagde er niet in de
tirannieke god te aanvaarden die de zusters haar predikten, ze gaf de voorkeur aan een wat vrolijker, moederlij-
ker, meelevender godsbeeld.

'Dat is de Heilige Maagd Maria,' legden de zusters
haar uit.

'Is zij God?'

'Nee, de moeder Gods.'

'Ja, maar wie heeft het voor het zeggen in de hemel,
God of zijn moeder?'

'Zwijg, dwaze meid, zwijg en bid. Smeek de Here je
het licht te schenken,' raadden ze haar aan.

Consuelo ging in de kapel zitten en keek naar het altaar, dat bekroond werd door een angstaanjagend realis-
tische Christus. Ze probeerde de rozenkrans op te zeggen
maar al snel dwaalden haar gedachten af naar nooit eindigende avonturen, waarin de herinneringen aan het
oerwoud werden afgewisseld door figuren uit de Heilige
Schrift, elk met hun eigen lading aan hartstocht, vergelding, martelaarschap en wonderen. Alles zoog ze gulzig
op, de rituele woorden van de mis, de zondagse preken,

de vrome geschriften, de nachtelijke geluiden, de wind tussen de pilaren op de galerij, de onnozele gezichten van de heiligen en de kluizenaars in hun nissen in de kerk. Ze leerde haar mond te houden en bewaarde haar onmetelijke rijkdom aan fabels als een geheime schat totdat ik haar in de gelegenheid stelde de woordenstroom die ze met zich meedroeg te spuien.

Consuelo bracht zoveel tijd in de kapel door, roerloos, haar handen gevouwen, en met de kalmte van een herkauwer, dat in het klooster de mare de ronde ging doen dat ze gezegend was en hemelse visioenen had; de moeder-overste echter, die een praktische Catalaanse was en minder geneigd in wonderen te geloven dan de andere nonnen van de congregatie, besefte dat er geen sprake was van heiligheid maar eerder van ongeneeslijke dagdromerij. Aangezien het meisje ook geen enkel enthousiasme toonde voor matrassen naaien, hosties bakken of manden vlechten beschouwde zij de vorming als beëindigd en plaatste haar als dienstmeisje bij een buitenlandse dokter, professor Jones. Ze bracht haar eigenhandig naar een ietwat bouwvallig maar door de Franse architectuur toch indrukwekkend herenhuis, dat zich aan de rand van de stad verhief aan de voet van een heuvel, die nu door de autoriteiten is uitgeroepen tot Nationaal Park. De eerste indruk die Consuelo van die man kreeg was zo overweldigend dat het maanden duurde voor ze haar angst voor hem kwijtraakte. Ze zag hem de kamer in komen met een slagersschort voor en een vreemd metalen instrument in zijn hand. Hij begroette hen niet, beet de non vier onbegrijpelijke zinnen toe en stuurde Consuelo met een soort gegrom naar de keuken zonder haar een blik waardig te keuren, te veel in beslag genomen

17

door zijn bezigheden. Zij had hem echter wel aandachtig opgenomen. Zo'n dreigende figuur had ze nooit eerder gezien, maar ze moest toegeven dat hij net zo mooi was als een gouden bidprentje van Jezus, hij had net zo'n vorstelijke blonde baard en ogen van een onmogelijke kleur.

De enige baas die Consuelo in haar leven zou hebben, was jaren bezig geweest met het perfectioneren van een methode om doden te conserveren. Het geheim daarvan zou hij ten slotte meenemen in zijn graf, tot opluchting van de gehele mensheid. Hij werkte ook aan een middel om kanker te genezen, omdat hij had vastgesteld dat deze ziekte weinig voorkomt in malariagebieden en daaruit de conclusie had getrokken dat hij kankerpatiënten kon genezen door ze te laten steken door malariamuggen. Eenzelfde logica bracht hem ertoe gekken, van geboorte of uit roeping, op hun kop te slaan, omdat hij in de *Gaceta del Galeno* gelezen had over iemand die ten gevolge van een hersentrauma in een genie veranderd was. Hij was een overtuigd antisocialist. Hij had berekend dat indien alle rijkdommen van de wereld verdeeld zouden worden dit elke inwoner van de planeet vijfendertig cent zou opleveren, en dus waren revoluties zinloos. Hij straalde gezondheid en kracht uit, hij leed onder een slecht humeur, bezat de kennis van een geleerde en de slinkse streken van een koster. Zijn balsemformule was, zoals vrijwel alle grote uitvindingen, van een bewonderenswaardige eenvoud. Bij hem was er geen sprake van ingewanden verwijderen, de schedel ledigen, het lichaam onderdompelen in formaline en weer vullen met teer en poetskatoen, om het er ten slotte te laten uitzien als een gerimpelde pruim met een verbijsterde blik in de ogen van beschilderd glas. Hij onttrok eenvoudig alle bloed aan het nog verse lijk en verving dat door een vloeistof, die het lichaam conserveerde alsof het nog in leven was. Hoewel bleek en koud, ging de huid niet tot ontbinding over, het haar bleef stevig en in sommige gevallen bleven de nagels niet alleen op hun plaats zitten maar groeiden ze ook nog door. Het enige onaangename bijverschijnsel was een zurige, doordringende geur, maar daaraan raakten de familieleden in de loop der jaren gewend. In die tijd waren er niet veel patiënten die zich vrijwillig leenden om zich te laten steken door genezende insecten of om zich te laten knuppelen ter verhoging van hun intelligentie. Als balsemdeskundige had hij echter reeds vermaardheid verworven aan de andere zijde van de oceaan en hij ontving regelmatig bezoek van Europese geleerden of zakenlieden uit de Verenigde Staten die eropuit waren hem zijn recept afhandig te maken. Ze vertrokken altijd met lege handen. Zijn beroemdste geval, waardoor hij in de gehele wereld in aanzien kwam, was dat van een in de stad bekende advocaat. Bij zijn leven had de man blijk gegeven van liberale neigingen, waarop de Weldoener opdracht had gegeven hem na afloop van een voorstelling van de operette *La Paloma* in de Stadsschouwburg te doden. Doorzeefd door ontelbare kogels maar met ongeschonden gelaat werd het nog warme lichaam naar professor Jones gebracht. Aangezien die een voorstander was van totalitaire regimes en niets moest hebben van de democratische staatsvorm, die volgens hem vulgair was en te veel leek op het socialisme, beschouwde hij het slachtoffer als zijn ideologische vijand, maar hij nam toch de taak ter hand om hem te conserveren. Het resultaat was dermate geslaagd dat de overledene door zijn familie in de bibliotheek werd gezet, in zijn beste pak en met een pen in zijn rechterhand. Tientallen jaren verdedigden ze hem tegen de motten en het stof als een herinnering aan de wreedheid van de dictator, die niet de moed had in te grijpen, aangezien het één ding is om van leer te trekken tegen een levende maar een geheel andere zaak om op te treden tegen een dode.

Toen Consuelo haar oorspronkelijke angst eenmaal overwonnen had en begreep dat het slachtersschort en de graflucht van haar baas te verwaarlozen bijkomstigheden waren en dat hij in feite een gemakkelijk te verdragen, kwetsbare en in sommige opzichten zelfs sympathieke man was, voelde ze zich volkomen op haar gemak in dat huis, dat in haar ogen, vergeleken met het klooster, een paradijs was. Hier stond niemand bij zonsopgang op om de rozenkrans te bidden voor het heil van de mensheid en ook vroeg niemand haar op een hand erwten te knielen om met het eigen lijden te boeten voor de schuld van anderen. Net als voorheen in het gebouw van de Zusters van Barmhartigheid waarden ook in dit grote huis geheimzinnige geesten rond. Hun aanwezigheid werd door iedereen waargenomen, behalve door professor Jones, die hardnekkig staande hield dat ze er niet waren omdat het wetenschappelijk bewijs ervoor ontbrak. Hoewel haar de zwaarste taken werden opgedragen vond het meisje tijd voor haar dagdromerijen, zonder dat iemand haar stoorde omdat haar zwijgzaamheid werd opgevat als wonderlijke deugdzaamheid. Ze was sterk, klaagde nooit en gehoorzaamde zonder tegenspreken, zoals ze dat bij de nonnen geleerd had. Behalve vuilnis wegbrengen, kleren wassen en strijken, de plee schoonmaken, dagelijks het ijs voor de koelkasten in ontvangst nemen, dat in grof zout verpakt op de rug van een muilezel werd aangevoerd, hielp ze professor Jones bij het bereiden van het recept in grote apothekersflessen, verzorgde ze de lijken, verwijderde het stof en het kraakbeen tussen de gewrichten, trok hen kleren aan, kamde hun haar en kleurde hun wangen met rouge. De geleerde was in zijn nopjes met zijn hulpje. Voordat zij bij hem kwam werken, had hij altijd alles alleen gedaan, in het diepste geheim. In de loop van de tijd raakte hij gewend aan Consuelo's aanwezigheid en stond hij haar toe hem in het laboratorium te helpen, omdat hij veronderstelde dat die zwijgzame vrouw niet het geringste gevaar opleverde. Hij vond het zo vanzelfsprekend dat ze altijd in de buurt was als hij haar nodig had, dat hij als hij zijn jasje had uitgetrokken en zijn hoed had afgezet, hij die zonder achter zich te kijken liet vallen in de zekerheid dat zij klaar stond om ze op te vangen nog voor ze de grond raakten. Aangezien ze zijn blinde vertrouwen nooit beschaamde, rekende hij ten slotte volkomen op haar. Zodoende was Consuelo, afgezien van de uitvinder zelf, de enige op de hele wereld die beschikte over de wonderbaarlijke formule, maar ze had niets aan die kennis want het idee om haar baas te bedriegen en zijn geheim te gelde te maken zou nooit in haar opkomen. Ze had een hekel aan het gedoe met de lijken en begreep niet wat de zin was van het balsemen. Zij dacht dat als dat nuttig was, de natuur daarin zelf voorzien zou hebben en lijken niet tot ontbinding zou laten overgaan. Tegen het eind van haar leven vond ze toch nog een verklaring voor de oude zucht van de mensheid om de overledenen te bewaren, ze ontdekte dat, als men de doden binnen handbereik had, het gemakkelijker was ze in de herinnering te bewaren.

Zo verliepen er voor Consuelo vele jaren zonder schokkende gebeurtenissen. Nieuwe ontwikkelingen in de buitenwereld werd ze niet gewaar omdat ze van de besloten wereld van de nonnen was overgegaan in die van het huis van professor Jones. Er was wel een radio om de nieuwsberichten te horen maar die werd zelden aangezet. Er werd uitsluitend geluisterd naar de operaplaten die de baas op zijn fonkelnieuwe grammofoon draaide. Kranten kwamen er niet in huis, alleen wetenschappelijke tijdschriften. Voor wat er in het land of in de wereld gebeurde had de geleerde geen enkele belangstelling. Hij interesseerde zich meer voor abstracte kennis, historische feiten of voorspellingen over een hypothetische toekomst, dan voor de laag-bij-de-grondse noden van de actualiteit. Het huis was een reusachtig doolhof van boeken. Langs alle wanden waren de banden opgestapeld van de vloer tot aan het plafond; donkere, muf ruikende in leer gebonden, zacht aanvoelende, krakerige, banden met goud op snee, met gouden titels, met ragdunne bladzijden, met verfijnde typografie. Alle werken van het universele denken bevonden zich hier in schijnbaar willekeurige orde op planken, hoewel professor Jones de plaats van elk boek uit zijn hoofd wist. De werken van Shakespeare steunden tegen *Het Kapitaal,* de maximes van Confucius rijden zich aaneen met *Het Leven der Zeehonden,* kaarten van oude zeevaarders rustten naast gotische romans en gedichten uit India. Consuelo was dagelijks uren bezig met het afstoffen van de boeken. Als ze met de laatste plank klaar was moest ze weer beginnen bij de eerste, maar toch deed ze dit werk het liefst. Ze pakte de boeken voorzichtig beet, veegde het stof er liefkozend af, sloeg de bladzijden om en verdiepte zich een paar minuten in de eigen wereld van elk boek. Ze leerde zowel de boeken kennen als hun plaats op de plank. Ze vond nooit de moed te vragen of ze een boek mocht lenen, ze nam ze altijd stiekem mee naar haar kamer om ze 's nachts te lezen en ze de volgende dag weer terug te zetten.

Consuelo had vrijwel geen weet van de woelingen, rampen of vooruitgang in haar tijd, maar ze vernam wel alle bijzonderheden van het studentenoproer in het land omdat dit plaatsvond op een moment dat professor Jones door de stad liep en bijna gedood werd door gardisten te paard. Zij kreeg opdracht kompressen op zijn blauwe plekken te leggen en hem met een zuigfles soep en bier te laten drinken totdat zijn losse tanden weer vast waren gaan zitten. De dokter was uitgegaan om een aantal voor zijn experimenten onontbeerlijke bestanddelen te kopen en had er niet aan gedacht dat het carnaval was, een losbandig feest waarbij ieder jaar vele doden en gewonden te betreuren waren, hoewel ditmaal de dronkemanstwisten in het niet gevallen waren bij het effect van andere gebeurtenissen die de ingeslapen gewetens hadden wakker geschud. Jones stak juist de straat over toen het tumult losbarstte. In werkelijkheid waren de moeilijkheden al twee dagen eerder begonnen, toen de studenten een schoonheidskoningin hadden uitgeroepen in de eerste democratische verkiezing van het land. Nadat ze haar gekroond hadden en bloemrijke redevoeringen hadden afgestoken, waarin sommige tongen waren losgeraakt en hadden gesproken over vrijheid en soevereiniteit, hadden de jongelui besloten een mars te houden. Zoiets was nooit eerder vertoond en de politie had achtenveertig uur gewacht alvorens in actie te komen; dat gebeurde juist op het moment dat professor Jones beladen met flessen en poedertjes uit een apotheek kwam. Hoewel hij de gardisten met getrokken sabel en in volle galop zag komen aanstormen, liep hij gewoon door zonder zijn pas te versnellen omdat hij met zijn hoofd bij een van zijn chemische formules was en al dat rumoer hem ongepast voorkwam. Toen hij weer tot bewustzijn kwam, lag hij op een brancard op weg naar het ziekenhuis voor armoedzaaiers. Hij kon nog net op tijd stamelen dat ze moesten omkeren en hem naar zijn huis brengen. Om te voorkomen dat zijn tanden uit zijn mond vielen, moest hij zijn hand er stijf tegenaan houden. Terwijl hij in de kussens gesteund herstellende was, werden de aanstichters van het oproer door de politie gearresteerd en in het gevang geworpen, maar ze werden niet afgeranseld omdat er onder hen enkele zonen uit vooraanstaande families waren. Hun arrestatie veroorzaakte een golf van solidariteit en tientallen jongelieden meldden zich de volgende dag bij de gevangenissen en politiebureaus om zich vrijwillig gevangen te laten nemen. Iedereen die zich meldde werd ingesloten, maar moest een paar dagen later weer worden vrijgelaten omdat er niet voldoende ruimte in de cellen was voor zoveel jongens en omdat door het geweeklaag van de moeders de spijsvertering van de Weldoener van slag raakte.

Maanden later, toen het gebit van professor Jones alweer stevig vastzat en hij begon te herstellen van de mentale kneuzingen, roerden de studenten zich opnieuw, ditmaal met medewerking van een aantal jonge officieren. De minister van Defensie sloeg de opstand in zeven uur neer. Diegenen die wisten te ontkomen, gingen in ballingschap, waar ze zeven jaar zouden verblijven, tot de dood van de Baas van het Land, die zichzelf de weelde veroorloofde rustig in zijn bed te sterven, in plaats van aan zijn kloten opgehangen aan een lantaarnpaal op het plein, zoals zijn vijanden graag hadden gezien en de ambassadeur van de Verenigde Staten had gevreesd.

Bij het overlijden van de oude leider en het einde van de lange dictatuur had professor Jones op het punt gestaan per schip terug te keren naar Europa. Evenals vele anderen was hij ervan overtuigd dat het land ten onder zou gaan in een niet meer te stuiten chaos. De ministers van Staat, bevreesd voor de mogelijkheid van een volks-opstand, kwamen in allerijl in vergadering bijeen, waar iemand opperde professor Jones te laten komen. Ze rede-neerden dat als het op zijn paard gebonden lijk van Cid Campeador strijd had kunnen leveren met de Moren, het gebalsemde lijk van president Vitalicio toch ook op zijn tirannentroon moest kunnen blijven regeren. De ge-leerde verscheen in gezelschap van Consuelo, die zijn koffertje droeg. Zonder een spier te vertrekken keek ze naar de huizen met de rode daken, de trams, de mannen met strohoeden en tweekleurige schoenen, de merkwaar-dige mengeling van luxe en verkwisting van het Paleis. In de maanden van de doodsstrijd waren de veiligheids-maatregelen verslapt en de eerste uren na zijn dood ver-keerde het land in opperste verwarring. Er was niemand die de bezoeker en zijn assistente tegenhield. Ze liepen door vele gangen en salons om ten slotte het vertrek bin-nen te gaan waar de machtige man, vader van een hon-derdtal bastaards, heerser over leven en dood van zijn on-derdanen en bezitter van een ongehoord fortuin, op zijn doodsbed lag, gekleed in een doodshemd, met geitenle-ren handschoenen aan en kletsnat van zijn eigen urine. Buiten stonden de leden van zijn gevolg en een aantal concubines te beven, terwijl de ministers aarzelden of ze naar het buitenland zouden vluchten of zouden blijven om te zien of de mummie van de Weldoener het lot van het vaderland kon blijven bepalen. Professor Jones boog zich over het lijk en bekeek het belangstellend alsof het een insect was.

'Is het waar dat u doden kunt conserveren, dokter?' vroeg een dikke man met net zo'n snor als de dictator.

'Mmm...'

'Dan moet ik u verzoeken dat niet te doen, want het is nu mijn beurt om te regeren, ik ben zijn broer, van hetzelfde stempel en van hetzelfde bloed,' sprak de ander dreigend en wees op een reusachtige handgranaat die aan zijn riem hing.

Op dat moment verscheen de minister van Defensie en nam de geleerde aan zijn arm mee om onder vier ogen met hem te spreken.

'U denkt er toch niet over de President te balsemen...'

'Mmm...'

'U kunt zich beter verre houden want het is nu mijn beurt om te bevelen, ik heb het leger in de hand.'

In verwarring verliet de professor gevolgd door Consuelo het Paleis. Hij heeft nooit geweten wie hem had laten komen of waarom. Hij vertrok, prevelend dat hij dit soort tropische volkeren wel nooit zou begrijpen en dat hij het beste zou kunnen terugkeren naar zijn geliefde geboortestad, waar de wetten van de logica en de beleefdheid heersten en die hij nooit had moeten verlaten.

De minister van Defensie stelde zichzelf aan het hoofd van de regering zonder precies te weten wat hij moest doen, aangezien hij altijd onder de plak had gezeten van de Weldoener en bij zijn weten in zijn hele loopbaan nooit een enkel initiatief ontplooid had. Er deden zich momenten van onzekerheid voor omdat het volk weigerde te geloven dat president Vitalicio echt dood was en dacht dat de oude man die te zien was in een sarcofaag bedrog was, weer een truc van de tovenaar om zijn critici erin te laten lopen. De mensen sloten zich op in hun huizen en waagden het niet hun neus op straat te laten zien, totdat de gardisten de huizen binnendrongen om de mensen eruit te slaan en ze te dwingen in de rij te gaan staan om de laatste eer te bewijzen aan de Grote Baas, die reeds begon te stinken tussen de maagdelijk witte kaarsen en de uit Florida overgevlogen lelies. De aanblik van de schitterende begrafenisstoet met aan het hoofd verschillende kerkelijke hoogwaardigheidsbekleders in hun fraaiste gewaden kon het volk er ten slotte van overtuigen dat de tiran niet onsterfelijk was geweest. Men ging de straat op om feest te vieren. Het land ontwaakte uit een lange slaap en binnen enkele uren was het gedaan met de treurnis en vermoeidheid waaronder het altijd gebukt had lijken te gaan. De mensen begonnen schuchter te dromen van vrijheid. Ze schreeuwden, dansten, gooiden stenen, sloegen vensters kapot, ze plunderden zelfs een paar landhuizen van de gunstelingen van de regering en staken de grote zwarte Packard met de niet mis te verstane toeter in brand, waarin de Weldoener alom angst zaaiend placht rond te rijden. Daarop maakte de minister van Defensie een eind aan de verwarring, hij nam plaats op de presidentiële zetel, gaf bevel de gemoederen met schoten tot bedaren te brengen en richtte zich vervolgens per radio tot het volk om een nieuwe orde aan te kondigen. Langzamerhand keerde de rust terug. De politieke gevangenen werden uit de gevangenissen gehaald om plaats te maken voor nieuwkomers en er begon een iets progressiever bewind, dat beloofde de natie binnen te voeren in de twintigste eeuw, wat geen onzinnige gedachte was aangezien het land meer dan dertig jaar achterstand had. In dat politieke niemandsland begonnen de eerste partijen op te komen, er werd een parlement gevormd en er was een wedergeboorte van denkbeelden en plannen.

Op de dag dat ze de advocaat, zijn favoriete mummie, ten grave droegen, kreeg professor Jones een woedeaanval die uitmondde in een hersenbloeding. Op aandrang van de autoriteiten, die niet opgezadeld wensten te worden met zichtbare doden van het oude regime, organiseerden de familieleden van de beroemde martelaar van de tirannie een grootse begrafenis, hoewel ze het gevoel hadden dat ze hem levend begroeven, want hij verkeerde nog steeds in goede staat. Jones trachtte met alle middelen te verhinderen dat zijn meesterwerk in een mausoleum zou eindigen, maar vergeefs. Met wijd gespreide armen plaatste hij zich bij de ingang van de begraafplaats in een poging de zwarte koets met de mahoniehouten en met zilver beslagen kist de toegang te beletten, maar de koetsier reed gewoon door en als de dokter niet opzij gesprongen was, zou hij hem zonder pardon overreden hebben. Toen het graf werd gesloten viel de balsemmeester door verontwaardiging getroffen neer, een kant van zijn lichaam verstijfd en de andere kant stuiptrekkend. Met deze plechtigheid verdween achter een marmeren plaat het meest overtuigende bewijs dat de formule van de geleerde in staat was voor onbepaalde tijd de spot te drijven met de ontbinding.

Dat waren de enige opmerkelijke gebeurtenissen in de jaren dat Consuelo in het huis van professor Jones werkte. Wat haar betreft was het enige verschil tussen dictatuur en democratie dat ze nu wel eens naar de bioscoop ging om de films van Carlos Gardel te zien, die vroeger verboden waren voor jongedames, en het feit dat haar patroon sinds zijn woedeaanval veranderd was in een invalide die zij als een baby moest verzorgen. In haar dagelijkse routine kwam niet veel verandering, tot de dag waarop de tuinman gebeten werd door een adder. Het was een grote, sterke indiaan met zachtaardige trekken, maar zeer gesloten en zwijgzaam; ze had nooit meer dan tien woorden met hem gewisseld, hoewel hij haar gewoonlijk hielp met de lijken, de kankerpatiënten en de idioten. Hij tilde de patiënten op alsof ze zo licht waren als een veer, gooide ze over zijn schouder en droeg ze met grote sprongen de trappen op naar het laboratorium, zonder een spoor van nieuwsgierigheid.

'De tuinman is gebeten door een gifslang, een *sucurucú*,' meldde Consuelo aan professor Jones.

'Breng hem hier zodra hij dood is,' beval de geleerde met zijn scheve mond, die zich verlekkerde in het vooruitzicht van het bezit van een indiaanse mummie, die hij in de houding van een snoeiende jongleur als decoratie in zijn tuin zou kunnen zetten. Jones had inmiddels de middelbare leeftijd bereikt en had artistieke neigingen gekregen. Hij droomde van een eigen museum, met beelden van mensen die alle mogelijke beroepen aan het uitoefenen zijn.

Voor het eerst in haar geruisloze bestaan volgde Consuelo een bevel niet op en nam ze zelf een initiatief. Met hulp van de kokkin sleepte ze de indiaan naar zijn kamer aan de achterste binnenplaats en legde hem op zijn stromatras, vastbesloten hem te redden, want het leek haar een zonde als hij, om een gril van haar baas te bevredigen, veranderd zou worden in een versiersel, en ook omdat ze zo nu en dan een onverklaarbare onrust had gevoeld als ze zag hoe de man met zijn grote, sterke, donkere handen op buitengewoon tedere wijze de planten verzorgde. Ze waste de wond met water en zeep, met het mes om kippen te slachten maakte ze twee diepe sneden en een hele tijd was ze bezig om het giftige bloed uit te zuigen, dat ze in een bak spuugde. Tussendoor spoelde ze haar mond met azijn om zelf niet dood te gaan. Daarop wikkelde ze

29

de man in lappen, gedrenkt in terpentijn, liet hem kruidenaftreksels drinken om te laxeren, legde spinnenweb-
ben op de wond en gaf de kokkin toestemming om kaarsen te branden voor de heiligen, al had zij zelf geen enkel
vertrouwen in dergelijke redmiddelen. Toen de zieke rode pis begon af te scheiden, haalde ze het sandelhoutex-
tract uit het kabinet van de professor, een onfeilbaar ge-
neesmiddel tegen ontstekingen van de urinewegen, maar
ondanks al haar toewijding kwam er koudvuur in het
been en begon de man, zonder dat er een klacht over zijn
lippen kwam, zwijgend en geheel bij kennis te zieltogen.
Het viel Consuelo op dat de tuinman ondanks zijn pani-
sche doodsangst, benauwdheid en pijn, enthousiast reageerde als ze zijn lichaam wreef of hem kompressen oplegde. De onverwachte erectie beroerde het hart van de al
rijpe maagd en toen hij haar bij haar arm pakte en smekend aankeek, begreep ze dat het ogenblik gekomen was
om haar naam eer aan te doen en hem troost te bieden
voor zoveel tegenspoed. Bovendien werd ze zich bewust
dat ze in de meer dan dertig jaar van haar leven geen lust
had gekend en daar, aangezien ze meende dat dit een aan
filmsterren voorbehouden voorrecht was, ook nooit op
uit was geweest. Ze besloot zichzelf het genoegen te gun-
nen en de zieke daar en passant in te laten delen, opdat
hij als een tevredener en gelukkiger mens naar de andere
wereld zou vertrekken.

Ik heb mijn moeder zo door en door gekend dat ik
me, ook al heeft ze mij lang niet alle bijzonderheden verteld, de daarop volgende ceremonie volkomen kan voorstellen. Last van valse schaamte heeft ze nooit gehad en ze
gaf altijd glasheldere antwoorden op al mijn vragen,
maar wat die indiaan betrof, placht ze plotseling in een
diep zwijgen te verzinken, verloren in haar mooie herin-

neringen. Ze had haar katoenen ochtendjas, haar onder-rok en haar grove gebreide kousen uitgedaan, de haar-wrong die ze op voorschrift van de baas in haar hals droeg had ze losgemaakt. Haar lange haar viel langs haar lichaam, en zo, gekleed in dit beste attribuut van haar schoonheid, klom ze boven op de stervende man, heel voorzichtig om zijn heftig verlangen niet te verstoren. Ze wist niet goed hoe ze te werk moest gaan omdat ze in zul-ke dingen geen enkele ervaring had, maar haar gebrek aan kennis werd goedgemaakt door haar instinct en haar bereidwilligheid. Onder de donkere huid van de man spanden de spieren zich en ze had het gevoel alsof ze een groot, woest dier bereed. Hem ter plekke bedachte woordjes influisterend en het zweet van hem afwissend met een doek, verplaatste ze haar lichaam naar de juiste plek en begon ze voorzichtig te bewegen, als een echtge-note die gewend is de liefde te bedrijven met een oude man. Plotseling draaide hij haar om en omhelsde hij haar met een door de nabijheid van de dood opgewekte drift. Het kortstondige geluk van beiden verjoeg de schadu-wen uit alle hoeken. Zo werd ik verwekt, op het doods-bed van mijn vader.

Wat zowel professor Jones als de Fransen van het slan-genhuis gehoopt hadden, die op zijn lichaam aasden voor hun proeven, gebeurde echter niet: de tuinman ging niet dood. Tegen iedere logica in knapte hij op, de koorts zakte, zijn ademhaling werd weer normaal en hij vroeg om eten. Consuelo begreep dat ze ongewild een te-gengif voor giftige slangenbeten had ontdekt en ze was de zieke met al haar tederheid en enthousiasme blijven verplegen, wanneer hij dat maar vroeg, net zolang tot hij weer op de been was. Niet lang daarna was de indiaan vertrokken zonder dat zij geprobeerd had hem tegen te houden. Een minuut of twee hielden ze elkaars handen vast en kusten elkaar enigszins treurig. Daarop nam zij de korrel goud aan het inmiddels versleten koord en hing dat om de hals van haar enige minnaar, ter herinnering aan hun gezamenlijke galoppades. Dankbaar en vrijwel gezond ging hij heen. Mijn moeder zegt dat hij glimlachte toen hij vertrok.

Consuelo toonde geen enkele emotie. Ze deed haar werk net zoals altijd en schonk geen aandacht aan misselijkheid, vermoeidheid in haar benen of vlekken die ze voor haar ogen zag. Ook gaf ze geen ruchtbaarheid aan het vreemde medicijn waarmee ze de stervende gered had. Ze zei niets, ook niet toen haar buik dikker begon te worden, en professor Jones haar bij zich liet komen om haar een purgeermiddel voor te schrijven omdat hij meende dat de zwelling het gevolg was van een slechte spijsvertering. Ze zei zelfs niets toen ze uitgerekend was en beviel. Dertien uur lang verdroeg ze de weeën en pas toen ze niet meer kon sloot ze zich op in haar kamer om het belangrijkste moment in haar leven in volle omvang te beleven. Ze borstelde haar haar, maakte er een stijve vlecht van en strikte er een nieuw lint om, deed haar kleren uit en waste zich van top tot teen, legde vervolgens een schoon laken op de grond, waar ze op haar hurken op ging zitten, net zoals ze gezien had in een boek over de gewoontes van eskimo's. Parelend van het zweet en met een lap in haar mond om haar kreten te smoren perste ze om het weerbarstige kind dat zich aan haar vastgebeten had ter wereld te brengen. Ze was niet zo jong meer en het was geen eenvoudige opgave, maar haar spieren waren sterk door het vele op handen en voeten wrijven van vloeren, zware dingen de trap op slepen en tot midden in de nacht kleren boenen, zodat het haar uiteindelijk lukte het kind te baren. Eerst zag ze twee piepkleine voetjes verschijnen die zich licht bewogen, alsof ze probeerden de eerste stap te zetten op een moeilijke weg. Ze haalde diep adem en voelde hoe, tegelijk met een laatste zucht midden in haar lichaam, er iets brak, en dat een vreemde massa tussen haar dijen door gleed. Een geweldige opluchting beroerde haar tot in het diepst van haar ziel. Daar was ik, in een blauwe streng verward, die ze voorzichtig van mijn hals haalde om me te helpen te leven. Op dat moment ging de deur open en kwam de kokkin binnen, die toen ze gemerkt had dat mijn moeder verdwenen was, wel had kunnen raden wat er aan de hand was en haar kwam helpen. Ze trof haar naakt op de grond liggend aan, met mij, nog steeds door een kloppend koord met haar verbonden, op haar buik.

'Niet zo best, het is een meisje,' zei de gelegenheidsbaker toen ze de navelstreng had afgebonden en doorgesneden en mij in haar armen hield.

'Ze is met de voetjes naar voren geboren, dat betekent geluk,' zei mijn moeder glimlachend toen ze in staat was te spreken.

'Ze ziet er sterk uit en ze schreeuwt flink. Ik wil wel peettante zijn als je wilt.'

'Ik was niet van plan haar te laten dopen,' antwoordde Consuelo, maar toen ze zag dat de vrouw geschokt een kruis sloeg wilde ze haar niet krenken en zei: 'Vooruit dan maar. Een beetje wijwater kan nooit kwaad en wie weet is het ergens goed voor. Ze zal Eva heten, opdat ze lust zal hebben om te leven.'

'En welke achternaam?'

'Geen achternaam, die is onbelangrijk.'

'Mensen moeten een achternaam hebben. Alleen honden kunnen met alleen een roepnaam rondlopen.'

'Haar vader behoorde tot de stam van de maankinde-
ren. Dus dat wordt Eva Luna. Geef haar eens aan, peettante, eens kijken of alles erop en eraan zit.'

Midden in de plas vruchtwater en moederkoek zittend, zo slap als een vaatdoek en nat van het zweet zocht
Consuelo op mijn lijfje naar een door het vergif overgebracht onheilsteken. Toen ze geen enkele afwijking kon
ontdekken, haalde ze opgelucht adem.

Ik heb geen slagtanden of slangenschubben, tenminste
niet zichtbaar. De enigszins vreemde omstandigheden
waaronder ik verwekt werd, hebben me louter voordeel
gebracht: ze schonken me een onverwoestbare gezondheid en iets wat niet dadelijk aan het licht kwam: mijn
opstandigheid, die me uiteindelijk behoed heeft voor het
leven vol vernederingen, waartoe ik ongetwijfeld voorbestemd was geweest. Van mijn vader erfde ik het krachtige
bloed, want die indiaan moet wel sterk geweest zijn, om
dagenlang weerstand te bieden aan het slangengif en
midden in zijn doodsstrijd nog een vrouw te kunnen bevredigen. Al het andere dank ik aan mijn moeder. Toen
ik vier jaar was, kreeg ik de pokken, die meestal het hele
lichaam ontsieren door putjes. Mijn moeder maakte echter dat ik weer beter werd. Ze bond mijn handen vast
zodat ik me niet kon krabben, ze smeerde me in met
schapenvet en zorgde ervoor dat ik gedurende honderd-
tachtig dagen niet aan het daglicht werd blootgesteld.
Die periode benutte ze om me met een aftreksel van
pompoenen te verlossen van amoeben en met wortels
van varens van een lintworm, zodat ik daarna helemaal
gezond was. Mijn huid is volkomen gaaf, afgezien van
wat brandwonden van sigaretten en ik hoop zonder een
rimpeltje oud te worden want schapenvet verschaft de
eeuwige jeugd.

Mijn moeder was een zwijgzaam iemand, in staat om te verdwijnen tussen de meubels, een te worden met het patroon van het tapijt, geen enkel geluid te maken, alsof ze niet bestond. In de intimiteit van het vertrek dat wij samen deelden veranderde ze echter volkomen. Daar sprak ze over het verleden of vertelde ze haar verhalen. De kamer werd gevuld met licht, de muren verdwenen om plaats te maken voor verbazingwekkende landschappen, paleizen stampvol nooit aanschouwde voorwerpen, verre landen die ze zelf bedacht had of in de boekenkast van haar baas had gevonden; aan mijn voeten legde ze alle schatten van het Oosten, de maan en nog veel verder, ze liet mij zo klein worden als een mier om mij vanuit mijn kleinheid het universum te laten beleven, ze gaf me vleugels om het vanuit het luchtruim te kunnen aanschouwen, ze gaf me een vissenstaart om de zeebodem te leren kennen. Als zij vertelde werd de wereld bevolkt door personages waarvan sommige mij zo vertrouwd werden dat ik nu, na al die jaren, hun kleren en de klank van hun stemmen nog kan beschrijven. Haar herinneringen aan haar jeugd in de missiepost bij de priesters waren ongeschonden, ze onthield terloops gehoorde anekdotes en wat ze uit boeken te weten was gekomen, de inhoud van haar eigen dromen bewerkte ze en schiep uit die bouwstoffen een wereld voor mij. Woorden krijg je voor niets, zei ze altijd, en ze eigende zich die woorden toe, ze waren allemaal van haar. Zij heeft bij mij de gedachte doen postvatten dat de werkelijkheid niet alleen is wat zich aan de oppervlakte voordoet maar ook nog een magische dimensie heeft, en dat iemand die daar zin in heeft het recht heeft de werkelijkheid te overdrijven en er kleur aan te geven om de loop van dit leven minder vervelend te maken. De personages die zij in de betovering van haar verhalen opriep zijn de enige duidelijke herinneringen die ik aan mijn eerste levensjaren bewaar, al het andere is verdwenen in een nevel waarin de bedienden van het huis, de oude, aan zijn Engelse stoel met fietswielen gekluisterde geleerde en het défilé van zieken en lijken, die ondanks zijn invaliditeit door de dokter behandeld werden, door elkaar lopen. Kinderen brachten professor Jones van zijn stuk, maar omdat hij nogal verstrooid was, zag hij mij nauwelijks als hij me ergens in huis tegenkwam. Ik was een beetje bang voor hem omdat ik niet wist of de oude man de gebalsemde lijken had gemaakt of dat die hem hadden gemaakt, ze leken van dezelfde perkamenten stam te komen. Zijn aanwezigheid stoorde me niet, omdat we in verschillende werelden verkeerden. Ik zwierf rond in de keuken, op de binnenplaatsen, door de dienstvertrekken en de tuin, en als ik mijn moeder in de rest van het huis volgde, gedroeg ik me heel discreet, zodat de professor me voor een verlenging van haar schaduw hield. Er hingen zoveel verschillende geuren in het huis dat ik er met gesloten ogen doorheen kon lopen en toch wist waar ik was; de geuren van eten, kleren, hout, medicijnen, boeken en vocht voegden zich bij de figuren uit de verhalen en luisterden die jaren op.

Mijn opvoeding was gebaseerd op de theorie dat ledigheid des duivels oorkussen is, een idee dat mijn moeder was ingegeven door de Zusters van Barmhartigheid en dat door de dokter met zijn ijzeren discipline verder was uitgewerkt. Ogenschijnlijk had ik geen speelgoed maar in feite gebruikte ik alles dat in het huis voorkwam voor mijn spel. Overdag waren er geen momenten van rust, het werd als iets schandelijks beschouwd om met de handen in de schoot te zitten. Samen met mijn moeder boende ik de houten vloeren, hing ik de was op, maakte ik groente schoon en probeerde ik tijdens de siësta te breien en te borduren, maar ik herinner me al die werkjes niet als een last. Het was net zoiets als vader en moedertje spelen. De griezelige proeven van de geleerde waren ook geen grond voor ongerustheid omdat mijn moeder me uitgelegd had dat de knotsslagen en muggensteken – die gelukkig niet vaak voorkwamen – geen uitingen van wreedheid van de baas waren, maar therapeutische behandelingen op strikt wetenschappelijke basis. De vertrouwelijke manier waarop mijn moeder de gebalsemden behandelde, alsof het aan lager wal geraakte verwanten waren, bevrijdde mij van elke zweem van vrees en maakte dat ook de andere bedienden mij geen angst konden aanjagen met hun macabere ideeën. Ik geloof dat ze altijd kans heeft gezien mij bij het laboratorium weg te houden... om de waarheid te zeggen heb ik de mummies bijna nooit gezien, ik wist gewoon dat ze daar aan de andere kant van de deur waren. Die arme mensen zijn heel broos, Eva, in die kamer moet je maar liever niet komen, als je er tegenaan stoot kan je zo een bot van ze breken en dan zou de professor razend worden, zei ze tegen me. Voor mijn gemoedsrust gaf ze iedere dode een naam en bedacht ze voor ieder van hen een verleden om hen zo te veranderen in heilbrengende wezens als kabouters en feeën.

We kwamen slechts zelden op straat. Een van de weinige keren dat we het wel deden was voor de droogteprocessie, toen zelfs niet-gelovigen bereid waren te bidden omdat het meer een sociaal gebeuren was dan een geloofskwestie. Men zegt dat er in drie jaar geen druppel regen was gevallen in het land, de aarde barstte open in dorstige kloven, de plantengroei stierf, de dieren kwamen om met hun snuiten begraven in het stof en de bewoners van de vlakten kwamen naar de kust gelopen om zich in ruil voor water te verkopen als slaven. Ten overstaan van deze nationale ramp besloot de bisschop het beeld van de Nazarener de straat op te brengen om het einde van de goddelijke kastijding af te smeken, en aangezien het de laatste hoop was waren wij daar allemaal op afgekomen, arm en rijk, jong en oud, gelovigen en agnostici. 'Barbaren, indianen, stomme negers!' had professor Jones razend gespuugd toen hij het hoorde, doch hij had niet kunnen verhinderen dat zijn bedienden hun beste kleren aantrokken en naar de processie trokken. Met de Nazarener voorop vertrok de menigte vanaf de Kathedraal maar slaagde er niet in het kantoor van de Drinkwatermaatschappij te bereiken omdat halverwege een niet te stuiten stortbui losbarstte. Binnen achtenveertig uur was de stad veranderd in een meer, de riolen raakten verstopt, wegen stonden onder water, huizen overstroomden, het woeste water sleepte boerderijen mee en in een dorp aan de kust regende het vissen. Een wonder, een wonder, riep de bisschop uit. Wij herhaalden het in koor maar we wisten niet dat de processie georganiseerd was nadat het Weerkundig Instituut in het gehele Caribisch gebied tyfonen en stortbuien had aangekondigd, zoals professor Jones vanuit zijn rolstoel onthulde. 'Bijgelovigen! Onwetenden! Analfabeten!' huilde de oude man, maar niemand schonk er enige aandacht aan. Het wonder bewerkstelligde iets waar noch de fraters van de missie noch de Zusters van Barmhartigheid ooit in geslaagd waren: mijn moeder kwam tot God omdat ze hem voor zich zag, zittend op zijn hemelse troon en de spot drijvend met de mensen, en ze dacht dat hij heel anders moest zijn dan de angstaanjagende patriarch uit de catechismusboekjes. Wellicht was het een blijk van zijn gevoel voor humor om ons blijvend in verwarring te brengen, zonder ons ooit zijn bedoelingen en plannen te onthullen. Als we aan die wonderbaarlijke zondvloed terugdachten moesten we altijd vreselijk lachen.

Mijn wereld werd begrensd door het traliehek om de tuin. Daarbinnen werd de tijd geregeld naar onberekenbare normen: in een halfuur kon ik zesmaal rond de aardbol reizen en een straal maanlicht op de binnenplaats kon mijn gedachten voor een week stof geven. Licht en schaduw brachten fundamentele veranderingen teweeg in de aard van de dingen; boeken die overdag stil waren gingen 's nachts open om de personages eruit te laten, die door de salons zwierven en hun avonturen tot leven brachten; de gebalsemden, die als de ochtendzon door de ramen viel eenvoudig en zwijgzaam waren, muteerden in de namiddagschemering tot stenen en in het donker namen ze de afmetingen aan van reuzen. De ruimte kromp en dijde uit op mijn wens; in de holte onder de trap bevond zich een planetenstelsel en gezien door het bovenlicht van de zolder was de hemel niet meer dan een bleke glazen stolp. Eén woord van mij, en floep, de werkelijkheid veranderde.

In dat grote huis aan de voet van de heuvel groeide ik vrij en beschermd op. Ik had geen enkel contact met andere kinderen en ik was niet gewend met vreemden om te gaan, omdat er nooit iemand op bezoek kwam, afgezien van een man met een zwart pak en een zwarte hoed, een protestantse zendeling met onder zijn arm een bijbel waarmee hij de laatste levensjaren van professor Jones vergalde. Voor hem was ik veel banger dan voor de baas.

39

2

Acht jaar voordat ik geboren werd, kwam in een plaats in het noorden van Oostenrijk, op dezelfde dag dat de Weldoener als een lieve oude opa in zijn bed overleed, een jongen ter wereld, die ze de naam Rolf gaven. Het was de jongste zoon van Lukas Carlé, de meest gevreesde leraar van het lyceum. Lijfstraffen behoorden tot de schoolopvoeding; de hardvochtige wetten van de school berustten op volkswijsheid en een onderwijstheorie, zodat geen enkele ouder het in zijn hoofd haalde om tegen dergelijke methoden te protesteren. Toen Carlé echter zover ging dat hij van een van de jongens een hand brak, werd hem het gebruik van de plak door de leiding van de school verboden; het was duidelijk dat hij zodra hij begon te meppen bevangen werd door een ongecontroleerde wellust. Uit wraak werd zijn zoon Jochen door de leerlingen achternagezeten, en als ze kans zagen hem te pakken sloegen ze hem in elkaar. Zijn hele jeugd was de jongen op de vlucht voor de bendes, hij verloochende zijn afkomst en verheelde dat hij een zoon was van de scherprechter.

Thuis hanteerde Lukas Carlé de wet van de angst net zoals hij dat op school deed. Hij had zich aan zijn vrouw verbonden door een verstandshuwelijk, liefde kwam in zijn plannen niet voor, die kon volgens hem hoogstens een rol spelen in literatuur of muziek maar kwam niet te pas in het leven van alledag. Zonder elkaar eerst goed te leren kennen waren ze getrouwd en al in de eerste huwe-lijksnacht was zij hem gaan haten. Voor Lukas Carlé was zijn vrouw een minderwaardig schepsel, dat dichter bij de dieren stond dan bij het enige intelligente wezen van de schepping, de man. Hoewel de vrouw dus in theorie een wezen was om medelijden mee te hebben, wekte zijn eigen vrouw alleen maar zijn razernij. Toen hij, door de Eerste Wereldoorlog uit zijn geboorteplaats verdreven, na veel omzwervingen in het dorp aankwam, was hij on-geveer vijfentwintig jaar en in het bezit van een onder-wijsakte en net voldoende geld voor een week. Hij zocht eerst werk en daarna een vrouw. Zijn keus was op haar gevallen omdat de angst in haar ogen hem beviel en om-dat ze brede heupen had, wat volgens hem een noodza-kelijke voorwaarde was om zonen te baren en de zwaarste taken in huis te verrichten. Zijn besluit werd ook beïn-vloed door twee hectaren land, enkele stuks vee en een kleine rente die het meisje van haar vader geërfd had, en die geheel in zijn zak terechtkwam, als wettelijk beheer-der van de echtelijke bezittingen.

Lukas Carlé hield van vrouwenschoenen met hoge hakken, liefst van rood lakleer. Op zijn tochten naar de stad betaalde hij een hoer om naakt en met niet meer dan dat ongemakkelijke schoeisel aan te paraderen, terwijl hij volkomen gekleed, met hoed en jas, als een hoogwaardig-heidsbekleder op een stoel zat en een onbeschrijflijke wellust onderging bij het aanschouwen van die bij iedere stap heen en weer schuddende billen, die liefst weelderig wit en met kuiltjes moesten zijn. Vanzelfsprekend stak hij nooit een vinger naar haar uit, omdat hij een smetcom-plex had. Aangezien zijn middelen niet toereikend waren om zichzelf een dergelijke luxe zo vaak te permitteren als hij zou wensen, had hij een paar leuke Franse rijglaarsjes aangeschaft en in het verste hoekje van zijn kleerkast verstopt. Zo nu en dan sloot hij zijn kinderen op, draaide een grammofoonplaat, waarbij hij het volume zo hoog mogelijk opvoerde, en ontbood zijn vrouw. Zij had intussen wel geleerd de luimen van haar man op te merken en ze kon eerder nog dan hijzelf voorspellen wanneer de lust om haar te martelen bezit van hem zou nemen. Bij voorbaat begon zij al zo te beven dat ze het serviesgoed uit haar handen liet vallen, dat op de grond in stukken brak.

Carlé tolereerde geen lawaai in huis. 'Ik heb op het lyceum al genoeg te verduren van de leerlingen,' zei hij. Zijn kinderen hadden geleerd om nooit te huilen of te lachen in zijn aanwezigheid, zich als schaduwen te bewegen en fluisterend te spreken. Ze hadden zo'n handigheid ontwikkeld in onopgemerkt blijven, dat hun moeder soms het gevoel had dat ze dwars door hen heen kon kijken en bang was dat ze ooit nog eens echt doorzichtig zouden worden. De leraar was er vast van overtuigd dat de wetten van de erfelijkheid hem een loer hadden gedraaid. Zijn kinderen bleken volslagen mislukkelingen te zijn. Jochen was traag en onhandig, kon slecht leren, viel onder de les in slaap, plaste in bed en deugde voor geen van de dingen die zijn vader met hem voor had gehad. Over Katharina wilde hij het liever helemaal niet hebben. Het meisje was achterlijk. Van één ding was hij zeker: in zijn familie kwamen geen afwijkingen voor, zodat hij geen enkele verantwoording droeg voor de arme stakker, wie weet was het kind niet eens van hem, men moest voor niemand zijn handen in het vuur steken en zeker niet voor zijn eigen vrouw; gelukkig was Katharina met een hartafwijking geboren en had de dokter voorspeld dat ze geen lang leven zou hebben. Zoveel te beter.

Na het geringe succes van zijn twee kinderen had Lukas Carlé zich dan ook niet bepaald verheugd getoond over de derde zwangerschap van zijn vrouw, maar toen er een flinke, roze jongen geboren werd met wijdopengesperde grijze ogen en stevige knuisten, voelde hij zich getroost. Misschien was dit de telg die hij altijd gewenst had, een echte Carlé. Hij moest verhinderen dat dit kind door de moeder bedorven zou worden, niets is zo schadelijk voor een echte manneninborst als de invloed van een vrouw. Hij verordonneerde: trek hem geen wollen kleren aan, dan went hij aan de kou en daar wordt hij sterk van, laat hem in het donker liggen, dan wordt hij nooit bang, neem hem niet in je armen, het geeft niet of hij huilt tot hij paars ziet, daar krijgt hij sterke longen van. Achter de rug van haar man dekte de moeder haar kind echter lekker toe, gaf hem een dubbele hoeveelheid melk, wiegde hem in haar armen en zong slaapliedjes voor hem. Dat steeds weer aan en uitkleden, zonder enige reden geslagen en dan weer vertroeteld worden, in een donkere kast te worden opgesloten en dan weer met kusjes getroost, zou iedere baby tot waanzin hebben moeten brengen, maar Rolf Carlé was zo gelukkig niet alleen met voldoende geestelijke weerstand geboren te zijn om te doorstaan waaraan anderen kapot zouden zijn gegaan, hij had ook nog het geluk dat de Tweede Wereldoorlog uitbrak en dat zijn vader onder de wapenen geroepen werd, zodat hij van diens aanwezigheid verlost was. De oorlog was de gelukkigste tijd van Rolfs jeugd geweest.

Terwijl in Zuid-Amerika in het huis van professor Jones zich de gebalsemde lijken ophoopten en in de bijslaap met een door een slang gebeten man een meisje verwekt werd, dat door haar moeder om haar levenslust te geven Eva werd genoemd, nam ook in Europa de werkelijkheid buitennatuurlijke proporties aan. De wereld

werd door de oorlog in verwarring en ontzetting gedom-
peld. Toen de kleine meid aan de rokken van haar moeder hing werd in een verwoest werelddeel aan de andere
kant van de Atlantische Oceaan de vrede getekend. Overigens waren er aan deze kant van de oceaan niet veel
mensen die wakker lagen van het verre geweld, ze hadden genoeg te stellen met het geweld dat henzelf omgaf.

Naarmate hij opgroeide bleek dat Rolf Carlé opmerkzaam, volhardend en trots was en een lichte neiging tot
romantiek had, waarvoor hij zich schaamde omdat hij
het als een teken van zwakheid beschouwde. In de oor-
logsroes van die tijd speelde hij met zijn vriendjes loop-
graafje of neergeschoten vliegtuig, maar als hij alleen was
werd hij ontroerd door de nieuwe spruiten van de lente,
de bloemen in de zomer, het goud van de herfst en het
droevige wit van de winter. In alle seizoenen trok hij erop
uit om door de bossen te wandelen en bladeren en insecten te verzamelen, die hij met een loep bestudeerde. Hij
scheurde bladzijden uit zijn schriften om er gedichten op
te schrijven, die hij dan verstopte in een holle boom of
onder een steen, in de ijdele hoop dat iemand ze ooit zou
vinden. Daarover sprak hij met niemand.

De jongen was tien jaar toen ze hem 's middags meenamen om de doden te begraven. Hij was blij die dag,
want zijn broer Jochen had een haas gevangen en het hele
huis was gevuld met de geur van de bout die, gemari-
neerd in azijn met rozemarijn op een zacht vuurtje stond
te stoven. Die etenslucht had hij in lang niet geroken en
het vooruitzicht van het lekkere eten maakte hem zo begerig dat alleen zijn strenge opvoeding hem belette de
deksel op te tillen en een lepel in de pan te steken. Bovendien was het bakdag. Hij vond het heerlijk om toe te kij-

ken als zijn moeder over de enorme keukentafel gebogen haar armen ritmisch bewoog in het deeg om het brood te kneden. Van de ingrediënten maakte ze lange rollen die ze in stukken sneed en van elk stuk vormde ze een rond brood. Vroeger, in tijden van overvloed, had ze altijd wat deeg apart gehouden waaraan ze dan melk, eieren en kaneel toevoegde om er koekjes van te bakken, die bewaard werden in een trommel, voor iedere dag van de week voor ieder kind één. Nu werden er zemelen door het meel gemengd zodat het resultaat donker en grof was en het brood wel van zaagsel leek.

De ochtend was begonnen met veel agitatie op straat, verkeer van de bezettingstroepen, geschreeuwde bevelen, maar niemand schrok daar bepaald van op omdat iedereen al zijn angst had opgebruikt in de ontreddering van de nederlaag en niets meer over had om te reageren op dingen die niet veel goeds voorspelden. Na de capitulatie hadden de Russen hun intrek genomen in het dorp. Geruchten over hun beestachtigheid waren de soldaten van het Rode Leger voorafgegaan en de doodsbange bevolking verwachtte een bloedbad. Het zijn net beesten, werd er gezegd, ze snijden de buiken open van zwangere vrouwen en smijten de foetussen voor de honden, oude mannen splijten ze met hun bajonetten doormidden, mannen steken ze dynamiet in hun kont om ze in stukken te laten vliegen, ze verkrachten, stichten brand, plunderen. Zo was het echter niet gegaan. De burgemeester had daar een verklaring voor gezocht en was tot de conclusie gekomen dat ze zeker geluk hadden gehad omdat de bezetters van het dorp niet afkomstig waren uit die streken van de Sovjet-Unie die het meest van de oorlog te lijden hadden gehad en daardoor minder opgekropte wraakgevoelens hadden en minder uit waren op

vergelding. De zware wagens met hun bepakking voort-
zeulend waren ze binnengetrokken onder bevel van een
jonge officier met een Aziatisch gezicht, ze hadden al het
voedsel gerekwireerd, lieten alle voorwerpen van enige
waarde waar ze de hand op konden leggen in hun zakken
verdwijnen en schoten zes willekeurige dorpsbewoners
dood op beschuldiging van collaboratie met de Duitsers.
Even buiten het dorp sloegen ze hun kampement op en
hielden zich verder rustig. Die dag hadden de Russen de
mensen per luidspreker opgeroepen zich te verzamelen
en ze waren de huizen binnengedrongen om hen die
talmden er onder bedreiging uit te drijven. Moeder had
Katharina een vest aangetrokken en zich naar buiten gerept voordat de soldaten het huis in zouden komen en
haar de haas voor het avondmaal en het brood voor de
hele week zouden afnemen. Met haar drie kinderen, Jochen, Katharina en Rolf, liep ze naar het plein. Het dorp
had de oorlogsjaren beter doorstaan dan de meeste andere, afgezien van die ene bom die in een zondagnacht op
de school was gevallen en die veranderd had in een puinhoop, waarbij de banken en de schoolborden door de
lucht gevlogen waren. Het middeleeuwse plaveisel was
voor een deel verdwenen omdat de soldaten de stenen
gebruikt hadden om barricaden op te werpen; de enige
plaatselijke rijkdommen, de klok van het raadhuis, het
kerkorgel en de wijnoogst, waren in handen gevallen van
de vijand; de gebouwen toonden verveloze gevels en hier
en daar een paar kogelgaten, maar het geheel had zijn in
vele eeuwen verworven glans niet verloren.

De dorpsbewoners groepten samen op het plein, omringd door de vijandelijke soldaten, terwijl de Russische
commandant in zijn tot op de draad versleten uniform
en zijn kapotte laarzen en met een baard van een paar da-

gen, de groep langsging en iedereen stuk voor stuk bekeek. De ogen neergeslagen, het hoofd gebogen en in afwachting van wat komen ging, durfde niemand hem aan te kijken. Alleen Katharina met haar zachte blik keek strak naar de militair en peuterde in haar neus.

'Is ze geestelijk gehandicapt?' vroeg de officier op het meisje wijzend.

'Zo is ze geboren,' antwoordde mevrouw Carlé.

'Dan heeft het geen zin haar mee te nemen. Laat u haar maar hier.'

'Ze kan niet alleen gelaten worden, alstublieft, laat u haar met ons meegaan...'

'Zoals u wilt.'

Onder een zwak lentezonnetje moesten ze twee uur lang blijven staan wachten met de wapens op zich gericht, versleten oude mannen leunden op wie sterker was, kinderen vielen op de grond in slaap, de kleinsten bij hun vader op de arm, totdat eindelijk het bevel kwam om op weg te gaan. Iedereen begon te lopen achter de jeep van de commandant, onder toezicht van de soldaten die hen aanspoorden, een lange rij met aan het hoofd de burgemeester en het hoofd van de school, de enigen die in de catastrofe van die dagen nog over enige autoriteit beschikten. Zwijgend en ongerust liepen ze voort, zo nu en dan achterom kijkend naar de tussen de heuvels schuilgaande daken van hun huizen en zich afvragend waar ze heen gebracht werden, totdat het duidelijk werd dat ze de kant op gingen van het concentratiekamp en het hen angstig te moede werd.

Rolf kende de weg want hij was er dikwijls langsgegaan om met Jochen adders te vangen, vossenklemmen te zetten of hout te sprokkelen. De broers waren wel eens, verscholen tussen de struiken, onder de bomen gaan zitten tegenover de omheining van prikkeldraad. Door de grote afstand hadden ze nooit veel kunnen zien, maar ze hadden wel de sirenes kunnen horen en de stank kunnen opsnuiven. Als het waaide drong de eigenaardige geur de huizen binnen, maar niemand scheen dat ooit op te merken want er werd nooit over gesproken. Dit was de eerste keer dat Rolf Carlé, of wie dan ook van de overige dorpsbewoners, de ijzeren poort passeerde. Zijn aandacht werd getrokken door de platgetrapte bodem waarop geen enkel grassprietje groeide, volkomen kaal als een uit steriel stof bestaande woestijn, totaal anders dan de omringende velden die in deze tijd van het jaar bedekt waren met een zacht groen waas. De colonne trok langs een lang pad, passeerde een aantal versperringen van opgerold prikkeldraad, ging onder de wachttorens, waar de mitrailleurs op gestaan hadden, door om ten slotte op een groot vierkant plein te komen. Aan de ene kant verrezen loodsen zonder ramen, aan de andere kant een bakstenen gebouw met schoorstenen en achteraan de latrines en schavotten. De lente had bij de poorten van het kamp halt gehouden, alles zag grauw en was gehuld in de nevel van een winter die hier eindeloos voortduurde. Vlak bij de barakken bleven de dorpsbewoners staan, opeengedrongen en elkaar bij de hand grijpend om de moed erin te houden. Bedrukt door die rust, die doodse stilte en de tot as geworden hemel. De commandant gaf een bevel en de soldaten dreven hen als vee naar het grootste gebouw. En toen konden ze het allemaal zien. Daar lagen ze, bij tientallen, in een grote berg op de grond, boven op elkaar, door elkaar, in stukken gesneden, een berg bleke hompen. Eerst konden ze niet geloven dat het lichamen van mensen waren, het leken poppen uit een of ander macaber marionettentheater. Maar

48

de Russen dwongen hen prikkend met hun geweren en slaand met hun geweerkolven om dichterbij te gaan, om te ruiken en te kijken en die holle, blinde gezichten in hun geheugen te griffen. Iedereen hoorde het bonzen van zijn eigen hart en niemand sprak, er waren geen woorden voor. Minutenlang bleven ze roerloos staan totdat de commandant een schop pakte en die aan de burgemeester gaf. De soldaten deelden nog meer gereedschap uit.

'Graven,' zei de officier zonder zijn stem te verheffen, haast fluisterend.

Katharina en de kleinste kinderen werden weggestuurd om onder de galgen te gaan zitten, terwijl de anderen werkten. Rolf bleef bij Jochen. De grond was hard, het steenstof kroop in zijn vingers en onder zijn nagels, maar voorover gebogen en met het haar voor zijn ogen werkte hij door, geschokt door een schaamte die hij nooit meer zou kwijtraken en die hem zijn hele leven als een niet eindigende nachtmerrie zou blijven achtervolgen. Hij keek niet één keer op. Om zich heen hoorde hij alleen de geluiden van ijzer tegen steen, een amechtig ademhalen, het snikken van enkele vrouwen.

De nacht was al gevallen toen de kuilen klaar waren. Rolf zag dat de schijnwerpers in de wachttorens waren aangestoken en dat de nacht helder verlicht was. De Russische officier gaf een bevel en de dorpsbewoners moesten twee aan twee de lijken gaan halen. De jongen veegde zijn handen af aan zijn broek, schudde het zweet van zijn gezicht en ging met zijn broer Jochen naar voren om het gruwelijke te doen wat hen nog te wachten stond. Hun moeder probeerde hen met een rauwe kreet tegen te houden maar de jongens liepen door, bukten zich en pakten een lijk bij armen en benen, naakt, kaal, botten en vel, licht, koud en droog als porselein. Moeiteloos tilden ze die zich als het ware vastklampende stramme gestalte op en begonnen te lopen in de richting van de op de appèl-plaats gegraven kuilen. Hun vracht wiebelde een beetje en het hoofd viel achterover. Rolf keek om naar zijn moe-der, hij zag hoe ze voorovergebogen braakte en hij wilde een gebaar maken om haar te troosten, maar daarvoor had hij geen hand vrij.

Ver na middernacht waren ze pas klaar met het begra-ven van de gevangenen. De kuilen waren gevuld en afge-dekt met aarde. Het was echter nog geen tijd om te ver-trekken. De soldaten dwongen hen de barakken door te lopen, de gaskamers binnen te gaan, de verbrandings-ovens te bekijken en onder de galgen door te lopen. Nie-mand had de moed om voor de slachtoffers te bidden. In hun hart wisten ze dat ze vanaf dat moment zouden po-gen te vergeten en die verschrikking uit hun ziel weg te rukken, wisten ze dat ze bereid waren er nooit meer een woord over te spreken, en hoopten ze het in de loop van hun leven te kunnen uitwissen. Ten slotte waren ze vol-komen uitgeput met slepende tred langzaam naar huis teruggekeerd. Rolf Carlé was de laatste die tussen twee rijen skeletten door liep, allemaal gelijk in de eenzaam-heid van de dood.

Een week later verscheen Lukas Carlé, die door zijn zoon Rolf niet herkend werd. Hij had de jaren des onder-scheids nog niet bereikt toen zijn vader naar het front vertrok en de man die die avond plotseling de keuken binnenkwam leek in geen enkel opzicht op die van de fo-to op de schoorsteen. In de jaren dat hij het zonder vader had moeten doen, had Rolf zich een vader voorgesteld van heroïsche afmetingen, hem een vliegeniersuniform aangetrokken, zijn borst overdekt met onderscheidingen en een trotse, dappere militair van hem gemaakt, met laarzen die zo glansden dat een kind er zich in kon spiegelen. De gestalte die plotseling in zijn leven opdoemde vertoonde geen enkele overeenkomst met dat beeld en hij nam dan ook niet de moeite hem te groeten, hij hield hem voor een zwerver. De man van de foto droeg een welverzorgde snor en zijn ogen waren loodkleurig als winterwolken, autoritair en koud. De man die de keuken binnenstapte droeg een met een riem om zijn middel gesjorde te grote broek, een kapot jack, een vuile zakdoek om zijn nek en in plaats van in spiegelende laarzen waren zijn voeten in lappen gewikkeld. Hij was aan de kleine kant, had een stoppelbaard en zijn haar was slecht geknipt, het stond alle kanten op. Nee, die man kende Rolf beslist niet. De rest van de familie herinnerde zich hem echter heel goed. Toen ze hem zag sloeg de moeder haar hand voor de mond, Jochen ging staan en stootte in zijn haast om achteruit te springen een stoel ondersteboven en Katharina rende instinctief weg om zich onder de tafel te verstoppen, iets wat ze in lang niet had gedaan.

Lukas Carlé was niet uit heimwee teruggekomen. Hij had nooit het gevoel gehad echt bij dit of bij welk ander dorp ook te behoren, hij was een eenzelvig, ontheemd mens, maar omdat hij ook hongerig en wanhopig was, wilde hij liever het risico lopen in handen te vallen van de zegevierende vijand dan zich van het ene naar het andere kamp te moeten slepen. Hij was aan het eind van zijn Latijn. Hij was gedeserteerd en had zich in leven weten te houden door zich overdag te verstoppen en 's nachts verder te trekken. Hij had zich de papieren van een gesneuvelde soldaat toegeëigend met de bedoeling zijn naam te veranderen en zijn verleden uit te wissen, maar hij was tot het inzicht gekomen dat hij op dit grote verwoeste continent nergens heen kon. De herinnering aan het dorp met zijn lieflijke huisjes, moestuinen, wijngaarden en de school waar hij zoveel jaren gewerkt had trok hem niet erg aan, maar hij had geen andere keus. In de oorlog had hij een paar lintjes gekregen, niet wegens betoonde moed maar voor zijn wrede praktijken. Nu was hij een ander mens. Nadat hij de moerassige bodem van zijn ziel had bereikt, wist hij tot hoever hij in staat was te gaan. Nadat hij verder dan het uiterste was gegaan en de grenzen van slechtheid en wellust had overschreden, leek het hem een minuscuul klein geluk om tot het oude terug te keren en te berusten in het onderwijzen van een groep slecht opgevoede snotapen in een schoollokaal. Hij beweerde dat de mens geschapen is voor de oorlog, de geschiedenis toont aan dat vooruitgang niet verkregen wordt zonder geweld, tanden op elkaar en doorzetten, ogen dicht en rammen, daarvoor zijn wij soldaten. Al het leed bij elkaar was niet in staat geweest bij hem enig verlangen naar vrede te wekken, in zijn geest had eerder de overtuiging postgevat dat slechts door kruit en bloed mannen kunnen ontstaan die in staat zijn het gekapseisde schip van de mensheid een veilige haven binnen te loodsen, waarbij zwakkelingen en nietsnutten aan de golven worden prijsgegeven overeenkomstig de onverbiddelijke wetten van de natuur.

'Wat is er? Zijn jullie niet blij me te zien?' zei hij de deur achter zich sluitend.

Tijdens zijn afwezigheid was zijn vermogen om zijn gezin angst aan te jagen er niet minder op geworden. Jochen probeerde iets te zeggen, maar de woorden bleven in zijn keel steken en hij kon slechts een soort gestamel uitbrengen. Om hem te beschermen tegen een onbestemd gevaar ging hij voor zijn broertje Rolf staan. Zodra ze in staat was te reageren snelde mevrouw Carlé naar de linnenkist en haalde daar een groot wit tafelkleed uit dat ze over de tafel gooide zodat de vader Katharina niet zou zien en misschien zou vergeten dat ze er was. Met een snelle blik overzag Lukas Carlé de huiselijke situatie en hernam de controle over zijn gezin. Zijn vrouw leek hem nog net zo dom als altijd, maar haar ogen vertoonden ook nog steeds die angst en haar heupen waren nog breed en sterk; Jochen had zich ontwikkeld tot een grote, robuuste jongen en zijn vader vroeg zich af hoe hij kans gezien had niet gerekruteerd te worden voor de Volkssturm; Rolf kende hij nauwelijks maar hij zag in een oogopslag dat het ventje aan de rokken van zijn moeder was opgegroeid en dat hij eens flink door elkaar gerammeld zou moeten worden om die verwende indruk, alsof hij een jong katje was, kwijt te raken. Hij zou persoonlijk wel een kerel van hem maken.

'Ga jij eens water heet maken om me te wassen, Jochen. Is er iets te eten hier in huis? En jij moet Rolf zijn... Kom eens hier en geef je vader een hand. Hoor je me niet? Hier komen!'

Sinds die avond was Rolfs leven volkomen veranderd. Ondanks de oorlog en alle ontberingen die hij had moeten doorstaan, had hij nooit geweten wat angst was. Dat werd hem nu bijgebracht door Lukas Carlé. Vanaf die dag zou de jongen geen nacht meer rustig slapen, totdat zijn vader jaren later, hangend aan een boom, in het bos werd gevonden.

De Russische soldaten die het dorp bezetten waren primitief, arm en sentimenteel. 's Avonds gingen ze met hun wapens en hun hele bepakking rond een houtvuur zitten en zongen de liederen uit hun geboorteland. Als de lucht zich vulde met woorden uit hun zoetklinkende plaatselijke dialecten huilden sommigen van heimwee. Een enkele keer bedronken ze zich, maakten ze ruzie of dansten ze tot ze er bij neervielen. Door de dorpsbewoners werden ze gemeden, hoewel er enkele meisjes waren die naar hun kampement gingen, waar ze zich, in ruil voor wat eten, zwijgend en zonder hen aan te kijken aanboden. Ze kregen altijd iets, al leden de overwinnaars evenveel honger als de overwonnenen. Ook jongens slopen naar hun kamp om te kijken, gefascineerd door hun spraak, hun wapentuig, hun vreemde gewoonten, en aangetrokken door een sergeant met een door diepe littekens geschonden gezicht, die hen vermaakte door met vier messen te jongleren. Ondanks het uitdrukkelijk verbod van zijn moeder ging Rolf er vaker heen dan zijn vriendjes en het duurde niet lang of hij zat naast de sergeant om te proberen of hij zijn woorden kon begrijpen en te oefenen in het jongleren met de messen. Binnen enkele dagen hadden de Russen de verstopte collaborateurs en deserteurs geïdentificeerd en waren de militaire tribunalen begonnen, die snel werkten, want er werd geen tijd verknoeid aan formaliteiten. De publieke belangstelling was gering. De mensen waren het moe steeds weer nieuwe beschuldigingen te horen. Toen het de beurt was van Lukas Carlé slopen Jochen en Rolf echter stilletjes naar binnen en namen achter in de zaal plaats. De beschuldigde scheen geen spijt te hebben van wat hij had begaan en voerde ter verdediging alleen aan dat hij bevelen van superieuren had uitgevoerd en dat hij niet te velde getrokken was om iemand te ontzien maar om de oorlog te winnen. De jonglerende sergeant merkte op dat Rolf in de zaal zat en wilde hem wegsturen omdat hij medelijden met hem had, maar de jongen bleef stokstijf op zijn stoel zitten, vastbesloten tot het eind te blijven luisteren. Hij zou de man moeilijk hebben kunnen uitleggen dat hij niet zo bleek zag omdat hij medelijden had met zijn vader maar omdat hij heimelijk hoopte dat de bewijzen overtuigend genoeg zouden zijn om hem voor een executiepeloton te brengen. Toen hij dan ook veroordeeld werd tot zes maanden dwangarbeid in de mijnen in Oekraïne, vonden Jochen en Rolf dat een milde straf en ze baden stilletjes dat Lukas Carlé daar in dat verre land zou sterven en nooit meer zou terugkeren.

Met de komst van de vrede was het nog niet afgelopen met de ontberingen, aan eten komen was jarenlang de eerste zorg geweest en dat bleef zo. Jochen kon nauwelijks vloeiend lezen, maar hij was sterk en koppig; na het vertrek van zijn vader en omdat de akkers verwoest waren ten gevolge van de oorlogshandelingen, had hij zich belast met de zorg voor het gezin; hij hakte hout, verkocht in het wild groeiende bessen en paddestoelen, joeg op konijnen, patrijzen en vossen. Al snel trad Rolf in de voetsporen van zijn grote broer en leerde net als hij kruimeldiefstallen plegen in naburige dorpen, altijd achter hun moeders rug, die zich ook ten tijde van de ergste nood gedroeg alsof de oorlog een vreemde, verre nachtmerrie was waar zij niets mee van doen had. Ze verslapte echter geen moment om haar kinderen haar eigen morele normen bij te brengen. De jongen raakte zo gewend aan het lege gevoel in zijn buik dat hij ook jaren later nog, toen de markten uitpuilden van alle mogelijke producten en er op iedere hoek van de straat volop patates frites, snoepgoed of worstjes te koop waren, bleef dromen van het tussen de planken in een gat onder zijn bed verstopte, beschimmelde brood.

Mevrouw Carlé zag kans de vredige stemming en het

geloof in God te bewaren tot de dag dat haar man terugkeerde uit Oekraïne om definitief zijn plaats in het gezin
in te nemen. Op dat moment verloor ze al haar moed. Ze
scheen in elkaar te schrompelen en in zichzelf te keren in
een obsederende dialoog met zichzelf. De angst die ze altijd voor haar man had gehad verlamde haar, ze kon haar
haat niet uiten en dat maakte haar kapot. Ze bleef haar
taken even nauwgezet verrichten en werkte van de vroege
ochtend tot de late avond, ze waakte over Katharina en
zorgde voor de rest van haar gezin, maar ze sprak of lachte niet meer en ging niet meer naar de kerk, omdat ze niet
bereid was zich op de knieën te werpen voor die onbarmhartige god die haar gerechte smeekbeden om Lukas
Carlé naar de hel te sturen niet verhoorde. Ze deed ook
geen enkele poging meer om Jochen en Rolf in bescherming te nemen tegen de excessen van hun vader. Het
krijsen, slaan en vechten beschouwde ze ten slotte als iets
gewoons en het bracht bij haar geen enkele emotie te
weeg. Met lege ogen zat ze bij het raam en trok zich terug
in een verleden waarin haar man niet bestond en zij een
nog niet door tegenspoed getroffen jong meisje was.

Carlé hing de theorie aan dat mensen verdeeld kunnen worden in aambeelden en hamers, de een is geboren
om te slaan en de ander om geslagen te worden. Vanzelfsprekend wenste hij dat zijn zonen hamers zouden worden. Van hen tolereerde hij geen enkele zwakheid, vooral
niet van Jochen op wie hij zijn opvoedingssystemen uit-
probeerde. Het maakte hem razend als de jongen reageerde door nog meer te stotteren en op zijn nagels te
bijten. 's Nachts stelde Jochen zich wanhopig voor hoe
hij zichzelf eens en voor altijd van die marteling zou kunnen bevrijden, maar met de eerste zonnestralen werd hij
zich weer bewust van de werkelijkheid, hij boog zijn

hoofd en gehoorzaamde zijn vader zonder zich ooit te durven verzetten, hoewel hij twintig centimeter groter was en zo sterk als een trekpaard. Hij onderwierp zich. Totdat Lukas Carlé op een winteravond aanstalten maakte om de rode schoentjes te gebruiken. De jongens waren inmiddels op een leeftijd gekomen dat ze wel konden raden wat die gedrukte sfeer, de zwoele blikken en het onheilspellende zwijgen te betekenen hadden. Net als vroeger beval Carlé de jongens hen alleen te laten, Katharina mee te nemen, naar hun kamer te gaan en daar onder geen enkel voorwendsel uit te komen. Voor ze vertrokken zagen Jochen en Rolf de verschrikte uitdrukking in hun moeders ogen en het beven van haar handen. Even later hoorden ze verstijfd in hun bedden het keiharde lawaai van de muziek.

'Ik ga kijken wat hij mama doet,' besloot Rolf toen hij het niet langer uithield omdat hij ervan overtuigd was dat zich aan de andere kant van de gang een nachtmerrie herhaalde, die al sinds jaren op dit huis gedrukt had.

'Blijf waar je bent. Ik ga wel, ik ben de oudste,' zei Jochen.

En in plaats van diep onder de dekens te kruipen zoals hij zijn hele leven had gedaan, kwam hij uit bed, zette zijn verstand op nul, deed zijn broek en zijn jack aan, zette zijn wollen pet op en trok zijn sneeuwlaarzen aan. Toen hij zich met afgemeten gebaren had aangekleed, verliet hij de kamer, stak de gang over en probeerde de deur van de huiskamer te openen, maar die was op slot. Even langzaam en precies als wanneer hij zijn vallen zette of hout spleet, tilde hij zijn been op en liet met één welgemikte schop het slot springen. Rolf was op blote voeten en in pyjama achter zijn broer aan gegaan en toen de deur openging zag hij zijn moeder spiernaakt op een paar belachelijke rode laarsjes met hoge hakken staan. Lukas Carlé schreeuwde woedend dat ze onmiddellijk moesten verdwijnen maar Jochen ging door, liep langs de tafel, schoof de vrouw die hem probeerde tegen te houden opzij en kwam zo vastberaden op hem af dat de man achteruit deinsde. Met het geweld van een hamerslag kwam Jochens vuist neer op het gezicht van zijn vader zodat deze door de lucht vloog en op het buffet terechtkwam dat met een geluid van krakend hout en brekend serviesgoed in elkaar zakte. Rolf keek naar het beweginglozе lichaam op de grond, slaakte een diepe zucht en ging naar zijn kamer om een deken te pakken die hij om zijn moeder heen sloeg.

'Vaarwel mama,' zei Jochen vanaf de straatdeur, zonder haar te durven aankijken.

'Vaarwel mijn zoon,' mompelde ze, opgelucht omdat tenminste een van haar kinderen in veiligheid zou zijn.

De volgende dag trok Rolf de lange broek van zijn broer aan, rolde de pijpen op en bracht zijn vader naar het ziekenhuis waar ze zijn kaak weer op zijn plaats zetten. Wekenlang was hij niet in staat te spreken en moesten ze hem vloeibaar voedsel toedienen door een rietje. Met het vertrek van haar oudste zoon gaf mevrouw Carlé zich ten slotte over aan wrok en Rolf moest alleen de verafschuwde en gevreesde man het hoofd bieden.

Katharina had de blik van een eekhoorntje en haar geest was vrij van elke herinnering. Ze kon zonder hulp eten, roepen als ze naar het toilet moest en zich op een holletje onder de tafel verstoppen als haar vader er aan kwam, maar dat was dan ook alles wat ze had kunnen leren. Rolf zocht kleine schatten om aan haar te geven, een kever, een gepolijste steen, een noot die hij voorzichtig openmaakte om het binnenste eruit te halen. Met volkomen overgave nam ze alles in ontvangst. De hele dag wachtte ze op hem en als ze hem hoorde aankomen en zijn gezicht tussen de stoelpoten zag verschijnen, krijste ze als een meeuw. Uren bracht ze onbeweeglijk door onder de grote tafel in de beschutting van het ruwe hout, totdat haar vader vertrok of ging slapen of iemand haar er onderuit haalde. Ze had zich aangewend in haar schuilplaats te leven en op de loer te liggen voor naderende of zich verwijderende voetstappen. Soms weigerde ze te voorschijn te komen ook als er geen gevaar dreigde, dan reikte haar moeder haar een kom aan en Rolf nam een deken en liet zich onder de tafel glijden om met haar tegen zich aangedrukt de nacht door te brengen. Het gebeurde wel dat Lukas Carlé ging zitten eten en dat zijn voeten onder de tafel zijn kinderen aanraakten, die zwijgend, doodstil en hand in hand in hun schuilplaats zaten waar de geluiden, geuren en de aanwezigheid van de anderen gedempt tot hen doordrongen en ze zich konden voorstellen dat ze zich onder water bevonden. Broer en zus brachten zo'n groot deel van hun leven daar door, dat de herinnering aan het melkachtige licht onder het tafelkleed Rolf Carlé altijd zou bijblijven en hij vele jaren later, aan het andere einde van de wereld, ooit huilend wakker zou worden onder het witte muskietennet, waar hij sliep met de vrouw die hij liefhad.

3

Op een kerstavond, toen ik een jaar of zes was, bleef er
een kippenbotje in mijn moeders keel steken. Professor
Jones, die altijd bezeten was van een onverzadigbare begeerte naar nog meer kennis, gunde zich voor dit noch
voor een ander feest ooit de tijd, maar dat weerhield de
leden van zijn huishouding er niet van de kerstnacht altijd te vieren. In de keuken werd een kerststal ingericht
met onbeholpen figuurtjes van boetseerklei, er werden
kerstliederen gezongen en ik kreeg van iedereen een cadeautje. Dagen van tevoren werd al begonnen met het
koken van een creools gerecht dat ooit door slaven was
bedacht. In de koloniale tijd kwamen de notabelen op 24
december bij elkaar voor een groot feestmaal. De resten
van de feestdis van de meesters gingen naar hun slaven,
die alles fijn hakten en met maïsmeel gemengd in bana-
nenbladeren wikkelden om die vervolgens in grote pannen te stomen. Het resultaat was zo verrukkelijk dat het
recept de eeuwen doorstond en ook nu nog ieder jaar gebruikt wordt, hoewel niemand meer de restjes van het
maal van de rijken tot zijn beschikking heeft en elk ingre-
diënt eerst apart moet worden klaargemaakt, wat een
tijdrovend karwei is. Op de achterste binnenplaats van
het huis hield het personeel van professor Jones kippen,
kalkoenen en een varken, die ze het hele jaar vetmestten
voor deze ene bras- en smulpartij. Een week van tevoren
werd begonnen met de vogels noten en rum door de strot

te proppen en het varken te dwingen liters melk met bruine suiker en kruiden te drinken om te zorgen dat het vlees mals was als het moment gekomen was om het te stoven. Terwijl de vrouwen de bladeren prepareerden en de pannen en vuurpotten gereed maakten, slachtten de mannen de dieren in een orgie van bloed en veren en het gekrijs van het varken, net zo lang tot ze allemaal beneveld waren door drank en dood, verzadigd door het eten van stukken vlees en het drinken van de dikke bouillon, die overbleef na het koken van alle heerlijkheden, en hun kelen schor waren van het op vrolijke toon zingen van loftuitingen op het kindeke Jezus. In een andere vleugel van het huis verliep de dag voor professor Jones net zo als alle andere dagen, hij was zich zelfs niet bewust dat het voor ons Kerstmis was. Het fatale botje was ongemerkt in het deeg terechtgekomen en mijn moeder voelde het pas toen het in haar keel bleef steken. Na verloop van een paar uur begon ze bloed te spugen en drie dagen later blies ze zonder enig misbaar, precies zoals ze geleefd had, de laatste adem uit. Ik was bij haar en ik heb dat ogenblik niet vergeten. Sindsdien heb ik mijn zintuigen gescherpt om haar niet in vergetelheid te laten raken zoals zovele vage zielen die niet meer op te roepen schimmen worden.

Om mij niet bang te maken stierf ze zonder angst. Misschien had het kippenbotje iets fundamenteels verscheurd en was ze vanbinnen leeggebloed, ik weet het niet. Toen ze begreep dat het leven uit haar wegvloeide, sloot ze zich met mij op in onze kamer aan de binnenplaats om tot het einde samen te zijn. Traag, om de dood niet te verhaasten, waste ze zich met water en zeep om zich te ontdoen van de muskusgeur die haar begon te hinderen, kamde haar lange vlecht, deed een witte onderrok aan die ze tijdens de siësta genaaid had en strekte zich uit op dezelfde stromatras als waarop ze door een vergiftigde indiaan zwanger was geworden van mij. Hoewel de betekenis van die ceremonie mij op dat moment ontging, sloeg ik haar zo aandachtig gade dat ik mij haar gebaren stuk voor stuk herinner.

'De dood bestaat niet, kind. De mensen sterven pas als ze vergeten zijn,' legde mijn moeder me, kort voor ze heenging, uit. 'Zolang je aan mij blijft denken, zal ik altijd bij je zijn.'

'Ik zal aan je denken,' beloofde ik haar.

'Ga dan nu je peettante maar roepen.'

Ik ging de kokkin halen, die grote mulattin die mij geholpen had bij mijn geboorte en me indertijd naar het doopvont had gedragen.

'Zorg voor mijn meisje, peettante. Ik vertrouw haar aan u toe,' zei mijn moeder, terwijl ze heimelijk een spoortje bloed wegveegde dat langs haar kin liep. Daarna pakte ze mijn hand en in haar ogen stond te lezen hoeveel ze van me hield. Daarna vertroebelde haar blik en gleed het leven geruisloos uit haar. Een paar momenten leek het alsof er iets doorschijnends door de bewegingloze lucht van de kamer dreef en deze met een blauw schijnsel verlichtte en met een vleugje muskus parfumeerde, maar direct daarop was alles weer als vanouds, de lucht alleen lucht, het licht gewoon geel, de geur weer de geur van iedere dag. Ik nam haar gezicht in mijn handen en bewoog het, mama, mama roepend, heen en weer, en ik verzonk in de nieuwe stilte die tussen ons gekomen was.

'We gaan allemaal dood, dat is niets bijzonders,' zei mijn peettante en met drie bewegingen van de schaar knipte ze de lange vlecht af, met het doel die later aan een pruikenmaker te verkopen. 'Laten we haar hier weghalen voor de baas erachter komt en me opdraagt haar naar het laboratorium te brengen.'

Ik pakte de lange vlecht en wikkelde die om mijn hals. Met mijn hoofd tussen mijn knieën hurkte ik in een hoekje, zonder een traan omdat ik de reikwijdte van mijn verlies nog niet kon overzien. Zo bleef ik uren zitten, misschien wel de hele nacht, totdat er twee mannen binnenkwamen die het lichaam in de enige deken van het bed wikkelden en zonder nader commentaar meenamen. Een onbarmhartige leegte nam bezit van de mij omringende ruimte.

Nadat de schamele rouwkoets vertrokken was, kwam mijn peettante me halen. Ze moest een lucifer aansteken om me te zien, want de kamer was geheel in duister gehuld, de lamp was gesprongen en het ochtendlicht leek op de drempel halt te hebben gehouden. Ineengedoken trof ze me aan, een klein hoopje op de grond en ze moest tweemaal mijn voor- en achternaam roepen om mij te laten terugkeren naar de werkelijkheid, Eva Luna, Eva Luna. Op haar aarzelend geroep zag ik haar grote voeten in de pantoffels en de zoom van haar katoenen jurk, ik sloeg mijn ogen op en ontmoette haar vochtige blik. Ze glimlachte tegen me op het moment dat het flakkerende vlammetje van de lucifer doofde; daarna voelde ik hoe ze in het donker bukte, me in haar dikke armen optilde, op haar schoot zette en me begon te wiegen, me in slaap sussend door zachtjes een Afrikaans klaaglied voor me te zingen.

'Als je een jongen was zou je naar school gaan en daarna voor advocaat leren om mij op mijn oude dag van een boterham te verzekeren. Die witbeffen verdienen het meest, die weten wat sjoemelen is. In troebel water is het goed vissen,' zei mijn peettante.

Zij beweerde dat het beter was een man te zijn, omdat zelfs de grootste schlemiel nog een vrouw heeft om te commanderen, en jaren later ben ik tot de conclusie gekomen dat ze best gelijk kon hebben, hoewel ik mij mezelf niet kon voorstellen in een mannenlichaam met haar op mijn gezicht, met de zucht tot commanderen en met iets oncontroleerbaars onder mijn navel waarvan ik eerlijk gezegd niet wist waar het had moeten zitten. Op haar manier voelde mijn peettante veel genegenheid voor me en dat ze mij daar nooit iets van heeft laten blijken was omdat ze geloofde dat het noodzakelijk was mij strikt op te voeden en omdat ze al snel haar verstand verloor. In die tijd was ze nog niet zo afgetakeld als nu; ze was een fiere, donkere vrouw met een zware boezem, een ingesnoerde taille en brede heupen, als een tafeltje onder haar rokken. Als ze op straat liep keken de mannen naar haar om, riepen haar schunnige complimentjes toe, probeerden haar te knijpen, doch zij liet zich niet uit het lood slaan en gaf hen lik op stuk, 'wat denk je wel brutale neger' en lachte hen uit waarbij ze haar gouden tand liet schitteren. Iedere avond waste ze zich staande in een teil, goot met een kan water over zich heen en boende zich met een lap met zeep, tweemaal per dag deed ze een schone blouse aan, ze besprenkelde zich met rozenwater, ze waste haar haren met ei en ze poetste haar tanden met zout om ze te laten glanzen. Ze had een sterke, zoetige geur die niet weg te krijgen was met al die zeep en al dat rozenwater, een geur waar ik veel van hield omdat hij me deed denken aan overgekookte melk. Wanneer het tijd was om te baden hielp ik haar met water over haar rug gieten en verrukt keek ik naar het donkere lichaam met de donkere tepels, de met krulletjes bedekte schaamheuvel, de billen met net zulke kuiltjes als van de gecapitonneerde leren stoel waarin professor Jones wegkwijnde. Ze streelde zichzelf met de lap en glimlachte, trots op haar overvloedige vlees. Ze liep met een uitdagende bevalligheid, heel trots rechtop op de maat van een geheime muziek die ze in zich droeg. Verder was alles aan haar grof, zelfs haar lachen en haar huilen. Ze werd zonder enige aanleiding kwaad en deelde dan in het wilde weg klappen uit, die als ze mij troffen de uitwerking hadden van een kanonschot. Zonder opzet heeft ze zo mijn ene oor beschadigd. Ondanks de mummies, waarvoor ze nooit enige sympathie heeft kunnen opbrengen, zorgde ze jarenlang als kokkin voor professor Jones, tegen een hongerloon dat ze voor het grootste deel uitgaf aan tabak en rum. Ze nam de zorg voor mij op zich omdat die taak haar was opgedragen als een plicht die heiliger is dan de bloedbanden. 'Voor wie zijn petekind verwaarloost bestaat geen vergiffenis, dat is erger dan een eigen kind in de steek laten,' zei ze, 'het is mijn plicht je goed, netjes en arbeidzaam groot te brengen, want daarvoor zal ik rekenschap moeten afleggen op de dag van het Laatste Oordeel.' Mijn moeder geloofde niet in erfzonden en had het daarom niet nodig geoordeeld mij te laten dopen, maar mijn peettante was met ijzeren volharding blijven aandringen. Ten slotte was Consuelo gezwicht: 'Als het u zo veel genoegen doet, peettante, vooruit dan maar, ga uw gang, maar de naam die ik voor haar gekozen heb, mag u niet veranderen.' De mulattin had drie maanden niet gerookt of gedronken om wat geld bij elkaar te krijgen en op de grote dag kocht ze een aardbeikleurig jurkje van tafzijde voor me, strikte een lintje in de vier armetierige haren die mijn hoofd kroonden, besprenkelde me met haar rozenwater en droeg me in haar armen naar de kerk. Ik bezit nog een foto van mijn doop, ik zag eruit als een lief verjaarscadeautje. Omdat ze niet genoeg geld had voor de plechtigheid, maakte ze als tegenprestatie de hele kerk schoon, vanaf het vegen van de vloeren tot het met krijt poetsen van de ornamenten en met was wrijven van de houten banken. Zodoende ben ik met alle pracht en praal gedoopt, als een kind van rijke ouders.

'Als ik er niet geweest was, zou jij nog steeds een heidin zijn. De onschuldigen die zonder sacramenten sterven gaan naar het voorgeborchte en daar komen ze nooit meer uit,' wreef mijn peettante me altijd onder de neus. 'Ieder ander in mijn plaats zou je verkocht hebben. Meisjes met blauwe ogen zijn gemakkelijk kwijt te raken, ze zeggen dat de gringo's ze kopen en meenemen naar hun eigen land, maar ik heb je moeder een belofte gedaan en als ik die niet nakom, zal ik koken in de potten van de hel.'

Voor haar waren de grenzen tussen goed en kwaad haarscherp en ze was bereid mij voor de ondeugd te behoeden door me te slaan, de enige methode die ze kende, want zo was ze zelf opgevoed. Het idee dat spel en tederheid goed zouden zijn voor kinderen was een moderne uitvinding, in haar hoofd zou zoiets nooit opkomen. Ze deed haar best om mij ijverig te leren werken, zonder tijd te verdoen aan dromerijen, ze ergerde zich als ik verstrooid was of langzaam liep, ze wilde me zien rennen zodra me iets werd opgedragen. Jij hebt rook in je hoofd en zand in je kuiten, placht ze te zeggen en ze wreef mijn benen in met *Scotts Emulsie,* een spotgoedkoop maar befaamd smeerseltje dat levertraan bevatte en dat, als je de reclame mocht geloven, een soort steen der wijzen was onder de versterkende middelen.

Het brein van mijn peettante was enigszins verward geraakt door de rum. Ze geloofde in de katholieke heiligen, in heiligen van Afrikaanse oorsprong en in nog een paar andere die ze zelf bedacht had. In haar kamer had ze een soort altaar opgericht, waar wijwater op een rij stond met voodoofetisjen, de foto van haar vader zaliger en een borstbeeld dat volgens haar de Heilige Cristobal voorstelde maar waarvan ik later ontdekte dat het van Beethoven was. Ik heb haar altijd in die waan gelaten omdat het voor haar het wonderbaarlijkste van haar hele altaar was. Ze sprak de hele tijd met haar godheden op een aanmatigende, belerende toon en vroeg hun onbetekenende gunsten en later, toen ze de smaak te pakken kreeg van de telefoon, belde ze naar de hemel, waarbij ze het geruis van het apparaat interpreteerde als het zinnebeeldige antwoord van haar goddelijke gesprekspartners. Op deze manier ontving ze ook voor de triviaalste aangelegenheden instructies van het hemelse hof. Ze was verknocht aan de Heilige Benito, een knappe blonde pierewaaier die door de vrouwen niet met rust gelaten werd en die zich in de rook van de vuurpot nestelde om daar te blijven gloeien als een stuk houtskool, pas zo kon hij God aanbidden en rustig zijn wonderen verrichten, zonder de last van aan zijn tuniek hangende wulpse vrouwmensen. Tot hem bad ze om verlost te worden van de dronkenschap. Ze was deskundig op het gebied van afgrijselijke folteringen en dood, ze kende de geschiedenis van iedere martelaar en maagd die op de katholieke lijst van heiligen voorkwam en was altijd bereid mij daarover te vertellen. Ik luisterde met ziekelijke angst en vroeg steeds naar nog meer bijzonderheden. Mijn voorkeur ging uit naar de marteling van de Heilige Lucia, dat verhaal wilde ik steeds opnieuw tot in alle finesses horen: waarom Lucia de keizer die verliefd op haar was had afgewezen, hoe haar ogen werden uitgestoken, of het waar was dat haar pupillen vanaf de zilveren schaal waarin ze als twee gescheiden eierdooiers dreven een lichtstraal hadden uitgezonden en de keizer met blindheid hadden geslagen terwijl bij haar twee schitterende blauwe ogen te voorschijn kwamen, veel mooier dan de oorspronkelijke.

Het geloof van mijn arme peettante was onwrikbaar en geen enkel ongeluk dat haar desondanks overkwam, kon haar ontmoedigen. Onlangs, toen de paus hier op bezoek kwam, vroeg ik toestemming haar uit het herstellingsoord te halen, want het zou zonde zijn geweest als ze die hogepriester gemist zou hebben, die in zijn witte habijt met gouden kruis, in perfect Spaans of in indiaans dialect zijn onbewijsbare stellingen verkondigde. Toen ze hem in zijn aquarium van kogelvrij glas zag naderen door de vers geschilderde straten, bedolven onder bloemen, toejuichingen en vaantjes en omringd door lijfwachten, liet mijn intussen stokoude peettante zich op de knieën vallen, ervan overtuigd dat de profeet Elia een toeristisch uitstapje maakte. Ik was bang dat ze in de menigte zou worden platgedrukt en wilde haar daar weghalen, maar daar was ze niet toe te bewegen voordat ik als relikwie een haar van de paus voor haar had gekocht. In die dagen beterden veel mensen hun leven, sommigen beloofden hun schuldenaren te vergeven en het niet meer te hebben over klassenstrijd of voorbehoedmiddelen teneinde de Heilige Vader geen aanleiding tot droefenis te geven. Ik kon eerlijk gezegd niet warm lopen voor de vooraanstaande bezoeker omdat ik niet zulke goede herinneringen had aan de godsdienst. Toen ik nog klein was, had mijn peettante me op een zondag meegenomen naar de parochiekerk, waar ze me liet knielen in een houten hokje met gordijnen, ik had stijve vingers en was niet in staat mijn handen te vouwen zoals ze mij geleerd had. Door een traliehek bereikte mij een stinkende adem, 'vertel me je zonden,' werd mij bevolen en op slag was ik alles wat ik bedacht had vergeten, ik wist niet wat ik moest antwoorden, koortsachtig probeerde ik iets te bedenken, desnoods iets vergeeflijks, maar ook de alleronschuldigste zonde wilde mij niet te binnen schieten.

'Beroer je je lichaam met je handen?'

'Ja...'

'Dikwijls, meisje?'

'Iedere dag.'

'Iedere dag! Hoe vaak?'

'Ik houd het niet bij... vaak...'

'Dat is een zeer ernstige zonde in Gods ogen!'

'Dat wist ik niet, vader. En als ik handschoenen aan doe, is het dan ook zonde?'

'Handschoenen! Wat zeg je daar, dwaas kind! Neem je mij in de maling?'

'Nee, nee...' stamelde ik hevig geschrokken en overwoog dat het hoe dan ook erg lastig zou zijn om met handschoenen aan mijn gezicht te wassen, mijn tanden te poetsen of me te krabben.

'Beloof me dat je het nooit meer zult doen. Reinheid en onschuld zijn de beste deugden van een meisje. Als boete moet je vijfhonderd weesgegroetjes bidden om je door God vergiffenis te laten schenken.'

'Dat kan ik niet, vader,' antwoordde ik; ik kon niet verder dan twintig tellen.

'Wat, dat kan je niet!' brieste de priester en een regen van spuug spoot door het biechthokje en sproeide over me heen.

Ik ging er op een holletje vandoor, maar peettante

ving me op en hield me bij mijn oor, terwijl ze met de priester de wenselijkheid besprak om mij aan het werk te zetten, voor ik nog verder op het slechte pad zou raken en mijn geest geheel zou verduisteren.

Nadat mijn moeder was gestorven, sloeg ook voor professor Jones het uur. Hij stierf van ouderdom, teleurgesteld in de wereld en in zijn eigen kennis, maar ik zou kunnen zweren dat hij in vrede is gestorven. Gezien de onmogelijkheid zichzelf te balsemen en waardig tussen zijn Engelse meubelen en zijn boeken te blijven voortbestaan, had hij in zijn testament instructies gegeven om zijn stoffelijk overschot naar zijn verre geboortestad te zenden want hij wenste niet te eindigen op de plaatselijke begraafplaats, bedekt door vreemd stof, onder een onbarmhartige zon en te midden van wie weet wat voor soort volk, zoals hij het uitdrukte. Zieltogend lag hij onder de ventilator in zijn slaapkamer te koken in het zweet van zijn verlamming met als enig gezelschap de predikant met de bijbel en ik. Het laatste sprankje van de angst die hij me ingeboezemd had, verloor ik toen ik begreep dat hij zich zonder hulp niet kon bewegen en zijn bulderende stem veranderd was in het niet eindigende gehijg van een stervende.

In het van de wereld afgesloten huis, waar de dood zijn kwartieren had opgeslagen sinds de dokter met zijn experimenten begon, doolde ik zonder toezicht rond. De discipline van het personeel verslapte zodra de professor zijn kamer niet meer kon verlaten om hen vanuit zijn rolstoel terecht te wijzen en met tegenstrijdige bevelen te overladen. Ik zag hoe op ieder onbewaakt ogenblik de zilveren borden, de tapijten, de schilderijen en zelfs de kristallen karaffen waar de geleerde zijn vloeistoffen in bewaarde het huis uit gedragen werden. Niemand dekte de tafel van de baas nog met gesteven kleedjes of glanzend vaatwerk, niemand ontstak nog de kristallen lampen of reikte hem zijn pijp aan. Mijn peettante bekommerde zich niet langer om de keuken, iedere maaltijd maakte ze zich ervan af met gebakken bananen, rijst en vis. Het huis werd door niemand meer schoongemaakt, in de wanden en de houten vloeren trok het vocht op en woekerde de schimmel. Sinds het incident met de slang, jaren geleden, was er aan de tuin niets meer gedaan, met het gevolg dat een agressieve natuur op het punt stond het huis met zijn plantengroei op te slokken en de drempel te overschrijden. De dienstboden hielden siësta, gingen op alle uren wandelen, dronken te veel rum en liepen de hele dag met een radio die bolero's, dansmuziek en populaire deuntjes uitbraakte. De ongelukkige professor, die toen hij nog gezond was louter de muziek van zijn klassieke platen had getolereerd, leed onzegbaar onder het tumult en trok vergeefs aan de bel om zijn personeel te roepen, niemand kwam aansnellen. Alleen als hij sliep kwam mijn peettante naar zijn kamer om hem te besprenkelen met uit de kerk afkomstig wijwater, omdat ze meende dat het een heel grote zonde zou zijn hem zonder sacramenten, als een bedelaar te laten sterven.

Op de ochtend dat een van de dienstmeisjes, vanwege de toenemende hitte slechts gekleed in beha en slipje, de dominee binnenliet, begon ik te vermoeden dat de losbandigheid haar hoogtepunt bereikt had en dat er voor mij geen reden meer was om op veilige afstand van de baas te blijven. Vanaf dat moment ging ik hem regelmatig een bezoek brengen, in het begin gluurde ik vanuit de deuropening, maar later drong ik steeds verder de kamer binnen tot ik ten slotte op zijn bed zat te spelen. Uren bracht ik bij de oude man door en probeerde met hem in

71

contact te komen totdat ik er ten slotte in slaagde het gemompel van de vreemde, halfverlamde man te begrijpen. Als ik bij hem was leek de professor eventjes de vernedering van zijn doodsstrijd en de kwelling van zijn bewegingloosheid te vergeten. Ik haalde de boeken van de gewijde planken en hield ze voor hem open, zodat hij ze kon lezen. Sommige waren in het Latijn geschreven maar die vertaalde hij voor me, hij was er duidelijk verrukt over mij als leerling te hebben en hij beklaagde zich er hardop over dat hij niet eerder beseft had dat ik in zijn huis woonde. Misschien was hij nooit eerder met een kind in aanraking gekomen en ontdekte hij te laat dat hij zijn roeping als grootvader had misgelopen...

'Waar is dit kind vandaan gekomen?' vroeg hij naar lucht happend. 'Is ze mijn dochter, mijn kleindochter of misschien een hallucinatie van mijn zieke brein? Ze is donker maar ze heeft net zulke ogen als ik... Kom eens hier, kleine, laat me je eens van dichtbij bekijken.'

Hij kon mij niet in verband brengen met Consuelo, hoewel hij zich de vrouw die hem meer dan twintig jaar gediend had en die een keer als een zeppelin was opgezwollen, een flinke indigestie, goed kon herinneren. Hij sprak dikwijls met me over haar, hij was ervan overtuigd dat zijn laatste ogenblikken anders geweest zouden zijn als hij haar aan zijn bed had gehad. Zij zou hem niet in de steek gelaten hebben, zei hij.

Ik stopte proppen watten in zijn oren zodat hij niet gek zou worden van de liedjes en hoorspelen op de radio, ik waste hem en legde dubbelgevouwen handdoeken onder zijn lichaam om te voorkomen dat de matras doorweekt raakte van zijn urine, ik luchtte zijn kamer en voerde hem pap alsof hij een baby was. Die oude man met zijn zilveren baard was mijn pop. Op een dag hoorde

ik hem tegen de dominee zeggen dat ik voor hem belangrijker was dan alle wetenschappelijke ontdekkingen die
hij gedaan had. Ik had hem enkele leugentjes verteld: dat
hij een talrijke familie had die hem op haar landgoed verwachtte, dat hij grootvader was van verscheidene kleinkinderen en dat hij een tuin vol bloemen bezat. In de bibliotheek bevond zich een opgezette poema, een van de
eerste experimenten met de wondervloeistof van de geleerde. Ik sleepte hem naar zijn kamer, zette hem aan het
voeteneinde van het bed en verkondigde dat het zijn
speelgoedhond was, die herinnerde hij zich toch nog
wel? Het arme dier was bedroefd.

'Noteert u in mijn testament, dominee. Ik wens dat
dit meisje mijn universeel erfgename wordt. Alles is van
haar als ik sterf,' kon hij met zijn halfverlamde tong uitbrengen tegen de predikant, die vrijwel dagelijks bij hem
op bezoek kwam en hem het plezier in zijn eigen dood
verpestte met dreigementen over de eeuwigheid.

Mijn peettante plaatste voor mij een veldbed naast het
bed van de stervende. Op een ochtend ontwaakte de zieke nog bleker en uitgeputter dan anders, hij weigerde de
koffie met melk die ik hem probeerde te geven, maar hij
liet toe dat ik hem waste, zijn baard kamde, een schoon
hemd aantrok en met eau de cologne afwreef. Tot het
middaguur bleef hij tegen de kussens geleund zwijgend
naar het raam zitten staren. Hij wees de pap af en toen ik
hem neerlegde voor de siësta vroeg hij mij of ik naast
hem wilde komen liggen. We lagen alle twee vredig te
slapen toen het leven uit hem gleed.

De dominee verscheen tegen de avond en nam alle beslommeringen op zich. Het bleek praktisch niet uitvoer-
baar om het lichaam naar zijn geboorteland te zenden,
vooral omdat niemand bereid was het in ontvangst te ne-

men, zodat de dominee de aanwijzingen naast zich neerlegde en het zonder groot vertoon liet begraven. Alleen wij, de personeelsleden, woonden de droevige begrafenis bij, aangezien de faam van professor Jones was verbleekt en in de schaduw was gesteld door de nieuwe ontwikkelingen van de wetenschap, en hoewel het nieuws wel in de pers was bekendgemaakt, nam niemand de moeite hem op zijn weg naar zijn laatste rustplaats te vergezellen. Na zovele jaren afzondering waren er weinig mensen die hem zich nog herinnerden. Als hij ooit werd genoemd door een medisch student, was dat om de gek te steken met zijn methoden, zijn klappen op het hoofd om de intelligentie te stimuleren, zijn insecten om kanker te bestrijden en zijn vloeistof voor het conserveren van lijken.

Met het verdwijnen van de baas stortte de wereld, waarin ik geleefd had, in. De dominee maakte de inventaris van de bezittingen op en de bestemming daarvan. Daarbij ging hij uit van de redenering dat de geleerde de laatste tijd niet meer over zijn verstand had beschikt en niet in staat was geweest tot het nemen van beslissingen. Alles verviel aan zijn kerk, behalve de poema, waarvan ik niet wenste te scheiden omdat ik hem van jongsaf aan bereden had en omdat ik zo vaak tegen de zieke had gezegd dat het een hond was, dat ik dat ten slotte zelf was gaan geloven. Op het moment dat de verhuizers aanstalten maakten hem in de verhuiswagen te zetten, simuleerde ik zo'n indrukwekkende stuiptrekking dat het de dominee, toen hij zag hoe het schuim op mijn mond stond en mijn smartelijke kreten hoorde, maar beter leek om toe te geven. Ik veronderstel dat het beest ook voor niemand enig nut had, zodat ze het mij lieten behouden. Het was onmogelijk het huis te verkopen, niemand wilde het hebben. Het droeg het brandmerk van de proefnemingen van professor Jones en bleef ten slotte leegstaan. Het bestaat nog steeds. In de loop der jaren is het veranderd in een angstaanjagend huis waar jongens hun mannelijkheid bewijzen door er de nacht door te brengen te midden van krakende deuren, flitsende muizen en het gesteun van de dolende zielen. De mummies werden vanuit het laboratorium overgebracht naar de Medische Faculteit, waar ze lange tijd in een kelder werden opgeborgen totdat onverwacht de begeerte om de geheime formule van de dokter te ontdekken, weer ontwaakte. Daarna zijn drie generaties studenten bezig geweest met er stukken afsnijden om die met behulp van allerlei apparaten te bestuderen, zodat er ten slotte niets anders meer van over was dan een waardeloze vleesmassa.

De dominee ontsloeg het personeel en sloot het huis af. En zo verliet ik de plek waar ik geboren was, de achterpoten van de poema torsend terwijl mijn peettante de voorpoten droeg.

'Je bent intussen groot en ik kan je niet onderhouden. Jij gaat nu werken om je eigen kost te verdienen en sterk te worden, zoals het hoort,' zei mijn peettante. Ik was zeven jaar.

Mijn peettante zat rechtop op een rieten stoel in de keuken te wachten, op haar schoot een met kraaltjes geborduurde plastic tas, uit de halsopening van haar blouse stulpte de helft van haar borsten, haar dijen hingen over de stoelzitting. Naast haar staande gluurde ik door mijn oogharen naar het ijzeren kookgerei, de verroeste koelkast, de onder de tafel weggekropen katten, het met vliegen bezaaide gaas van het buffet. Twee dagen geleden had ik het huis van professor Jones verlaten en ik was nog niet bekomen van de schrik. In enkele uren was ik stug geworden. Ik weigerde mijn mond open te doen. Ik was in een hoekje gaan zitten, met mijn gezicht verstopt achter mijn armen en net zoals nu, verscheen mij toen mijn moeder, getrouw aan de belofte om levend te blijven zolang ik haar in mijn herinnering zou bewaren. Tussen de potten in die vreemde keuken was een norse, onvriendelijke negerin in de weer, die ons wantrouwend opnam.

'Is dat meisje je dochter?' vroeg ze.

'Hoe kan dat nou, u ziet toch wel wat voor huidskleur ze heeft?' antwoordde mijn peettante.

'Van wie is ze dan?'

'Ze is mijn doopkind. Ik breng haar om te werken.'

De deur ging open en de vrouw des huizes kwam binnen. Ze was klein en had een ingewikkeld kapsel van platgedrukte haarwrongen en krullen, ze was van top tot teen in de rouw en om haar hals hing aan een gouden ketting een medaillon zo groot als een ambtspenning.

'Kom eens hier om je te laten bekijken,' beval ze me, maar ik bleef aan de grond genageld staan, ik kon me niet bewegen en mijn peettante moest me naar voren duwen om me door de bazin aan een onderzoek te laten onderwerpen: mijn hoofdhuid op luizen, mijn nagels op voor epileptici typerende snijlijnen, mijn tanden, mijn oren, mijn huid, de gespierdheid van mijn armen en benen.

'Heeft ze wormen?'

'Nee mevrouw, ze is vanbinnen en vanbuiten schoon.'

'Ze is mager.'

'Sinds een poosje heeft ze geen eetlust, maar u hoeft zich geen zorgen te maken, ze heeft veel werklust. Ze leert gauw en ze heeft een goed verstand.'

'Is ze een huilebalk?'

'Ze heeft zelfs niet gehuild toen we haar moeder gingen begraven, moge ze in vrede rusten.'

'Ze kan een maand op proef blijven,' besloot de bazin, en ze vertrok zonder te groeten.

Mijn peettante gaf me nog enkele laatste wenken: niet brutaal zijn, voorzichtig dat je niets breekt, 's avonds geen water drinken want dan plas je in je bed, gedraag je goed en wees gehoorzaam.

Ze maakte aanstalten om me te kussen maar ze veranderde van gedachte en aaide me onhandig over mijn hoofd, draaide zich om en vertrok met ferme tred door de dienstingang, maar het was haar aan te zien dat ze treurig was. We waren altijd samen geweest, voor het eerst scheidden we van elkaar. Ik bleef staan waar ik stond, mijn ogen strak op de muur gericht. De kokkin was net klaar met plakjes banaan bakken, ze pakte me bij mijn schouders en plantte me op een stoel, vervolgens kwam ze naast me zitten en glimlachte.

'Zo, dus jij bent de nieuwe dienstmeid... Wel, vogeltje, eet eens wat...' en ze schoof me een bord toe. 'Ze noemen mij Elvira, ik ben geboren in de kuststreek, op een dag dat het zondag 29 mei was, maar in welk jaar, dat ben ik vergeten. Ik heb mijn hele leven nooit iets anders gedaan dan werken en als ik het zo zie, zal dat ook jouw voorland zijn. Ik heb zo mijn manies en gewoonten, maar we zullen het best met elkaar kunnen vinden, mits jij niet brutaal bent. Ik heb altijd graag kleinkinderen willen hebben maar God heeft mij zo slecht bedeeld dat hij me zelfs geen gezin heeft gegeven.'

Die dag begon voor mij een nieuw leven. Het huis waar ik tewerkgesteld werd, was volgepropt met meubelen, schilderijen, beeldjes, varens op marmeren zuilen, maar al die versieringen waren niet in staat de schimmel te verbergen die in de leidingen groeide, de door vochtvlekken overdekte muren, het onder de bedden en achter de kasten opgehoopte stof van jaren, alles kwam mij vies voor, heel anders dan in het huis van professor Jones, die voor hij door een beroerte getroffen werd over de grond placht te kruipen om met zijn vinger langs de plinten te strijken. Het stonk er naar rotte meloenen en hoewel de luiken, om de zon te weren, gesloten werden gehouden, was het er snikheet. Het huis was eigendom van een ongetrouwde broer en zuster, de dame met het medaillon en een vette zestiger met een grote vlezige neus, vol putten en getatoeëerd met een arabesk van blauwe aderen. Elvira vertelde me dat de juffrouw het grootste deel van haar leven had doorgebracht op het kantoor van een notaris, in stilte schrijvend en haar lust om te krijsen opkroppend, die ze pas kon bevredigen nu ze gepensioneerd was en in haar eigen huis leefde. De hele dag gaf ze op hoge toon bevelen, wees met een dwingende vinger, onvermoeibaar in haar zucht tot commanderen, in onmin met de wereld en met zichzelf. Het enige wat haar broer deed, was de krant lezen, de uitslagen van de paardenrennen volgen, drinken, dommelen in een schommelstoel op de galerij of in pyjama op zijn pantoffels over de tegels sloffen en zijn kruis krabben. Tegen donker ontwaakte hij uit zijn de hele dag durende kater, kleedde zich aan en vertrok om in een café domino te spelen. Dat deed hij iedere avond behalve zondags, dan ging hij naar de paardenrennen, waar hij alles verloor wat hij in de rest van de week had gewonnen. Behalve de keukenmeid, de katten en een zwijgzame, halfkale papegaai woonde er in het huis ook nog een dienstmeid met grove trekken en het verstand van een kanarie, die van 's morgens vroeg tot 's avonds laat werkte en tijdens de siësta in de kamer van de oude vrijgezel verdween.

De bazin gaf Elvira opdracht mij te wassen met ontsmettende zeep en al mijn kleren te verbranden. Mijn hoofd werd niet kaalgeknipt, zoals destijds ter voorkoming van luizen werd gedaan met dienstmeisjes, omdat de broer dat belette. De man met de aardbeienneus sprak vriendelijk, glimlachte veelvuldig en zelfs als hij dronken was vond ik hem wel aardig. Mijn angst voor de schaar vertederde hem en hij zag kans de vlecht, die mijn moeder altijd zo geborsteld had, te redden. Vreemd, ik kan me zijn naam niet herinneren... Daar in huis droeg ik een schort dat mevrouw op haar naaimachine gemaakt had en ik liep blootsvoets. Na die eerste maand op proef legden ze me uit dat ik harder zou moeten werken omdat ik nu loon zou gaan krijgen. Ik heb er nooit iets van gezien, mijn peettante kwam het om de twee weken innen. In het begin keek ik vol ongeduld uit naar haar bezoeken en zodra ze verscheen klampte ik me aan haar rokken vast en smeekte haar mij met haar mee te nemen. Later raakte ik gewend, ik schaarde me aan de zijde van Elvira en sloot vriendschap met de katten en de papegaai. Toen de bazin mijn mond waste met zuiveringszout om me van de gewoonte af te brengen binnensmonds te mompelen, stopte ik met hardop met mijn moeder praten maar ik bleef het wel stiekem doen. Er was veel werk, dat huis leek waarachtig wel een karveel dat schipbreuk had geleden; ondanks boender en bezem kwam er nooit een eind aan het schoonmaken van de op de muren voortwoekerende schimmel. De maaltijden waren niet bepaald afwisselend of overvloedig, maar Elvira verstopte de restjes van de bazen en zette die mij als ontbijt voor, omdat ze op de radio gehoord had dat het goed is om de werkdag met een volle maag te beginnen, daar profiteren je hersenen van en daar zal je nog eens wijs van worden, vogeltje, zei ze. De oude vrijster ontging geen enkel detail, vandaag boen je de patio's met creoline, vergeet niet de servetten te strijken en pas op dat je ze niet schroeit, je moet de ramen lappen met krantenpapier en azijn en als je daarmee klaar bent zal ik je leren hoe je de schoenen van meneer moet poetsen. Ik gehoorzaamde ongehaast want ik had al gauw door dat ik, mits met enig overleg, de kantjes eraf kon lopen en vrijwel zonder iets te doen de dag kon doorkomen. De dame met het medaillon begon opdrachten uit te delen vanaf het moment dat ze 's morgens vroeg uit bed kwam; vanaf dat uur vertoonde ze zich in haar zwarte kleren van elkaar overlappende rouwperioden, met haar medaillon en haar ingewikkelde kapsel, maar ze raakte verstrikt in haar eigen bevelen en ze was gemakkelijk om de tuin te leiden. De baas interesseerde zich weinig voor de huiselijke beslommeringen, hij was verdiept in de paardenrennen, bestudeerde het verleden van de dieren, berekende de waarschijnlijkheidswetten en bedronk zich als troost voor zijn mislukte weddenschappen. Soms werd zijn neus zo paars als een aubergine en dan liet hij mij komen om hem in bed te helpen en de lege flessen te verstoppen. De dienstbode toonde geen enkele belangstelling om met wie ook betrekkingen aan te knopen, en al helemaal niet met mij. Alleen Elvira bemoeide zich met mij, zij dwong me te eten, zij leerde me het huishoudelijk werk en zij hielp me een handje bij de zwaarste taken. Uren brachten we door met kletsen en elkaar verhalen vertellen. In die periode begonnen enkele van haar eigenaardigheden zichtbaar te worden, zoals haar redeloze haat tegen buitenlanders met blond haar, en tegen kakkerlakken, die ze bestreed met alle binnen haar bereik liggende middelen, van ongebluste kalk tot en met bezemslagen. Daar stond tegenover dat ze niets zei toen ze erachter kwam dat ik eten neerlegde voor de muizen en over hun kroost waakte zodat het niet door de katten zou worden opgevreten. Ze was bang dat ze in armoede zou sterven en dat haar botten zouden eindigen in een massagraf, en ter voorkoming van een dergelijke postume vernedering had ze op afbetaling een doodskist aangeschaft, die ze in haar kamer had neergezet en die ze gebruikte als kast om haar lorren in te bewaren. Het was een ruwe houten kist, die naar timmermanslijm rook en bekleed was met witte voeringstof met blauw lint en voorzien was van een kussentje. Een enkele keer werd mij goedgunstig toegestaan erin te gaan liggen met de deksel dicht, terwijl Elvira deed alsof ze ontroostbaar weende en tussen het snikken door mijn denkbeeldige deugden opdreunde, ach Heilige God, waarom hebt Ge mijn vogeltje van me weggerukt, ze was zo goed, zo schoon, zo netjes, zelfs van mijn eigen kleinkind zou ik niet zoveel kunnen houden als van haar, verricht een wonder, geef haar aan mij terug, Here. De komedie duurde totdat de dienstmeid zich niet langer kon beheersen en begon te krijsen.

Voor mij verliepen alle dagen hetzelfde, met uitzondering van de donderdag. Op de kalender in de keuken rekende ik uit of die al in aantocht was. De hele week wachtte ik op het moment waarop ik het tuinhek zou passeren om naar de markt te gaan. Elvira trok me mijn rubberschoenen aan, deed me een schoon schort voor, bond mijn haar in een paardenstaart en gaf me een cent om een door mensentanden niet kapot te krijgen, fel gekleurde lolly te kopen. Uren kon je daarop zuigen zonder dat hij kleiner werd. Voor mij was dat snoepgoed toereikend voor wel zes of zeven avonden intens genot en bovendien vele duizelingwekkende likjes tussen twee zware taken door. De bazin liep voorop met haar tasje stijf aan

haar borst geklemd, 'houd je ogen open, laat je niet afleiden, ga niet bij me vandaan, het wemelt hier van de
schooiers,' waarschuwde ze ons. Met gedecideerde pas
liep ze voorwaarts, kijkend, tastend, afdingend, het is
een schandaal, die prijzen, die afzetters, in het gevang
zouden ze ze moeten stoppen. Ik liep achter de dienstmeid aan met in iedere hand een tas en mijn lolly in mijn
zak. Ik keek naar de mensen en probeerde te gissen hoe ze
leefden, wat hun geheimen, hun deugden en hun avonturen waren. Met brandende ogen en in een feestelijke
stemming keerde ik naar huis terug. Daar rende ik naar
de keuken en terwijl ik Elvira hielp bij het uitpakken,
overstelpte ik haar met verhalen over betoverde wortels
en pepers, die zodra ze in de soep vielen veranderden in
prinsen en prinsessen die over elkaar heen buitelend uit
de pannen kwamen met takjes peterselie door hun kronen gevlochten en soep uit hun koninklijke gewaden
wringend.

'Sstt... daar komt de juffrouw! Pak gauw de bezem,
vogeltje.' Tijdens de siësta, als in het huis stilte en rust
heersten, liet ik mijn werk in de steek en sloop ik naar de
eetkamer, waar in een gouden lijst een groot schilderij
hing dat een zeegezicht voorstelde, met golven, rotsen,
nevelige lucht en meeuwen. Met mijn handen op mijn
rug stond ik daar, mijn ogen gericht op dat onweerstaanbare zeegezicht, mijn hoofd verloren in oneindige zwerftochten vol met de zeemeerminnen, dolfijnen en sluier-
staartvissen die ooit waren ontsproten aan de fantasie
van mijn moeder of uit de boeken van professor Jones.
Van alle verhalen die mijn moeder mij ooit verteld had,
had ik altijd het liefst die willen horen die met de zee te
maken hadden, omdat die mij lieten dromen over verre
eilanden, reusachtige verzonken steden en de route die

de vissen volgden over de oceanen. Als ik haar vroeg mij nog zo'n verhaal te vertellen, zei mijn moeder altijd: 'Ik weet haast wel zeker dat wij van zeevaarders afstammen,' en zo was ten slotte het fabeltje ontstaan van de Hollandse grootvader. Voor dat schilderij staande riep ik de gevoelens van vroeger op, als ik tegen mijn moeder aankroop om naar haar verhalen te luisteren of als ik haar hielp bij haar werkzaamheden in het huis, dicht bij haar in de buurt om de altijd om haar heen zwevende geur van zeep, bleekwater en stijfsel op te snuiven.

'Wat doe je hier?' vitte de bazin wanneer ze me ontdekte. 'Heb je niets te doen? Dit schilderij is niet voor jou.'

Ik leidde daaruit af dat verf slijt, dat de kleuren in de ogen dringen van wie ze bekijkt en dat ze zodoende verbleken totdat ze geheel verdwenen zijn.

'Nee, meisje, hoe kom je zo dom, ze slijten niet. Kom hier en geef me een kus op mijn neus, dan zal ik je de zee laten zien. Geef me er nog een en dan krijg je van mij een muntje, maar niets tegen mijn zuster zeggen, zij begrijpt zoiets niet, ben je bang voor mijn neus?' En dan verstopte de baas zich met mij achter de varens voor die heimelijke liefkozing.

Ze hadden mij in de keuken een hangmat toegewezen. Daar moest ik 's nachts slapen, maar als iedereen naar bed was sloop ik naar de dienstbodekamer en kroop in het bed dat de kokkin en de dienstmeid deelden, de een met haar kussen aan het hoofdeinde en de ander aan het voeteneinde. Ik rolde me op naast Elvira en bood haar aan een verhaaltje te vertellen als ik in ruil daarvoor bij haar mocht blijven.

'Goed dan, vertel me maar over die man die uit liefde zijn hoofd verloor.'

'Dat weet ik niet meer, maar ik weet er nog wel eentje over dieren.'

'Jouw moeder moet heel wat vruchtwater in haar buik gehad hebben om jou zoveel fantasie te geven voor het vertellen van al die verhalen, vogeltje.'

Ik herinner me nog heel goed dat het een regenachtige dag was, dat het merkwaardig rook, naar rotte meloenen en kattenpis, en dat er van de straat een hete walm kwam, een geur die het hele huis vulde en die zo sterk was dat je hem haast met je vingers kon pakken. Ik was in de eetkamer op zeereis. Ik hoorde mijn bazin niet aankomen en toen ik haar klauw in mijn nek voelde, kwam ik bij verrassing in één tel weer met mijn beide benen op de grond te staan. Ik was met lamheid geslagen omdat ik niet wist waar ik me bevond.

'Zo, zit je hier weer? Aan je werk jij! Waarvoor denk je dat ik je betaal?'

'Ik ben klaar, juf...'

De bazin pakte de vaas van het buffet en keerde hem op de grond om, zodat het water en de verwelkte bloemen alle kanten opspatten.

'Ruim dit op,' beval ze me.

De zee, de in nevel gehulde rotsen, de rode vlecht van mijn heimwee, de eetkamermeubelen verdwenen en ik zag alleen nog die bloemen op het parket, die opzwollen, bewogen, tot leven kwamen, en die vrouw met haar krullentoren en om haar nek het medaillon. Een monumentaal nee zwol aan in mijn borst en snoerde mijn keel dicht, ik voelde het nee opborrelen als een diepe kreet en zag hem uiteenspatten op het bepoederde gezicht van mijn bazin. Ik voelde geen pijn toen ze me een klap op mijn wang gaf, omdat de woede al veel eerder volledig bezit van mij genomen had. De neiging boven op haar te springen, haar tegen de grond te smijten, haar gezicht open te krabben, haar haren te grijpen en daar zo hard mogelijk aan te trekken, kon ik niet meer bedwingen. En toen gaf de haarwrong mee, de krulletjes vielen uit elkaar, de knot liet los en alsof het een zieltogend vosje was, hield ik de hele weerzinwekkende haarmassa in mijn handen. Hevig geschrokken meende ik dat ik haar hoofdhuid had afgerukt. Als een pijl uit een boog ging ik ervandoor, rende het huis door, holde zo snel als mijn voeten me konden dragen de tuin door en vloog de straat op. Binnen enkele ogenblikken was ik doorweekt van de lauwe zomerregen en pas toen ik merkte dat ik doornat was, bleef ik staan. Ik schudde de harige trofee die ik in mijn handen hield en liet haar op de stoeprand vallen, waar ze samen met het vuilnis door het gootwater werd meegevoerd. Minutenlang bleef ik de harige drenkeling nakijken die treurig en doelloos verdween, in de vaste overtuiging dat ik de grens van mijn bestaan had bereikt en dat ik me na het begaan van een dergelijke misdaad nergens zou kunnen verstoppen. Ik liet de straten van de buurt achter me, passeerde de plaats waar op donderdag markt was, verliet de villawijk waar de huizen tijdens de siësta gesloten waren en bleef doorlopen. Het hield op met regenen en de zon van vier uur verdampte het vocht op het asfalt, zodat alles in een dichte sluier gehuld werd. Mensen, verkeer, lawaai, veel lawaai, bouwplaatsen waar gele machines van reusachtige afmetingen ronkten, het slaan van gereedschap, het remmen van voertuigen, getoeter, geroep van straatventers. Uit de cafetaria's dreef een vage geur van afwaswater en frituurvet en ik herinnerde me dat het theetijd was, ik kreeg er honger van, maar ik had geen geld bij me en in de haast had ik het restant van mijn wekelijkse lolly vergeten. Ik werd me bewust dat ik al uren rondliep. Ik vond alles verbazingwekkend. In die jaren was de stad nog niet de hopeloze puinhoop die ze nu is, maar ze begon al wel vormeloos te worden, als een kwaadaardig gezwel, belaagd door een waanzinnige architectuur, een mengeling van allerlei stijlen, paleisjes van Italiaans marmer, Texasboerderijen, herenhuizen in Tudorstijl, stalen wolkenkrabbers, buitenverblijven in de vorm van een schip, een mausoleum, een Japans theehuis, een berghut of een bruidstaart met opgespoten gipsen garnering. Ik was volkomen verbouwereerd.

Tegen het vallen van de avond bereikte ik een plein dat omzoomd was door kapokbomen, statige bomen die daar sinds het einde van de Onafhankelijkheidsoorlog de wacht hielden, en in het midden een bronzen ruiterstandbeeld van de Vader des Vaderlands, met in zijn ene hand de vlag en in de andere hand de teugels, dat van zijn glorie beroofd was door heel veel duivenpoep en heel veel historische terechtwijzing. Op een hoek zag ik een in het wit geklede boer met een strooien hoed en touwschoenen waar een menigte nieuwsgierigen omheen dromde. Ik liep erheen om te kijken. Hij sprak op zangerige toon en voor een paar muntstukken veranderde hij van onderwerp en improviseerde zonder haperen of hakkelen versregels die overeenkwamen met de wens van de klant. Fluisterend probeerde ik hem te imiteren en ik ontdekte dat het op rijm veel gemakkelijker was om de verhalen te onthouden, omdat de woorden dansen op hun eigen muziek. Ik bleef luisteren totdat de man de giften opraapte en vertrok. Een poosje vermaakte ik me met zoeken naar woorden met eenzelfde klank, dat was een goede manier om gedachten te onthouden, zo zou ik de verhalen aan Elvira kunnen navertellen. Bij de gedachte aan haar kreeg ik de geur van gebakken uien in mijn neus, waardoor ik me bewust werd van mijn situatie. Er liep een koude rilling over mijn rug. Opnieuw zag ik de knot van mijn bazin in de goot drijven als het kadaver van een kerkrat en in mijn oren hamerden de voorspellingen die mijn peetmoeder me meer dan eens gedaan had: stouterd, stoute meid, je eindigt nog in het gevang, zo begint het, met ongehoorzaamheid en gebrek aan respect en dan eindig je achter de tralies, dat zeg ik je, daar eindig jij nog eens. Ik ging op de rand van de vijver zitten en keek naar de goudvissen en de door de hitte verlepte waterlelies.

'Wat is er met je?' vroeg een jongen met donkere ogen en gekleed in een werkbroek en een veel te groot hemd.

'Ze gaan me gevangennemen.'

'Hoe oud ben je?'

'Negen, ongeveer.'

'Dan kan je nog niet naar de gevangenis gaan. Je bent minderjarig.'

'Ik heb mijn mevrouw de haren uit haar hoofd getrokken.'

'Hoe dan?'

'Met één ruk.'

De jongen kwam naast me zitten en nam me vanuit een ooghoek op. Met een zakmesje maakte hij zijn nagels schoon.

'Ik heet Huberto Naranjo, en hoe heet jij?'

'Eva Luna. Wil je mijn vriendje worden?'

'Ik bemoei me niet met vrouwen.' Hij bleef echter wel zitten en tot heel laat lieten we elkaar onze littekens zien, wisselden we geheimpjes uit, leerden we elkaar nader kennen. Zo begon de langdurige relatie die ons later

87

langs de wegen van vriendschap en liefde zou voeren.

Sinds hij op zijn twee beentjes had kunnen staan, had Huberto Naranjo op de straat geleefd; eerst had hij schoenen gepoetst en kranten rondgebracht, later had hij in zijn levensonderhoud voorzien door onbeduidende handeltjes en kruimeldiefstallen. Hij bezat een natuurlijke gave om argeloze voorbijgangers om de tuin te kunnen leiden en toen ik op de rand van de vijver op het plein zat, was ik in de gelegenheid zijn talent op waarde te schatten. Met geroep trok hij de aandacht van de wandelaars tot hij een oploopje om zich heen verzameld had van ambtenaren, gepensioneerden, dichters en een paar parkwachters die waren aangesteld om te verhinderen dat iemand zo oneerbiedig zou zijn om zonder jasje langs het ruiterstandbeeld te lopen. De weddenschap ging erom wie het eerst half in het water hangend en tussen de wortels van de waterplanten tastend blindelings de glibberige bodem kon afspeuren en een vis te pakken kon krijgen. Huberto had van een van de vissen de staart afgesneden zodat er voor het arme dier niets anders opzat dan in een kringetje rond te tollen of onbeweeglijk onder een waterlelie te blijven zitten, zodat Huberto hem in een greep uit de vijver kon pakken. Terwijl hij triomfantelijk met zijn vangst zwaaide, moesten de anderen met doorweekte mouwen en aangetast eergevoel de verloren weddenschap betalen. Een andere manier om een paar centen te verdienen was raden welke het juiste was van drie dekseltjes die hij met razende snelheid heen en weer schoof over een op de grond uitgespreid kleedje. Hij kon in minder dan twee tellen een horloge van een voorbijganger afnemen en het terzelfdertijd in de lucht laten verdwijnen. Enkele jaren later zou hij, gekleed in een pak dat het midden hield tussen dat van een cowboy en van een Mexicaanse ruiter, van alles verkopen, van gestolen schroevendraaiers tot en met restantpartijen goedkope overhemden. Op zijn zestiende zou hij de gevreesde en gerespecteerde aanvoerder zijn van een bende en de controle hebben over een groot aantal stalletjes met gebrande pinda's, worstjes en rietsuikerstroop, hij zou de held zijn van de hoerenbuurt en de nachtmerrie van de politie, totdat andere zaken hem naar de bergen zouden roepen. Maar dat was pas veel later. Toen ik hem voor het eerst ontmoette, was hij nog een jongen. Hoewel, als ik hem met meer aandacht gadegeslagen zou hebben, zou ik er misschien al een idee van hebben kunnen krijgen wat voor man hij later zou worden, want ook in die tijd beschikte hij al over een paar vastberaden knuisten en een brandend hart. Je moet een echte kerel zijn, zei Naranjo. Dat was zijn credo, en daarbij ging hij uit van een aantal mannelijke kenmerken, die hem in geen enkel opzicht deden verschillen van andere jongens. Jaren later, toen hij zelf ook moest lachen om die dingen, heb ik gehoord dat hij andere jongens uitdaagde om met een centimeter hun pik te meten of te laten zien wat de druk was van hun straal. Tegen die tijd was hij er zelf ook al achter gekomen dat de afmeting geen onweerlegbaar bewijs van viriliteit is. Hoe dan ook, zijn opvattingen over mannelijkheid hadden al in zijn jeugd postgevat en alles wat hij nadien had meegemaakt, alle strijd en hartstocht, ontmoetingen en discussies, opstanden en nederlagen, hadden hem niet van mening doen veranderen.

Tegen donker gingen we de restaurants van de buurt af, op zoek naar eten. In een nauw steegje gingen we tegenover de achterdeur van een keuken zitten om een dampende pizza te delen die Huberto met een kelner geruild had voor een ansichtkaart van een glimlachende blondine met uitpuilende borsten. Daarna liepen we door een doolhof van binnenplaatsen, klommen over schuttingen en trokken ons niets aan van bordjes met verboden toegang, totdat we bij een parkeergarage kwamen. We lieten ons door een ventilatiegat glijden om niet gezien te worden door de dikkerd die de ingang bewaakte en slopen naar de onderste verdieping. In een donker hoekje tussen twee pilaren had Huberto een nest gemaakt van oude kranten, waar hij sliep als hij geen aantrekkelijker plekje had kunnen vinden. Daar installeerden wij ons om naast elkaar in het donker de nacht door te brengen, gehuld in de lucht van motorolie en koolmonoxide die het milieu verpestte met de stank van een oceaanstomer. Ik rolde me op tussen de kranten en als tegenprestatie voor al die zorg en aandacht bood ik hem een verhaal aan.

'Goed,' luidde zijn wat verwarde antwoord, omdat hij volgens mij nog nooit van zijn leven iets had gehoord dat ook maar in de verste verte op een verhaal leek.

'Waar moet het over gaan?'

'Over bandieten,' zei hij, om maar iets te zeggen.

Ik haalde me een aantal afleveringen van hoorspelen, teksten van liedjes en andere zelfbedachte ingrediënten voor de geest en begon onmiddellijk een verhaal op te spuiten over een meisje dat verliefd was op een struikrover, een echte jakhals, die zelfs de kleinste strubbelingen met zijn pistool oploste en de landstreek bezaaide met weduwen en wezen. Het meisje echter gaf de hoop niet op dat ze hem door de kracht van haar hartstocht en de zachtheid van haar karakter zou kunnen verbeteren en terwijl hij doorging met het plegen van misdaden, ontfermde zij zich over de weeskinderen, die het product waren van de onverzadigbare schietlust van de boosdoener.

Als hij in het huis verscheen was het of er een ijzige storm-wind opstak, hij trapte deuren in en schoot in de lucht; op haar knieën smeekte zij hem berouw te hebben over zijn wreedheden, maar hij dreef de spot met haar en lach-te haar uit met een holle lach, die de muren deed trillen en het bloed in de aderen deed stollen. 'Hoe gaat het, schoonheid?' schreeuwde hij, terwijl de doodsbange kin-deren in een kast kropen. 'Hoe gaat het met de kleintjes?' en hij rukte de deur open om ze er aan hun oren uit te trekken en hun de maat te nemen. 'Aha, ik zie dat ze al aardig gegroeid zijn, maar dat hindert niet, in een vloek en een zucht ga ik naar het dorp en maak ik nieuwe wees-jes voor je verzameling.' Zo ging het jaren door en er kwa-men steeds meer mondjes bij om te voeden, totdat de bruid op zekere dag genoeg had van al dat machtsmis-bruik, ze kwam tot het inzicht dat het geen zin had te blij-ven wachten tot ze van de bandiet verlost zou worden en ze zette haar meegaandheid van zich af. Ze liet haar haar permanenten, kocht een rode jurk en veranderde haar huis in een oord van feest en plezier, waar men het heer-lijkste ijs kon eten en de lekkerste moutwijn kon drinken, allerlei soorten spelletjes kon spelen, kon dansen en zin-gen. De kinderen vonden het geweldig om de klanten te bedienen, het was afgelopen met honger en gebrek en de vrouw was heel gelukkig; de beledigingen van vroeger was ze vergeten. Alles ging uitstekend; maar de praatjes kwamen de jakhals ter ore en op een avond verscheen hij, zoals gewoonlijk op de deuren bonkend, op het dak schietend en naar de kinderen vragend. Er wachtte hem echter een verrassing. Niemand begon te beven bij zijn komst, niemand zette het op een lopen naar de kast en het meisje wierp zich niet aan zijn voeten om hem om medelijden te smeken. Vrolijk gingen ze allemaal door met waar ze mee bezig waren, enkele kinderen serveerden ijs, andere sloegen op de trom of de tamboerijn en het meisje danste boven op de tafel de mambo, met op haar hoofd een prachtige, met tropische vruchten gegarneerde hoed. Woedend en vernederd verdween de bandiet daarop met zijn pistolen om een andere bruid te zoeken die wel bang voor hem was en toen kwam er een olifant met een lange snuit en blies dit verhaaltje uit.

Huberto Naranjo had tot het eind naar mijn verhaal geluisterd.

'Wat een belachelijk verhaal... Nou ja, goed, ik wil toch je vriend wel worden,' zei hij.

Een paar dagen zwierven we door de stad. Hij leerde me de voordelen van de straat en een paar trucjes om te overleven: blijf uit de buurt van de autoriteiten, want als ze je pakken, ben je erbij, om zakken te rollen in de bus moet je achterin blijven en zodra de deuren opengaan, sla je je slag en spring je eruit; het beste eten vind je 's morgens bij het afval van de Centrale Markt en 's middags in de kiepeltonnen van de hotels en restaurants. Door hem op zijn zwerftochten te volgen onderging ik voor het eerst de roes van de vrijheid, die mengeling van gespannen vervoering en doodsduizeling die ik sindsdien in mijn dromen zo helder beleef dat het lijkt alsof ik niet slaap maar waak. De derde nacht die ik vermoeid en vuil onder de blote hemel doorbracht, kreeg ik toch last van heimwee. Eerst dacht ik aan Elvira en ik betreurde het dat ik niet kon terugkeren naar de plaats van de misdaad; vervolgens dacht ik aan mijn moeder en wenste ik dat ik haar vlecht kon gaan halen en dat ik de opgezette poema nog eens kon zien. De volgende ochtend vroeg ik Huberto Naranjo of hij mij wilde helpen mijn peettante terug te vinden.

'Waarom? Hebben we het zo niet goed? Je bent niet goed snik.'

Mijn beweegredenen kon ik hem niet duidelijk maken, maar ik bleef zo aandringen dat het mij ten slotte lukte hem over te halen. Hij beloofde me dat hij zijn best zou doen, hoewel hij me waarschuwde dat ik er mijn hele leven spijt van zou hebben. Hij kende de stad goed, hij verplaatste zich hangend aan de treeplanken of de bumpers van de bussen en op mijn vage aanwijzingen en door zijn goede oriëntatievermogen, kwamen we terecht aan de voet van een heuvel, waar uit afval, karton, zinken platen, stenen en afgedankte autobanden opgetrokken hutten opeengepakt stonden. Het zag er precies zo uit als andere soortgelijke wijken maar ik herkende de plaats onmiddellijk aan de vuilnisbelt die zich over de gehele lengte en breedte van de heuvelrug uitstrekte. De gemeentelijke vuilniswagens leegden er hun lading afval, die vanuit de hoogte gezien schitterde door de groene fosforescentie van de vliegen.

'Dat is het huis van mijn peettante,' juichte ik toen ik van verre de indigoblauw geverfde planken ontdekte. Hoewel ik er maar een paar keer was geweest, kon ik mij het huisje goed herinneren omdat dat voor mij het dichtste datgene benaderde wat een thuis was.

De hut was gesloten en een buurvrouw riep van de overkant van de straat dat we moesten wachten, dat mijn peettante naar de winkel was om boodschappen te doen en zo terug zou komen. Het ogenblik om afscheid te nemen was aangebroken en met een rood hoofd stak Huberto Naranjo zijn hand uit om de mijne te drukken. Ik sloeg mijn armen om zijn hals maar hij duwde me weg zodat ik bijna achterover viel. Ik greep hem stevig bij zijn hemd en gaf hem een kus, die voor zijn mond bestemd was maar midden op zijn neus terechtkwam. Zonder ook maar een keer om te kijken rende Huberto de heuvel af, terwijl ik op de drempel was gaan zitten zingen.

Het duurde niet lang of peettante kwam terug. Over de bochtige straat zag ik haar heuvelopwaarts klimmen met een pak in haar armen, ze zweette van de inspanning, ze was groot en dik en had zich in een citroengele ochtendjas gestoken. Ik schreeuwde naar haar en rende haar tegemoet, maar ik kreeg geen tijd om uit te leggen wat er voorgevallen was, ze wist het al van de bazin, die haar op de hoogte had gesteld van mijn verdwijning en van de onvergeeflijke belediging haar door mij aangedaan. Zonder omhaal pakte ze me op en droeg me de hut in. Het contrast tussen het heldere licht buiten en het donker binnen verblindde me en ik kreeg geen tijd mijn ogen te laten wennen, want ik werd door de lucht geslingerd en belandde op de grond. Peettante sloeg me net zo lang tot de buren zich ermee bemoeiden, die me met vlugzout moesten bijbrengen.

Vier dagen later werd ik teruggebracht naar mijn werkhuis. De man met de aardbeienneus tikte me vriendelijk op mijn wang en profiteerde van de onoplettendheid van de anderen om te zeggen dat hij blij was me te zien, hij had me gemist, zei hij. De dame met het medaillon ontving mij gezeten op een stoel in de eetkamer, ernstig als een rechter, maar het leek mij dat ze tot de helft ineengeschrompeld was, ze zag eruit als een oude, in het zwart geklede lappenpop. Haar kale hoofd was niet in bebloed verband gewikkeld, zoals ik had verwacht, op haar hoofd prijkte de toren van harde lokken en strengen, weliswaar van een andere kleur, maar ongeschonden. Stomverbaasd probeerde ik een verklaring te vinden voor dit geweldige wonder en ik besteedde geen enkele aandacht aan het gepreek van de bazin of aan het geknijp van mijn peettante. Het enige dat ik van de uitbrander begreep, was dat ik vanaf die dag tweemaal zo hard zou moeten werken, zodat ik geen tijd zou kunnen verbeuzelen aan artistieke beschouwingen, en dat het tuinhek op slot gehouden zou worden om mij te beletten nog eens weg te lopen.

'Ik krijg jou er wel onder,' verzekerde de bazin.

'Wie niet horen wil, moet voelen,' voegde peettante daar aan toe.

'Sla je ogen neer als ik tegen je spreek, snotmeid. Je hebt een duivelse blik en ik tolereer geen brutaliteiten, heb je dat goed begrepen?' waarschuwde de juffrouw me.

Zonder met mijn ogen te knipperen keek ik haar strak aan, draaide me vervolgens met opgeheven hoofd om en ging naar de keuken, waar Elvira, die aan de deur geluisterd had, al op me wachtte.

'Ach, m'n vogeltje... Kom, dan leg ik kompressen op je blauwe plekken. Heb je niets gebroken?'

De oude vrijster behandelde me nooit meer slecht en aangezien haar verdwenen haren nooit meer ter sprake kwamen, beschouwde ik de zaak ten slotte als een nachtmerrie die door de een of andere spleet het huis was binnengeglipt. Ze had me niet verboden naar het schilderij te gaan kijken, omdat ze waarschijnlijk wel begreep dat ik mij daar desnoods tegen zou verzetten door haar te bijten. Voor mij was dat zeegezicht met zijn schuimende golven en roerloze meeuwen onontbeerlijk geworden, het was de prijs voor alle inspanningen van de dag, mijn venster naar de vrijheid. Als het tijd was voor de siësta en alle anderen gingen uitrusten, herhaalde ik, zonder toestemming te vragen of uitleg te geven, steeds weer dezelfde ceremonie, tot alles bereid om dit privilege te verdedigen. Ik waste mijn handen en mijn gezicht, haalde een kam door mijn haar, streek mijn schort glad, deed mijn uitgaansschoenen aan en ging naar de eetkamer. Ik zette een stoel tegenover het sprookjesvenster, ging kaarsrecht zitten met mijn benen gesloten en mijn handen in mijn schoot gevouwen als tijdens de mis en ik ging op reis. Soms merkte ik dat de bazin in de deuropening naar me stond te kijken, maar ze zei nooit iets, ze was bang voor me geworden.

'Dat is goed, vogeltje,' moedigde Elvira me aan. 'Er moet heel wat strijd geleverd worden. Dolle honden durft niemand aan, maar honden die mak zijn worden geaaid. Je moet altijd blijven knokken.'

Dat was de beste raad die ik ooit van mijn leven gekregen heb. Elvira pofte citroenen in de as, kerfde er een kruis in, liet ze aan de kook komen en gaf mij het mengsel te drinken, om me moediger te maken.

Jarenlang werkte ik in het huis van de vrijgezellen en in die tijd veranderde er heel wat in het land. Elvira sprak er met mij over. Na een korte periode van republikeinse vrijheden, hadden wij nu opnieuw een dictator. Het was een militair, die er zo onschuldig uitzag dat niemand zich kon voorstellen hoe ver hij in zijn hebzucht nog zou gaan. De machtigste man van het bewind was echter niet de generaal maar de Man met de Gardenia, het hoofd van de Geheime Politie, een aanstellerig uitziende figuur met geplakt haar, gekleed in onberispelijke witlinnen pakken met een bloem in het knoopsgat, die naar Franse parfum geurde en gelakte nagels had. Niemand kon hem ooit op een vulgariteit betrappen. Toch was hij geen mietje, zoals zijn talloze vijanden beweerden. In hoogsteigen persoon gaf hij leiding aan het martelen, zonder zijn zwierigheid of goede manieren ooit te vergeten. In die tijd werd de Santa Maria-gevangenis opgeknapt, een luguber oord op een eiland midden in een rivier die wemelde van de kaaimannen en piranha's, aan de grens van het oerwoud, waar politieke gevangenen en misdadigers, die tijdens hun detentie gelijkelijk behandeld werden, te lijden hadden van honger, stokslagen en tropische ziekten. Elvira had het dikwijls over al die zaken, die ze bij geruchte vernam op de dagen dat ze op straat kwam, omdat hierover niets op de radio te horen of in de kranten te lezen was. Ik was me heel erg aan haar gaan hechten, grootje, grootje, zo noemde ik haar, we blijven altijd bij elkaar, vogeltje, beloofde zij me, maar ik was daar niet zo zeker van. Ik had er toen al een voorgevoel van dat mijn leven een lange reeks van afscheid nemen zou worden. Net als ik had Elvira al als klein meisje moeten gaan werken en in de loop der jaren had vermoeidheid bezit genomen van haar botten en haar geest aangetast. De voortdurende inspanning en de aanhoudende armoede benamen haar de lust om door te gaan en ze begon een tweespraak met de dood. 's Nachts sliep ze in haar kist, enerzijds om er langzamerhand aan te wennen en haar angst kwijt te raken, anderzijds om de bazin te ergeren, die nooit echt had kunnen wennen aan die doodskist in haar huis. De dienstmeid had de aanblik van mijn grootje in haar doodsbed in de kamer die ze samen deelden niet langer kunnen verdragen en was vertrokken, zonder zelfs de baas ervan op de hoogte te stellen, die vergeefs op haar wachtte in het uur van de siësta. Voor ze vertrok, tekende ze met wit krijt op alle deuren in het huis kruisen, waarvan niemand ooit de betekenis heeft kunnen ontraadselen en die we daarom niet durfden wegvegen. Elvira gedroeg zich tegenover mij als een echte grootmoeder. Van haar heb ik geleerd om woorden te ruilen voor andere dingen en ik heb altijd het geluk gehad mensen te ontmoeten die daartoe bereid waren.

In al die jaren was ik niet veel veranderd, ik was nog steeds aan de kleine, magere kant, en om de bazin de stuipen op het lijf te jagen sperde ik mijn ogen wijd open. Mijn lichaam kwam langzaam tot ontwikkeling, maar binnen in mij kolkte al een onzichtbare rivier. Terwijl ik me een vrouw voelde, weerkaatste het spiegelglas het wazige beeld van een kinderlijk meisje. Ik groeide niet veel, maar toch genoeg om de baas reden te geven zich meer met mij te bemoeien. Ik zal je leren lezen, meisje, zei hij, maar hij nam nooit de tijd om het ook te doen. Hij vroeg me niet meer alleen hem op zijn neus te zoenen, hij gaf me ook een paar centen als ik zijn hele lichaam met een spons waste als hij in het bad zat. Daarna ging hij op bed liggen en moest ik hem afdrogen, poederen en hem zijn ondergoed aantrekken, alsof hij een baby was. Soms bleef hij urenlang in de badkuip spetteren en met mij zeeslagje spelen, maar er gingen ook wel dagen voorbij dat hij geen enkele aandacht aan mij besteedde en geheel verdiept was in zijn weddenschappen of met zijn auberginekleurige neus geheel van de kaart was. Elvira had mij er op niet mis te verstane wijze op gewezen dat mannen tussen hun benen een monster hebben dat zo lelijk is als een maniokwortel en waar miniatuurkindertjes uit komen, die in de buik van vrouwen kruipen om daar tot ontwikkeling te komen. Onder geen voorwaarde mocht ik die delen aanraken want dan zou het slapende dier zijn kop opheffen en me bespringen, wat een ramp tot gevolg zou hebben; ik geloofde haar echter niet, in mijn oren was ook dit een van haar zonderlinge hersenspinsels. Dat van de baas zag er meer uit als een dikke, zielige pier, die er verlept bij hing en er kwam nooit iets uit dat op een baby leek, althans niet in mijn aanwezigheid. Het vertoonde veel gelijkenis met zijn vlezige neus en in die tijd ben ik erachter gekomen – en in mijn latere leven heb ik dat kunnen verifiëren – dat er een nauwe overeenkomst bestaat tussen iemands penis en zijn neus. Ik hoef maar naar het gezicht van een man te kijken om te weten hoe hij er naakt uitziet. Lange en korte neuzen, dikke en dunne, hooghartige of onderdanige, gulzige, snuffelende, brutale neuzen of onverschillige neuzen die slechts dienen om te snuiven, allerlei soorten neuzen. Naarmate ze ouder worden, worden ze vrijwel allemaal dikker, pafferig en opgezwollen en ze verliezen de fierheid van welgeschapen penissen.

Als ik me over het balkon boog, kreeg ik het idee dat ik beter aan de andere kant van de omheining had kunnen blijven. De straat was veel aantrekkelijker dan dit huis waarin het leven eentonig verliep, waar dezelfde routines steeds weer even traag herhaald werden, waar de dagen allemaal even kleurloos aaneengeschakeld verliepen zoals de tijd verstrijkt in een ziekenhuis. 's Nachts keek ik naar de hemel en stelde me voor dat ik mezelf in een rookwolk kon veranderen om tussen de spleten van de gesloten luiken door te glippen. Ik speelde dat een manestraal me een duwtje gaf en dat ik vleugels kreeg, twee grote bevederde vleugels om mee te vliegen. Soms concentreerde ik me zo op die gedachte dat het mij lukte boven de daken van de stad te vliegen. Bedenk niet zulke onzin, vogeltje, alleen heksen en vliegtuigen vliegen 's nachts. Van Huberto Naranjo zou ik pas veel later weer iets vernemen, maar ik dacht dikwijls aan hem en al mijn sprookjesprinsen hadden zijn donkere gezicht. Al vroeg herkende ik intuïtief wat liefde was en ik gaf die gestalte in mijn verhalen; de liefde verscheen in mijn dromen, omhulde me. Nauwlettend bestudeerde ik foto's bij politieberichten, ik probeerde erachter te komen welke drama's van hartstocht en dood de kranten bevatten, als de volwassenen spraken hing ik aan hun lippen, ik luisterde aan de deur als de bazin aan het telefoneren was, ik bestookte Elvira met vragen; laat me toch met rust, vogeltje. De radio was voor mij een bron van inspiratie. Het toestel in de keuken stond van 's morgens vroeg tot 's avonds laat aan, het was ons enige contact met de buitenwereld, waarop alle deugden verkondigd werden van dit door God met alle mogelijke schatten gezegende land, te beginnen met onze positie in het middelpunt van de aardbol en de wijsheid van onze bestuurders tot en met het aardoliereservoir waarop wij dreven. Door die radio heb ik geleerd bolero's en andere populaire liedjes te zingen, reclameboodschappen op te dreunen en ook *this pencil is red, is this pencil blue? no that pencil is not blue, that pencil is red,* door een halfuur per dag een cursus Engels voor beginners te volgen, ik wist van alle programma's wanneer ze werden uitgezonden en ik kon de stemmen van alle omroepers imiteren. Ik volgde elk hoorspel, ik leed onzegbaar mee met die door het noodlot gegeselde personages en ik verbaasde me er steeds weer over dat het ten slotte altijd goed afliep met de hoofdrolspeelster, die zich zestig afleveringen lang had gedragen alsof ze achterlijk was.

'Ik geef je op een briefje dat Montedónico haar zal erkennen als zijn dochter. Hij geeft haar zijn naam en dan kan ze met Rogelio de Salvatierra trouwen,' zuchtte Elvira, gekluisterd aan het radiotoestel.

'Zij heeft het medaillon van haar moeder. Dat is een bewijs. Waarom vertelt ze niet aan iedereen dat zij de dochter van Montedónico is, dan is alles toch geregeld?'

'Dat kan ze haar verwekker niet aandoen, vogeltje.'

'Waarom niet? Hij heeft haar achttien jaar in een weeshuis laten opsluiten.'

'Dat komt omdat hij pervers is, een sadist noemen ze dat...'

'Luister, grootje, als zij niet verandert, blijft ze altijd een voetveeg.'

'Maak je maar geen zorgen, alles loopt nog goed af. Je ziet toch wel dat zij goed is?'

Elvira kreeg gelijk. De lijdzamen zegevierden altijd en de snoodaards ontvingen hun verdiende straf. Montedónico werd geveld door een ongeneeslijke ziekte, op zijn sterfbed smeekte hij om vergiffenis, zij verpleegde hem tot aan zijn dood en nadat ze alles van hem geërfd had, werd ze in de echt verbonden met Rogelio de Salvatierra, en ondertussen deed ze mij een schat aan materiaal aan de hand voor mijn eigen verhalen, hoewel ik zelden de stelregel van het gelukkige einde respecteerde. Luister eens, vogeltje, waarom trouwt er in jouw verhalen nooit iemand? Vaak waren een paar lettergrepen genoeg om in mijn hoofd een rozenkrans van beelden te ontketenen. Op een keer hoorde ik een zoetklinkend, vreemd woord en ik vloog naar Elvira. 'Grootje, wat is sneeuw?' Uit haar uitleg leidde ik af dat het om een bevroren schuimgebakje ging. Vanaf dat moment veranderde ik mezelf in een heldin van verhalen die aan een van de polen speelden, ik was de verschrikkelijke, barbaarse, behaarde sneeuwvrouw die streed tegen een stelletje geleerden dat mij wilde vangen voor laboratoriumproeven. Hoe sneeuw er echt uitzag, kwam ik te weten op de dag dat een nichtje van de Generaal haar vijftiende verjaardag vierde en daar op de radio zo'n ophef van gemaakt werd dat er voor Elvira niets anders opzat dan mij mee te nemen om het schouwspel vanuit de verte gade te slaan. Duizend genodigden stroomden die avond naar het deftigste hotel van de stad, dat voor de gelegenheid was omgetoverd in het evenbeeld van het winterpaleis van Assepoester. De philodendrons en de tropische varens waren gesnoeid, de palmen waren van hun kronen ontdaan en daarvoor in de plaats waren er uit Alaska aangevoerde kerstbomen neergezet, die bedekt waren met engelenhaar en pegels van kunstijs. Om op schaatsen te kunnen zwieren was een piste neergelegd van wit plastic, die het Noordpoolgebied moest suggereren. De ruiten waren met ijsbloemen beschilderd en er werd overal zoveel kunstsneeuw gestrooid dat een week later de vlokken nog binnenwaaiden in de operatiekamer van het Militaire Ziekenhuis, vijfhonderd meter verderop. Het was niet gelukt het water in het zwembad te laten bevriezen, omdat de uit het noorden aangevoerde machines dienst weigerden en in plaats van ijs een gelatineachtige massa uitbraakten, zodat men zich ten slotte had moeten bepalen tot het laten zwemmen van twee roze geverfde zwanen, die moeizaam een lint voortsleepten waarop in gulden letters de naam van de vijftienjarige vermeld stond. Om het feest nog meer glans te verlenen werden per vliegtuig twee leden van de Europese adel en een filmster aangevoerd. Om middernacht werd het feestvarken, zittend op een schommel, met het model van een slee en bekleed met sabelbont, van het plafond van de salon neergelaten om op vier meter hoogte, half buiten bewustzijn van hitte en duizeligheid, boven de hoofden van de gasten te blijven zweven. De nieuwsgierigen, die elkaar rondom verdrongen, kregen dat alles niet te zien, maar de foto's verschenen in alle tijdschriften, en niemand verbaasde zich over het wonder dat een hotel in de hoofdstad verzonken was in het Noordpoolklimaat, in ons land vielen wel wonderbaarlijker dingen voor. Ik had nergens aandacht voor, ik had alleen belangstelling voor een paar reusachtige bakken met echte sneeuw die aan de ingang van het feest waren opgesteld om het elegante gezelschap in de gelegenheid te stellen met sneeuwballen te gooien en sneeuwpoppen te maken, waarvan men gehoord had dat dit in andere landen gedaan werd als het koud was. Ik zag kans mij los te maken van Elvira, ik glipte tussen de kelners en portiers door en sloop dichterbij om die schat in mijn handen te nemen. Eerst dacht ik dat ik mij eraan brandde en ik slaakte een kreet van schrik, maar daarna kon ik de sneeuw niet meer loslaten, gefascineerd door de kleur van het in de ijskoude, poreuze massa gevangen licht. Een bewaker stond op het punt mij te pakken, maar ik bukte me en glipte tussen zijn benen door met de sneeuw aan mijn borst gedrukt. Toen die als een waterstraaltje tussen mijn vingers doorglipte, voelde ik me voor de gek gehouden. Een paar dagen later kreeg ik van Elvira een doorzichtige halve bol met een hutje en een dennenboom erin, die als je hem schudde witte vlokken liet neerdwarrelen. Dan heb jij je eigen winter, vogeltje, zei ze.

Ik was nog niet op een leeftijd om me voor politiek te interesseren, maar om de bazen te dwarsbomen stopte Elvira mijn hoofd vol met opruiende denkbeelden.

'Alles in dit land is gecorrumpeerd, vogeltje. Al die gringo's met hun gele haren, let op mijn woorden, er komt nog eens een dag dat ze ons hele land ergens anders heenbrengen en dan zitten wij in de zee, dat zeg ik je.'

De dame met het medaillon was precies het tegenovergestelde van mening.

'Wij hebben het slecht getroffen, dat wij ontdekt zijn door Columbus in plaats van door een Engelsman; er moeten energieke mensen van een goed ras worden aangetrokken, die wegen banen door het oerwoud, die zaaien op de hoogvlakten, die industrieën vestigen. Zijn zo de Verenigde Staten niet ontstaan? En kijk eens wat ze daar allemaal bereikt hebben!'

Ze was het eens met de Generaal, die de grenzen had opengezet voor iedereen die uit Europa wilde komen om te ontsnappen aan de naoorlogse ellende. Bij honderden stroomden de immigranten toe, met hun vrouwen, hun kinderen, hun grootouders en hun verre neven, met hun verschillende talen, hun typische gerechten, hun gebruiken, hun feestdagen, met hun zwaar drukkende heimwee. Dat alles werd door ons gulzige land in één hap opgeslokt. Ook enkele Aziaten werden toegelaten, die zich zodra ze binnen waren met verbazingwekkende snelheid voortplantten. Twintig jaar later kon iedereen constateren dat er op iedere straathoek in de stad een restaurant was met grimmige draken, papieren lampions en het dak van een pagode. In die tijd berichtte de pers over een Chinese kelner, die zijn klanten in de eetzaal aan hun lot overliet, naar boven ging, naar het kantoor, en met een keukenmes zijn baas de handen en het hoofd afhakte omdat deze niet de verplichte eerbied had getoond voor een of ander godsdienstig voorschrift en naast een afbeelding van een draak die van een tijger had opgehangen. In de loop van het onderzoek naar deze zaak kwam aan het licht dat alle in de tragedie voorkomende figuren illegale immigranten waren. Elk paspoort werd honderdmaal gebruikt. De ambtenaren waren nauwelijks in staat het geslacht van de oosterlingen vast te stellen, laat staan dat ze aan de hand van de foto's op de documenten de een van de ander konden onderscheiden. De buitenlanders kwamen met de bedoeling fortuin te maken en vervolgens terug te keren naar hun geboortegrond, doch ze bleven. Hun nakomelingen vergaten hun moedertaal en lieten zich inpalmen door de geur van koffie, de opgewekte ambiance en de charme van een volk dat nog niet wist wat jaloezie was. Slechts enkelen vertrokken naar de door de Regering ter beschikking gestelde percelen grond om die te bebouwen, omdat niet alleen wegen, scholen en ziekenhuizen daar ontbraken, maar er bovendien ziektes, muskieten en giftig ongedierte welig tierden. In de binnenlanden waren struikrovers, smokkelaars en soldaten heer en meester. De immigranten bleven in de steden om te sloven en iedere verdiende cent opzij te leggen, uitgelachen door de oorspronkelijke bewoners, die verkwisting en vrijgevigheid als deugden van ieder fatsoenlijk mens beschouwden.

'Ik geloof niet in machines. Al die na-aperij van de gringo's is verderfelijk voor de gemoedsrust,' beweerde Elvira, geschokt door de verkwisting van de nieuwe rijken, die zich gedroegen als filmsterren.

De oude vrijster en haar broer deelden niet mee in het gemakkelijk verdiende geld. Ze moesten van hun pensioen rondkomen en in hun huis was verkwisting iets onbekends, al hadden ze er waardering voor hoe die alom om zich heen greep. Iedere inwoner van de stad wilde graag een auto bezitten als die van een magnaat, zodat het ten slotte vrijwel onmogelijk was door de door voertuigen verstopte straten te rijden. Aardolie werd geruild tegen telefoons die eruitzagen als kanonnen, zeeschelpen of haremdanseressen; er werd zoveel plastic geïmporteerd dat alle bermen veranderden in één grote onafbreekbare vuilnisbelt; dagelijks werden per vliegtuig de eieren aangevoerd voor het ontbijt van de natie, zodat er iedere keer dat de kisten bij het uitladen omvielen, reusachtige dampende tortilla's ontstonden op het zinderende asfalt van de luchthaven.

'De Generaal heeft gelijk, hier sterft niemand van de honger, maar van vooruitgang is geen sprake, je hoeft je hand maar uit te steken en er valt een mango in. Koude landen zijn beschaafder omdat het klimaat de mensen tot werken dwingt,' zei de baas, terwijl hij languit in de schaduw lag en zich met de krant koelte toewuifde en zijn buik schurkte, en hij schreef een brief aan het ministerie van Landbouw en Nijverheid waarin hij de mogelijkheid opperde een ijsschots van de pool te laten aanslepen om die te verbrijzelen en vanuit de lucht te verspreiden, misschien zou daardoor het klimaat veranderen en de algemene luiheid genezen.

Terwijl de machthebbers gewetenloos roofden, waagden beroepsdieven noch dieven-uit-nood het hun professie uit te oefenen, omdat het oog van de politie alomtegenwoordig was. Zo kon de gedachte opgeld doen dat alleen een dictatuur in staat is de orde te handhaven. De gewone mensen, voor wie fantasietelefoons, wegwerpluiers of geïmporteerde eieren niet weggelegd waren, bleven hetzelfde leven leiden als altijd. De politieke leiders waren in ballingschap maar Elvira vertelde me dat in het volk, in stilte en in de schaduw, de woede zich begon op te kroppen, waaruit de opstand tegen het bewind geboren zou worden. De bazen stonden vanzelfsprekend onvoorwaardelijk achter de Generaal, en als de gardisten bij de huizen aanbelden om zijn foto te verkopen, wezen zij vol trots op het portret dat al een ereplaats in de salon bekleedde. Elvira koesterde een absolute haat tegen die gedrongen, ver van haar af staande militair, met wie ze nog nooit iets te maken had gehad maar die ze iedere keer dat ze zijn portret met haar stofdoek moest afstoffen vervloekte en kwade blikken toewierp.

4

Op de dag dat het lichaam van Lukas Carlé door de postbode gevonden werd, was het bos opgefrist door de regen, vochtig en glanzend, uit de aarde steeg een dikke damp van rottende bladeren op en een bleke nevel als van een andere planeet. Al veertig jaar reed de postbode iedere ochtend op zijn fiets langs hetzelfde pad. Fietsend had hij de kost verdiend en zonder kleerscheuren twee oorlogen, de bezetting, de honger en nog vele andere narigheden overleefd. Door zijn beroep kende hij alle bewoners van de streek bij naam en toenaam, precies zoals hij ook van iedere boom in het bos de soortnaam en de leeftijd wist. Op het eerste gezicht verschilde deze ochtend in geen enkel opzicht van alle andere, dezelfde eiken, beuken, kastanjebomen en berken, hetzelfde zachte mos en aan de voet van de dikste stammen dezelfde paddestoelen, hetzelfde lichte, frisse briesje, dezelfde schaduwplekken en lichtpartijen. Het was een dag net als alle andere dagen en iemand die minder bekend was met de natuur zou waarschijnlijk geen verschil hebben waargenomen, maar de postbode was waakzaam, hij nam tekenen waar die geen ander menselijk oog zou opmerken, hij kreeg er kippenvel van. Hij had het bos altijd gezien als een reusachtig groen dier met aderen waar het bloed rustig door stroomde, een goedaardig dier, maar die dag was het onrustig. Hij stapte van zijn fiets en snoof de ochtendlucht op om achter de oorzaak van die onrust te komen. Het was zo volmaakt stil dat hij vreesde dat hij plotseling doof geworden was. Hij liet zijn fiets op de grond vallen en liep een paar passen van het pad weg om rond te kijken. Hij hoefde niet lang te zoeken. Aan een tak halverwege de boom hing een man met een touw om zijn nek. Hij hoefde niet naar het gezicht van de gehangene te kijken om te weten wie het was. Hij kende Lukas Carlé al vanaf de dag dat die, alweer lang geleden, in het dorp was aangekomen. Niemand wist waar hij vandaan kwam, waarschijnlijk uit Frankrijk. Hij kwam met zijn boekenkisten, zijn wereldkaart en een diploma, trouwde met het liefste meisje van het dorp en liet haar schoonheid binnen enkele maanden verwelken. De postbode herkende hem aan zijn laarzen en zijn schoolmeesterskiel en hij had het gevoel dat hij dit beeld al eerder had gezien, alsof hij al jaren had verwacht dat het met deze man nog eens zo zou aflopen. Hij raakte niet meteen in paniek, hij was eerder geneigd tot ironie en had zin om tegen hem te zeggen, ik heb je nog zo gewaarschuwd, schurk. Het duurde even voor hij kon bevatten wat de reikwijdte van het gebeurde was en op dat moment liet de boom een krakend geluid horen, het lichaam maakte een draai en de lege ogen van de gehangene staarden hem aan. Hij kon zich niet meer bewegen. Zo keken ze elkaar aan, de postbode en de vader van Rolf Carlé, totdat ze elkaar niets meer te zeggen hadden. Daarop kwam de oude man in beweging. Hij liep terug naar zijn fiets, bukte zich om hem op te rapen en terwijl hij dat deed, voelde hij een brandende steek in zijn borst als van liefdesverdriet. Hij zwaaide zijn been over het zadel en ging er zo snel hij kon vandoor, diep gebogen over het stuur en in zijn keel een stokkende snik.

Hij kwam zo koortsachtig trappend in het dorpje aan

dat zijn oude ambtenarenhart het bijna begaf. Hij kon nog net alarm slaan voor hij voor de bakkerij in elkaar zakte; in zijn hoofd zoemde het als een wespennest en in zijn ogen was doodsschrik te lezen. Zo vonden de bakkers hem, die hem oppakten en binnen op de taartentafel legden, waar hij met meel bestoven bleef nahijgen, terwijl hij naar het bos wees en steeds weer herhaalde dat Lukas Carlé eindelijk aan de galg hing, zoals al veel eerder met hem had moeten gebeuren, de schurk, de grote schurk. Zo had men het in het dorp vernomen. Het nieuws ging als een lopend vuurtje van huis tot huis, sinds het einde van de oorlog hadden de dorpelingen zo'n opschudding niet meer meegemaakt. Ze gingen allemaal de straat op om het voorval te bespreken, allemaal, behalve vijf leerlingen uit de hoogste klas, die hun hoofd diep onder de kussens verstopten en deden alsof ze vast in slaap waren.

Korte tijd later werden de dokter en de rechter door de politie uit bed gehaald en gevolgd door enkele buren begaven ze zich op weg in de richting die de bevende vinger van de postbode gewezen had. Ze vonden Lukas Carlé, bungelend als een vogelverschrikker, niet ver van het pad, en pas toen realiseerden ze zich dat hij sinds vrijdag niet meer gezien was. Er waren vier mannen nodig om hem los te maken, want door de koude van het bos en het gewicht van de dood was hij volkomen versteend. De dokter zag in één oogopslag dat hij, alvorens door verstikking om het leven te komen, een klap in zijn nek gekregen had, en de politie had ook aan één oogopslag genoeg om te kunnen afleiden dat de enigen die enige opheldering zouden kunnen verschaffen, de leerlingen waren, waarmee Carlé het jaarlijkse schooluitstapje was gaan maken.

'Laat die jongens hier komen,' beval de commissaris.

'Waarom? Hier hoeven kinderen toch niet naar te kijken,' zei de rechter, wiens kleinzoon een leerling van het slachtoffer was.

Ze hadden er echter niet omheen gekund. De leerlingen werden opgeroepen om te getuigen in het korte onderzoek dat de plaatselijke justitie, meer uit plichtsbesef dan uit werkelijke behoefte om de waarheid aan het licht te brengen, instelde. De jongens zeiden dat ze niets wisten. Zoals elk jaar in dit seizoen waren ze naar het bos gegaan om te voetballen en andere balspelen in de openlucht te doen, ze hadden hun lunchpakketten opgegeten en daarna waren ze met hun manden in verschillende richtingen getrokken om paddestoelen te zoeken. In overeenstemming met de instructies hadden ze zich toen het donker begon te worden verzameld aan de rand van de weg, hoewel hun meester niet op zijn fluit had geblazen om hen te roepen. Ze waren hem gaan zoeken maar toen ze hem niet konden vinden, hadden ze een tijdje zitten wachten en hadden ze, toen het al donker was, besloten terug te gaan naar het dorp. Het was niet bij hen opgekomen de politie te waarschuwen, omdat ze veronderstelden dat Lukas Carlé naar huis was gegaan of naar school. Dat was alles. Ze hadden er geen flauw idee van hoe hij daar hangend aan de tak van die boom aan zijn eind gekomen was.

Rolf Carlé liep, gekleed in het schooluniform, met glanzend gepoetste schoenen en zijn pet over zijn oren getrokken, met zijn moeder door de lange gang van het politiebureau. De jonge man was net zo slungelachtig en ongeduldig als de meeste pubers, hij was mager en sproetig, hij had een onderzoekende blik en smalle handen. Ze werden naar een kale, kille ruimte gebracht met betegelde wanden, waar in het midden, beschenen door wit licht, het lijk op een brancard lag. De moeder pakte een zakdoek uit haar mouw en poetste omstandig haar bril schoon. Toen de gerechtsdienaar het laken optilde boog ze zich voorover en bestudeerde een eindeloze minuut lang het misvormde gezicht. Ze wenkte haar zoon ook dichterbij te komen, daarop sloeg ze haar ogen neer en sloeg haar handen voor haar gezicht om haar vreugde te verbergen.

'Het is mijn man,' zei ze ten slotte.

'Het is mijn vader,' voegde Rolf eraan toe en probeerde duidelijk te spreken.

'Het spijt me erg. Dit is buitengewoon onaangenaam voor u,' stamelde de arts, zonder zijn eigen verlegenheid te kunnen verklaren. Hij dekte het lichaam weer toe en alle drie bleven ze zwijgend staan en keken besluiteloos naar de omtrekken onder het laken. 'Ik heb nog geen autopsie verricht, maar het ziet ernaar uit dat het om zelfmoord gaat, ik betreur het werkelijk.'

'Wel, ik neem aan dat dit alles is,' zei de moeder.

Rolf nam haar bij de arm en verliet ongehaast met haar het vertrek. De weergalm van hun stappen op de betonnen vloer zou in zijn geheugen altijd verbonden blijven met een gevoel van opluchting en vrede.

'Het was geen zelfmoord. Je vader is vermoord door jouw schoolkameraden,' zei mevrouw Carlé toen ze weer thuis waren.

'Hoe weet u dat, mama?'

'Ik weet het zeker en ik ben blij dat ze het gedaan hebben, want anders zouden wij het ooit hebben moeten doen.'

'Zegt u dat alstublieft niet,' stamelde Rolf ontzet, omdat hij zijn moeder altijd had gezien als een berustende vrouw en zich niet kon voorstellen dat ze in haar hart zoveel wrok tegen die man koesterde. Hij dacht dat alleen hij hem haatte. 'Alles is nu voorbij. Denk er niet meer aan.'

'Integendeel, jongen, we moeten hem ons altijd blijven herinneren,' glimlachte zij met een nieuwe uitdrukking op haar gezicht.

De dorpsbewoners deden zo hardnekkig hun best de dood van de leraar uit het collectieve bewustzijn te bannen dat ze daar in geslaagd zouden zijn, als de moordenaars er niet geweest waren. De vijf jongens hadden jarenlang al hun moed verzameld voor deze misdaad en waren nu niet bereid te zwijgen, omdat ze het gevoel hadden dat dit de belangrijkste daad van hun hele leven was geweest. Ze wilden niet dat die naar het land der fabelen werd verwezen. Bij de begrafenis van hun meester zongen ze in hun zondagse pak psalmen, ze legden uit naam van de school een krans en hielden hun ogen op de grond gericht om zich er niet op te laten betrappen dat ze blikken van verstandhouding wisselden. De eerste twee weken hielden ze hun mond in de veronderstelling dat het dorp op een ochtend met voldoende bewijzen zou aankomen om hen naar de gevangenis te sturen. Hun lichamen waren in de greep van de angst en een tijdlang konden ze zich daar niet van losmaken, totdat ze besloten hun angst onder woorden te brengen en er op die manier vorm aan te geven. Na een voetbalwedstrijd kregen ze daar de kans voor. In de kleedkamer van de sportclub groepten de spelers bezweet en opgewonden bijeen en verkleedden zich lachend en duwend. Zonder het te hebben afgesproken bleef het vijftal onder de douches staan totdat alle anderen weg waren. Nog steeds naakt stonden ze samen voor de spiegel en bekeken elkaar. Ze stelden vast dat het gebeurde bij geen van allen zichtbare sporen had nagelaten. Toen er een begon te glimlachen, verdween de schaduw die hen gescheiden had en werd alles weer als vroeger, ze stootten elkaar aan, omhelsden elkaar en speelden als de grote kinderen die ze nog waren. Carlé had het verdiend, hij was een beest, een psychopaat, concludeerden ze. Ze lieten alle bijzonderheden opnieuw de revue passeren en stelden verbaasd vast dat er zoveel sporen en aanwijzingen waren dat het ongelooflijk was dat ze niet meteen gearresteerd waren. Op dat moment begonnen ze te begrijpen dat ze niet gestraft zouden worden en dat niemand een beschuldiging tegen hen zou uiten. Met een eventueel onderzoek zou de commissaris worden belast, de vader van een van hen, bij een rechtszaak zou de grootvader van een andere jongen de rechter zijn en de jury zou bestaan uit ouders en buren. Iedereen kende elkaar daar, ze waren allemaal met elkaar verwant, niemand had zin om in de modder van die moord te roeren, zelfs de familie van Lukas Carlé niet. Eigenlijk hadden ze het vermoeden dat zijn vrouw en zijn zoon al jarenlang wensten dat de vader zou verdwijnen en dat de zucht van verlichting die zijn dood had teweeggebracht het eerst zijn eigen huis had aangedaan om er van onder tot boven doorheen te blazen en het fris en schoon te maken als nooit tevoren.

De jongens hadden zich in het hoofd gezet dat de herinnering aan hun bravourestukje levend gehouden moest worden. Ze zagen kans het verhaal van mond tot mond te laten gaan en geleidelijk werden er zoveel bijzonderheden aan toegevoegd dat het ten slotte een heldendaad werd. Ze sloten een verbond en bezegelden hun broederschap met een geheime eed. Soms kwamen ze 's avonds bij elkaar aan de rand van het bos om die unieke vrijdag uit hun leven te herdenken en de herinnering levend te houden aan de klap met de steen waarmee ze hem buiten westen hadden geslagen, aan de van tevoren gemaakte lus, aan hoe ze in de boom geklommen waren en de strik om de hals van de meester geslagen hadden, die bewusteloos was, aan hoe die zijn ogen had opgeslagen op het moment dat ze hem omhoog hesen, en hoe hij in doodsnood in de lucht gekronkeld had. Ze maakten zich herkenbaar door een rond stukje witte stof op de linkermouw van hun jasjes te naaien; het duurde niet lang of iedereen in het dorp wist wat daar de betekenis van was. Ook Rolf Carlé wist het. Hij werd heen en weer geslingerd tussen een gevoel van dankbaarheid omdat hij bevrijd was van zijn kwelgeest, de schande om dezelfde naam te dragen als die van de terechtgestelde, en schaamte omdat hem zowel de lust als de kracht ontbrak om zijn vader te wreken.

Rolf Carlé begon te vermageren. Als hij het voedsel naar zijn mond bracht, veranderde de lepel voor zijn ogen in de tong van zijn vader, vanaf zijn bord en in de soep staarden de ontzette ogen van de dode hem aan en het brood had de kleur van zijn doods vel. 's Nachts rilde hij van de koorts en overdag verzon hij smoesjes om niet op straat te hoeven, hij zei dat hij last van migraine had, maar zijn moeder dwong hem om iets te eten en naar school te gaan. Hij hield het zesentwintig dagen vol, maar op de ochtend van de zevenentwintigste dag, toen vijf van zijn klasgenoten in de pauze met het merkteken op hun mouw verschenen, begon hij zo verschrikkelijk te braken dat de directeur van de school ongerust werd en een ziekenauto liet komen om hem naar het ziekenhuis in de naburige stad te brengen, waar hij de rest van de week het hart uit zijn lijf bleef spugen. Toen ze zag in wat voor toestand hij zich bevond, begreep mevrouw Carlé dat de ziektesymptomen van haar zoon niet veroorzaakt werden door een gewone verkoudheid van voorbijgaande aard. De dorpsdokter, die bij Rolfs geboorte aanwezig was geweest en ook de overlijdensakte van zijn vader had opgesteld, onderzocht hem zorgvuldig, schreef hem een aantal medicijnen voor en raadde zijn moeder aan er niet te veel aandacht aan te besteden, omdat hij een gezonde, sterke jongen was die de spanning wel te boven zou komen, binnenkort zou hij weer aan sport doen en achter de meisjes aan zitten. Mevrouw Carlé liet hem keurig op tijd de medicijnen slikken, maar toen ze geen enkele verbetering waarnam, verdubbelde ze op eigen initiatief de hoeveelheden. Niets had enig resultaat, de jongen had nog steeds geen eetlust en hij bleef misselijk. Bij het beeld van de gehangen vader voegde zich de herinnering aan de dag dat hij de doden had moeten begraven in het concentratiekamp. Katharina staarde hem aan met haar rustige ogen, ze volgde hem door het hele huis en ten slotte pakte ze zijn hand en probeerde hem onder de keukentafel te trekken, maar ze waren allebei te groot geworden. Daarop kroop ze tegen hem aan en begon ze een van de eindeloze litanieën uit haar jeugd in zijn oor te fluisteren.

Donderdagmorgen kwam zijn moeder hem vroeg wekken om naar school te gaan. Ze trof hem spierwit en uitgeput aan, met zijn gezicht naar de muur, blijkbaar vastbesloten te sterven omdat hij het niet langer kon verdragen door spookbeelden achtervolgd te worden. Ze begreep dat hij verteerd werd door schuldgevoelens omdat hij die misdaad had willen begaan, en zonder een woord begaf mevrouw Carlé zich naar de kast en begon alles eruit te halen. Ze kwam dingen tegen die ze al jaren

kwijt was, ongedragen kleren, kinderspeelgoed, röntgen-
foto's van Katharina's hersenen, het jachtgeweer van
Jochen. Ze vond ook de rode lakschoenen met naaldhak-
ken en tot haar eigen verbazing wekten die geen enkele
wrok bij haar, ze had zelfs niet de neiging ze in de vuilnis-
bak te gooien, ze nam ze mee naar de schoorsteen en zette
ze naast het portret van haar overleden man, aan iedere
kant één, als op een altaar. Ten slotte stuitte ze op de zeil-
doeken ransel, die Lukas Carlé in de oorlog had gebruikt, een groene zak met stevige leren riemen, die net
zo overdreven tot in de puntjes verzorgd was als hij al zijn
werk in huis of op het land gedaan had. Ze stopte er de
kleren van haar jongste zoon in en een foto, die op haar
trouwdag van haar gemaakt was, een met zijde gevoerd
kartonnen doosje met een haarlok van Katharina en een
pakje haverkoekjes, die ze de vorige dag zelf gebakken
had.

'Kleed je aan, zoon, je gaat naar Zuid-Amerika,' kondigde ze aan op een toon die geen tegenspraak duldde.

Zo werd Rolf Carlé ingescheept op een Noors schip,
dat hem naar het andere eind van de wereld zou brengen,
ver weg van zijn nachtmerries. Zijn moeder ging met de
trein met hem mee naar de dichtstbijzijnde haven en
kocht een passage derde klas voor hem. Het overgeble-
ven geld en het adres van oom Rupert knoopte ze in een
zakdoek, die ze vastnaaide aan de binnenkant van zijn
broek, en ze drukte hem op het hart die onder geen be-
ding uit te trekken. Dat alles deed ze zonder enige emotie
te tonen en ten afscheid gaf ze hem een vluchtige kus op
zijn voorhoofd, net zoals ze 's morgens altijd deed als hij
naar school ging.

'Hoelang blijf ik weg, mama?'
'Ik weet het niet, Rolf.'

'Ik wil niet weg, ik ben nu de enige man in het gezin, ik moet voor jullie zorgen.'

'Ik red me wel. Ik zal je schrijven.'

'Katharina is ziek, ik kan haar niet in de steek laten...'

'Je zusje heeft niet lang meer te leven, dat hebben we altijd geweten, het heeft geen zin je om haar zorgen te maken. Wat is dat nou? Huil je? Zo ken ik mijn zoon niet, Rolf, je bent te oud om je als een klein kind te gedragen. Snuit je neus en ga aan boord voordat de mensen naar ons gaan kijken.'

'Ik voel me niet lekker, mama. Ik moet overgeven.'

'Dat verbied ik je! Zet me niet te schande. Vooruit, ga de loopplank op, loop naar de voorsteven en blijf daar. Kijk niet om. Vaarwel, Rolf.'

De jongen verstopte zich echter op de achtersteven om naar de pier te kijken en zodoende wist hij dat zij zich niet verroerd had voor het schip achter de horizon verdwenen was. Dat beeld van zijn moeder in haar zwarte kleren en met haar vilten hoed op, met haar tas van namaakkrokodillenleer, rechtop, onbeweeglijk, alleen, met haar gezicht naar de zee gewend, zou hem altijd bijblijven.

Rolf Carlé voer bijna een maand op het bovenste dek van het schip, te midden van vluchtelingen, emigranten en onbemiddelde reizigers, hij was te trots en te verlegen om met iemand een woord te wisselen, en hij speurde zo hardnekkig langs de einder van de oceaan dat hij zijn eigen droefenis tot op de bodem leegdronk en de omvang ervan bevatte. Vanaf dat moment had hij niet langer de neiging in het water te springen. Na twaalf dagen gaf de zeelucht hem zijn eetlust terug en was hij genezen van zijn boze dromen, hij was niet misselijk meer en kreeg belangstelling voor de glimlachende dolfijnen, die hele stukken met het schip meezwommen. Toen hij ten slotte de kust van Zuid-Amerika bereikte, had hij weer kleur op zijn wangen. Hij bekeek zichzelf in het spiegeltje van de badkamer die hij deelde met de overige passagiers van de derde klas en constateerde dat hij niet langer het gezicht had van een gekwelde puber, maar van een man. Zijn eigen spiegelbeeld beviel hem, hij haalde diep adem en glimlachte voor het eerst sinds lange tijd.

In de haven werden de machines van het schip stilgezet en de passagiers gingen via de loopplank van boord. Rolf Carlé was een van de eersten die voet aan wal zetten, hij had het gevoel een zeerover uit een avonturenroman te zijn, de zoele wind waaide door zijn haren en zijn ogen werden verblind. Voor hem rees een ongelooflijke haven op in het ochtendlicht. Tegen de bergrug kleefden huizen in alle soorten en maten, kronkelige straatjes, wasgoed dat te drogen hing, een weelderige plantengroei in allerlei groenschakeringen. De lucht trilde van het geroep van straatventers, het gezang van vrouwen, het gelach van kinderen, het gekrijs van papegaaien; van geuren, van een vrolijke begeerte en van de hete dampen van het bereiden van voedsel. In het gewoel van kruiers, zeelui en reizigers, te midden van balen en koffers, kijklustigen en verkopers van snuisterijen, werd hij opgewacht door zijn oom Rupert in gezelschap van Burgel, zijn vrouw, en hun twee dochters, flinke, van gezondheid blakende meisjes, waar de jongeman ogenblikkelijk verliefd op werd. Oom Rupert was een verre neef van Rolfs moeder; hij was timmerman van beroep, hield veel van bier en was dol op honden. Hij was met zijn gezin in deze uithoek van de wereld terechtgekomen om te ontsnappen aan de oorlog, hij had er niets voor gevoeld om soldaat te worden, hij vond dat het dom was om je te laten vermoorden voor een vlag, die volgens hem niets meer was dan een lap aan een stok. Hij had niet de geringste patriottische neiging en toen hij er zeker van was dat de oorlog niet te vermijden was, had hij zich herinnerd dat zijn overgrootouders jaren geleden scheep gegaan waren naar Amerika om daar een kolonie te stichten, en hij had besloten hun voetsporen te volgen. Van het schip werd Rolf Carlé direct meegenomen naar een sprookjesdorp, dat in een zeepbel bewaard gebleven was, waar de tijd stil was blijven staan, en waar de draak werd gestoken met de geografie. Het leven verliep er net zoals in de negentiende eeuw in de Alpen. De jongen had het gevoel in een film terechtgekomen te zijn. Van het land kreeg hij niets te zien en maandenlang dacht hij dat er nauwelijks enig verschil was tussen het Caribisch gebied en de oevers van de Donau.

Omstreeks achttienhonderd vatte een voornaam heerschap in Zuid-Amerika, eigenaar van vruchtbare gronden omsloten door bergen en niet ver van de kust en de beschaafde wereld, het plan op zijn bezittingen te bevolken met kolonisten uit rasechte boerenfamilies. Hij ging naar Europa, charterde een schip en liet onder de door oorlogen en plagen verarmde boeren verkondigen dat hun aan de andere zijde van de Atlantische Oceaan een utopia wachtte. Ze zouden er een perfecte samenleving stichten, waarin vrede en voorspoed zouden heersen, gebaseerd op de rotsvaste beginselen van het christendom, ver van alle ondeugden, ambities en mysteries die de mens sinds het begin van de beschaving kastijdden. Op grond van verdiensten en goede voornemens werden er tachtig gezinnen uitgezocht, waaronder zich vaklieden van verschillende ambachten, een onderwijzer, een arts en een priester bevonden, ieder voorzien van zijn eigen gereedschappen en geruggensteund door eeuwen-lange tradities en kennis. Sommige mensen sloeg de schrik om het hart toen ze voet aan wal zetten op de tropische kust, ze vreesden dat ze niet zouden kunnen wennen op die plek, maar ze veranderden van gedachte toen ze via een voetpad omhoog geklommen waren naar de top van de berg en daar het beloofde paradijs aantroffen, waar een fris, mild klimaat heerste, waar Europese vruchten en groenten geteeld konden worden en waar ook Amerikaanse producten wilden groeien. Daar bouwden ze een replica van de dorpen waaruit ze afkomstig waren, met vakwerkhuizen, uithangborden met gotische letters, bloempotten langs de ramen en een kerkje waarin de bronzen klok hing die ze aan boord van het schip hadden meegebracht. De toegang tot de Kolonie sloten ze af en ze blokkeerden de weg erheen, zodat er niemand in of uit kon en honderd jaar lang vervulden ze de wensen van de man die hen naar die plek gebracht had en leefden ze volgens Gods geboden. De utopie kon echter niet eeuwig geheim gehouden worden en toen de pers erover begon te publiceren, ontstond er een schandaal. De regering was allerminst bereid toe te staan dat er binnen haar landsgrenzen een vreemd volk leefde dat zijn eigen wetten en gebruiken eerbiedigde. Ze werden gedwongen de poorten te openen voor zowel de nationale autoriteiten als de handel en het toerisme. Toen dat gebeurde ontdekte men een dorp waar geen Spaans gesproken werd, waar iedereen blond was en blauwe ogen had en waar door inteelt veel kinderen met aangeboren gebreken waren. Er werd een weg aangelegd om de hoofdstad te verbinden met de Kolonie, die al snel een geliefd doel werd voor gezinnen, die er per auto winterfruit, honing, worsten, zelfgebakken brood en geborduurde tafelkleden gingen kopen. De kolonisten verbouwden hun huizen tot restaurants en herbergen voor de bezoekers en in enkele hotels werden zelfs liefdesparen oogluikend toegelaten, iets dat beslist niet in overeenstemming was met de ideeën van de stichter van de commune, maar de tijden veranderden nu eenmaal en er moest gemoderniseerd worden. Oom Rupert was er aangekomen in de tijd dat het nog een gesloten gemeenschap was, maar nadat hij zijn Europese afkomst had bewezen en had getoond dat hij een fatsoenlijk man was, werd hij geaccepteerd. Toen de verbindingen met de buitenwereld tot stand werden gebracht, was hij een van de eersten die de voordelen van de nieuwe situatie begrepen. Hij maakte niet langer meubelen, want die kon men nu veel goedkoper en met veel meer keus in de hoofdstad kopen, hij legde zich toe op het fabriceren van koekoeksklokken en met de hand beschilderen van imitaties van oud speelgoed, om aan de toeristen te verkopen. Hij begon ook een handel in rashonden en een school om ze te dresseren, een idee dat in dit werelddeel nog nooit bij iemand was opgekomen. Dieren werden hier altijd gewoon geboren en plantten zich voort zonder stambomen, clubs, wedstrijden, trimsalons of speciale trainingen. Het duurde echter niet lang of het werd mode om een herdershond te hebben en rijke mensen wilden een hond met een stamboom. Wie genoeg geld had, kocht een hond en liet die een paar maanden africhten op de school van Rupert; de dieren die daarvandaan kwamen, konden op hun achterpoten lopen, een poot geven, de krant en de pantoffels van de baas halen en doodliggen als hen dat in een vreemde taal bevolen werd.

Oom Rupert was de bezitter van een flink stuk grond en een groot huis, dat een heleboel kamers had en dat hij had ingericht als pension; alles was gebouwd van donker hout en eigenhandig door hem ingericht in Heidelberger stijl, hoewel hij zelf nooit een voet in die stad gezet had. Hij had het gemaakt volgens afbeeldingen in een tijdschrift. Zijn vrouw kweekte aardbeien en bloemen en ze had een hok vol kippen die genoeg eieren leverden voor het hele dorp. Ze leefden van de hondenfokkerij, de klokkenverkoop en het verzorgen van de toeristen.

Rolf Carlé's leven veranderde volkomen. Hij had de school beëindigd en in de Kolonie was geen mogelijkheid om verder te studeren. Bovendien wilde zijn oom hem het liefst zijn eigen beroepen leren, dan zou Rolf hem kunnen helpen en de zaak misschien van hem kunnen overnemen, want hij hoopte dat hij met een van de dochters zou trouwen. Hij had hem vanaf de eerste blik gemogen. Hij had altijd graag een zoon willen hebben en deze jongen was precies de knaap waar hij altijd van gedroomd had, sterk, met een nobel karakter en kundige handen. Bovendien had hij, net als alle andere mannen in de familie, rossig haar. Rolf leerde snel met het timmermansgereedschap omgaan, de uurwerken van de klokken in elkaar zetten, aardbeien plukken en de pensiongasten bedienen. Zijn oom en tante begrepen dat ze alles van hem gedaan konden krijgen, mits ze hem in de waan lieten dat hij het op eigen initiatief deed of hem op zijn gemoed werkten.

'Wat zou er aan het dak van het kippenhok gedaan kunnen worden, Rolf?' vroeg Burgel hem met een zucht van onmacht.

'Teren.'

'Die arme kippen gaan dood als het begint te regenen.'

'Laat dat maar aan mij over, tante, dat doe ik zo in een handomdraai.' En dus was de jongen drie dagen aan een stuk bezig, roerend in een ketel met teer, balancerend op het dak en aan iedereen die voorbij kwam zijn theorieën uiteenzettend over waterdicht maken, terwijl zijn nichtjes bewonderend toekeken en Burgel in haar vuistje lachte.

Rolf had de taal van het land willen leren en hij had niet gerust voor hij iemand gevonden had om hem die grondig bij te brengen. Hij was begiftigd met een muzikaal gehoor, wat hem goed te pas kwam, zowel bij het bespelen van het kerkorgel als om met zijn accordeon een goed figuur te slaan bij de bezoekers. De Spaanse taal maakte hij zich eigen met een uitgebreid repertoire van ordinaire vloeken, waar hij slechts zelden gebruik van maakte maar dat hij wel koesterde als een deel van de cultuur. Zijn vrije tijd vulde hij met lezen en binnen een jaar had hij alle boeken verslonden die in het dorp voorhanden waren. Hij leende ze en bracht ze overdreven punctueel weer terug. Door zijn goede geheugen beschikte hij over een feitenkennis – die vrijwel altijd zinloos was en niet te verifiëren – waarmee hij familie en buren versteld deed staan. Hij kon zonder aarzelen zeggen hoeveel inwoners Mauretanië had of hoe breed Het Kanaal was in Engelse zeemijlen, meestal omdat hij dat onthouden had, maar ook wel eens omdat hij het ter plekke had verzonnen en met zoveel stelligheid wist te beweren dat niemand zijn woorden in twijfel durfde trekken. Hij leerde een aantal Latijnse zegswijzen en doorspekte daarmee zijn betogen, wat hem, ook al paste hij ze niet altijd correct toe, in de kleine gemeenschap een zeker prestige verleende. Zijn moeder had hem beleefde, enigszins verouderde omgangsvormen bijgebracht, die hem van pas kwamen om genegenheid te wekken, vooral bij de vrouwen, die dergelijke beleefdheden niet gewend waren van de tamelijk ruwe bevolking. Voor zijn tante Burgel was hij buitengewoon voorkomend, niet uit aanstellerij, maar omdat hij haar echt graag mocht. Ze bezat de goede eigenschap om zijn angst voor het bestaan weg te nemen, door alles waar hij bang voor was tot simpele schema's te reduceren, zodat hij zich later afvroeg waarom hij niet zelf op die oplossing gekomen was. Als hij verteerd werd door heimwee of gekweld door de slechtheid van de mens, genas zij hem met haar verrukkelijke toetjes of haar ongezouten grappen. Afgezien van Katharina was zij de eerste in zijn leven die hem zonder aanleiding en zonder vragen omhelsde. Iedere morgen wekte ze hem met een dikke zoen en voor het slapen gaan kwam ze zijn dekens instoppen, dingen die zijn eigen moeder uit kuisheid nooit gedaan had. Op het eerste gezicht was Rolf verlegen, hij bloosde gauw en praatte zacht, maar in werkelijkheid was hij ijdel en nog op de leeftijd om te menen dat de wereld om hem draaide. Hij was slimmer dan de meeste anderen en dat wist hij, maar hij was intelligent genoeg om een zekere bescheidenheid voor te wenden.

's Zondagsmorgens kwamen de mensen uit de stad om te kijken naar het schouwspel in oom Ruperts hondenschool. Rolf ging hen voor naar een grote binnenplaats met pistes en hindernissen, waar de honden onder het applaus van het publiek hun huzarenstukjes vertoonden. Op zo'n dag werden er verschillende dieren verkocht en de jongen nam met bloedend hart afscheid van ze, omdat hij ze vanaf hun geboorte had grootgebracht en omdat niets hem zo aan het hart lag als deze dieren. Hij kroop bij ze in het hok en liet zich door de welpen besnuffelen en aan zijn oren knabbelen totdat ze in zijn armen in slaap vielen; hij kende ze stuk voor stuk bij naam en sprak tegen ze alsof ze gelijken waren. Hij hunkerde naar genegenheid, maar omdat hij zonder geknuffel was grootgebracht, durfde hij die behoefte alleen te bevredigen bij de dieren en hij zou nog heel veel moeten leren voor hij zich zou wagen aan menselijke contacten, eerst met Burgel en later met anderen. De herinnering aan Katharina was zijn geheime bron van tederheid. In het donker van zijn kamer stopte hij soms zijn hoofd onder zijn laken en huilde bij de gedachte aan haar.

Uit angst medelijden te wekken en omdat hij er zelf nog niet mee in het reine was, sprak hij nooit over zijn verleden. De jaren van tegenspoed die verbonden waren met zijn vader waren in zijn herinnering een gebarsten spiegel. Hij dweepte met koelheid en pragmatisme, twee volgens hem zeer mannelijke deugden. In feite was hij echter een onverbeterlijke dromer, die zich door het geringste gebaar van sympathie liet ontwapenen, onrecht maakte hem opstandig, hij leed aan het argeloze idealisme van de eerste jeugd, die de botsing met de ruwe werkelijkheid van de wereld niet verdraagt. Door een jeugd vol ontberingen en angsten bezat hij de eigenschap om de verborgen kant van de dingen en de mensen intuïtief aan te voelen, een helderziendheid die zich plotseling als een steekvlam aandiende. Zijn pretentie van rationaliteit verhinderde hem echter om aandacht te besteden aan die geheimzinnige waarschuwingen of de weg te volgen die hem als bij impuls werd ingegeven. Hij negeerde zijn emoties en liet zich er op onbewaakte ogenblikken door van de kaart brengen. Ook gaf hij niet toe aan de lokroep van zijn gevoelens en deed zijn best om de kant van zijn karakter die neigde naar zachtheid en genot te verdringen. Vanaf het begin had hij begrepen dat de Kolonie een naïeve droom was, waarin hij per toeval terechtgekomen was, en dat het echte bestaan vol oneffenheden was en hij zich zou moeten pantseren als hij van plan was te overleven. Wie hem goed kende, kon echter zien dat die bescherming een rookgordijn was dat in één zucht weg te blazen was. Hij ging met onverbloemde gevoelens door het leven, struikelend over zijn eigen trots en vallend, om vervolgens weer op te krabbelen.

De familieleden van Rupert waren eenvoudige, opgewekte mensen die veel van lekker eten hielden. De maaltijden waren voor hen buitengewoon belangrijk en hun leven draaide om het werk in de keuken en de ceremonie van het aan tafel gaan. Ze waren allemaal dik en ze konden het niet aanzien dat hun neef zo mager bleef, ondanks hun voortdurende inspanningen om hem aan het eten te krijgen. Tante Burgel had een eetlustopwekkend gerecht gecreëerd, waar toeristen op afkwamen en dat haar echtgenoot in blakende gezondheid hield; kijk hem eens, hij lijkt wel een tractor, zei ze met haar aanstekelijke lach van tevreden matrone. Het recept was eenvoudig: in een enorme pan fruitte ze uien, spek en tomaten, op smaak gemaakt met zout, peperkorrels, knoflook en koriander. Laag om laag voegde ze daar stukken varkens- en ossenvlees en ontbeende kip aan toe, vervolgens tuinbonen, maïs, witte kool, paprika, vis, mosselen en kreeftjes, tot slot strooide ze er een beetje ruwe rietsuiker over en goot er vier glazen bier bij. Voordat ze er een deksel oplegde om het geheel op een zacht vuurtje te laten sudderen, voegde ze er nog een handvol kruiden aan toe die ze zelf in potten in de keuken kweekte. Dat was het cruciale moment, de samenstelling van die laatste toevoeging kende niemand en zij had besloten het geheim mee te nemen in haar graf. Het resultaat was een donker stoofgerecht dat uit de pan geschept werd en opgediend in de omgekeerde volgorde als waarin alles in de pot gedaan was. De bouillon werd in koppen geserveerd en veroorzaakte geweldige hitte in de botten en wellustige hartstocht in het gemoed. Oom en tante slachtten jaarlijks een aantal varkens en ze waren de beste slagers van het dorp: gerookte ham, metworst, mortadella en enorme blikken reuzel. Ze kochten tonnen verse melk waar room, boter en kaas van gemaakt werd. Uit de keuken stegen van de vroege morgen tot de late avond geurige dampen op. Op de binnenplaats werden kleine houtvuren aangelegd, waarboven koperen pannetjes werden gehangen om pruimen-, abrikozen- en aardbeienjam te maken, die de bezoekers bij het ontbijt kregen. Doordat ze een groot deel van hun leven tussen de geurende pannen doorbrachten, roken de nichtjes naar kaneel, kruidnagel, vanille en citroen. 's Avonds sloop Rolf als een schim naar hun kamer om stiekem zijn neus in hun kleren te stoppen en de zoete geuren op te snuiven die zijn hoofd vulden met zondige gedachten.

Voor het weekeinde werd de routine gewijzigd. Op donderdag luchtten ze de kamers en zetten er verse bloemen neer, ze hakten hout voor de open haarden, want 's nachts stond er een kille wind en de gasten zaten graag rond een knisperend vuur om zich te verbeelden dat ze in de Alpen waren. Van vrijdag tot zondag was het huis vol gasten en was het hele gezin van 's morgens vroeg tot 's avonds laat in touw om hen te bedienen; tante Burgel kwam de keuken niet uit en de meisjes serveerden aan de tafels en ruimden af, gekleed in geborduurde vilten jakjes, witte kousen, gesteven schorten en met gekleurde linten door hun vlechten, net boerinnetjes uit Duitse sprookjes.

De brieven van mevrouw Carlé deden er vier maanden over en ze waren allemaal kort en vrijwel gelijkluidend: Lieve zoon, met mij gaat het goed, Katharina ligt in het ziekenhuis, pas goed op jezelf en denk aan wat ik je geleerd heb, zodat je een goed mens wordt, een kus van je moeder. Van zijn kant schreef Rolf haar dikwijls; hij vulde meer dan een velletje aan twee kanten om haar te vertellen wat hij gelezen had, want nadat hij haar het dorp en het gezin van zijn oom en tante beschreven had, had hij niet veel meer te vertellen, hij had de indruk dat hij nooit iets meemaakte dat de moeite waard was om in een brief te schrijven en vergastte zijn moeder liever op lange, op boeken geïnspireerde filosofische beschouwingen. Hij stuurde haar ook foto's, die hij gemaakt had met een oud toestel van zijn oom, waarmee hij alles vastlegde, het wisselende landschap, de gemoedsstemmingen van de mensen, de kleine gebeurtenissen en de bijzonderheden die bij een vluchtige beschouwing onopgemerkt zouden blijven. Die correspondentie betekende veel voor hem, niet alleen omdat die de herinnering aan zijn moeder levend hield maar ook omdat hij ontdekte dat hij er veel plezier in had om de wereld om zich heen gade te slaan en in beelden vast te houden.

De nichtjes van Rolf Carlé werden het hof gemaakt door een paar aanbidders, die in rechte lijn afstamden van de stichters van de Kolonie en de eigenaars waren van de fabriek van sierkaarsen, waarvan de productie in het hele land en ver buiten de grenzen verkocht werd. Die fabriek bestaat nog steeds en is zo beroemd dat de regering, ter gelegenheid van het pauselijk bezoek, een kaars bestelde met een lengte van zeven meter en een doorsnede van twee meter om in de Kathedraal te branden. Niet alleen waren ze in staat die perfect te gieten, met passievoorstellingen te versieren en naar dennenlucht te laten geuren, maar ook nog om hem op een vrachtwagen vanuit de bergen onder een brandende zon naar de hoofdstad te vervoeren zonder dat hij zijn obeliskvorm, zijn kerstlucht of zijn glans van oud marmer verloor. De twee jongemannen spraken over niets anders dan over gietvormen, kleuren en geuren van kaarsen. Soms begon dat wel eens te vervelen, maar ze waren allebei aardig om te zien, tamelijk welgesteld en zowel vanbinnen als vanbuiten doordrenkt met het aroma van bijenwas en geurstoffen. Ze waren de beste partij van de Kolonie en alle meisjes bedachten smoesjes om bij hen in hun opzichtigste kleren kaarsen te gaan kopen. Rupert had bij zijn dochters echter het idee doen postvatten dat al die mensen, die generaties lang uit dezelfde gezinnen geboren waren, verwaterd bloed hadden en nakomelingen met gebreken zouden kunnen opleveren. Lijnrecht tegen alle opvattingen over zuivere rassen in, verdedigde hij de opvatting dat vermenging de beste resultaten opleverde en om dat te bewijzen kruiste hij zijn rashonden met bastaards. Hij nam dieren met beklagenswaardige, onbestemde vachten en afmetingen, waar geen koper voor te vinden was, maar die veel intelligenter bleken te zijn dan hun soortgenoten met stamboom. Dat bleek wanneer hij ze leerde op een slap koord te lopen en op hun achterpoten te dansen. Het is beter bruidegommen van buiten te zoeken, zei hij om zijn geliefde Burgel te tarten, die daar niet van wilde horen; het idee haar dochters te zien huwen met donkere jongens met een schommelende rumbagang kwam haar voor als een onoverkomelijke ramp. Doe toch niet zo dom, Burgel. Je bent zelf een domkop, wil jij soms halfbloedkleinkinderen? De oorspronkelijke inwoners van dit land zijn niet blond, maar het zijn ook geen negers, Burgel. Om een eind te maken aan de discussie fluisterden ze allebei de naam van Rolf Carlé en ze betreurden het dat ze niet twee van die neven hadden zoals hij, voor iedere dochter een, want hoewel er sprake was van een zekere bloedverwantschap en het een feit was dat Katharina achterlijk was, konden ze zweren dat Rolf geen drager was van ondeugdelijke genen. Ze beschouwden hem als de volmaakte schoonzoon, een harde werker, goed opgevoed, beschaafd, met goede manieren, meer kon men zich niet wensen. Op het moment was zijn enige gebrek zijn jeugdige overdrijving, maar dat zou vanzelf wel over gaan.

Het duurde enige tijd voor de nichtjes met de aspiraties van hun ouders instemden, want het waren onschuldige wichten, maar toen ze het eenmaal doorkregen, lieten ze alle voorschriften over ingetogenheid en schroom, waarmee ze waren opgevoed, varen. Ze werden het vuur in Rolf Carlé's ogen gewaar, ze zagen hem als een schim hun kamer binnenglippen om stiekem hun kleren te besnuffelen en ze vatten dat op als symptomen van liefde. Ze bespraken de kwestie samen en overwogen de mogelijkheid om gedrieën een platonische liefde aan te gaan, maar de aanblik van zijn naakte bovenlijf, het koperkleurige haar dat wuifde in de wind, het zweet dat van hem afdroop na het werk op het land of in de timmermanswerkplaats, deed hen van mening veranderen en tot de gelukkige conclusie komen dat God een duidelijk doel voor ogen had gehad toen hij de twee geslachten schiep. Ze waren vrolijk van aard en ze waren gewend om alles samen te delen, hun kamer, de badkamer, kleren en vrijwel al het overige, zodat ze er geen enkel kwaad in zagen om ook hun minnaar te delen. Dat de jongen in een uitmuntende fysieke toestand verkeerde was duidelijk. Hij was sterk en van goede wil, het zware werk dat oom Rupert van hem eiste, verrichtte hij tot volle tevredenheid. Maar de meisjes wisten zeker dat hij nog genoeg reserves had om met hen te stoeien. Zo eenvoudig was de zaak echter niet. De dorpsbewoners waren niet ruimdenkend genoeg om begrip te hebben voor een driehoeksverhouding en zelfs hun vader zou, ondanks zijn zogenaamde modernisme, zoiets nooit toestaan. Om van hun moeder maar niet te spreken, die was in staat een mes te grijpen en de neef zijn edele delen af te snijden.

Al spoedig viel het Rolf Carlé op dat de meisjes zich anders gedroegen. Ze liepen hem achterna met de grootste stukken gebraden vlees, deden bergen slagroom op zijn toetje, smoesden achter zijn rug, schrokken op als hij merkte dat ze naar hem keken, raakten hem in het voorbijgaan aan, wel altijd of het per toeval was, maar elk van die aanrakingen bevatte zoveel erotiek dat zelfs een kluizenaar er niet onverschillig onder zou zijn gebleven. Tot dan toe had hij hen wijselijk met onverschilligheid bejegend. Enerzijds om de beleefdheidsvormen in acht te nemen, anderzijds om zich te wapenen tegen een eventuele afwijzing, die hem dodelijk zou hebben getroffen in zijn eigenwaarde. Op den duur begon hij hen toch wat vrijmoediger te bekijken, wel voorzichtig, want hij wenste geen overhaaste beslissing te nemen. Wie moest hij kiezen? Hij vond hen alle twee allerliefst, met hun sterke benen, stevige borsten, stralend blauwe ogen en kinderlijke huid. De oudste was geestiger maar de onschuldige koketterie van de jongste trok hem ook wel aan. De arme Rolf werd verscheurd door twijfel totdat de meisjes er genoeg van kregen te wachten tot hij het initiatief nam en een frontale aanval openden. Ze grepen hem tussen de aardbeienbedden en lichtten hem beentje om hem op de grond te krijgen, ze wierpen zich boven op hem om hem te kietelen, waarmee ze niets heel lieten van zijn neiging om alles serieus te nemen en zijn wellust wekten. Ze maakten de knopen van zijn broek los, trokken zijn schoenen uit, scheurden zijn hemd stuk en legden hun stoute nimfenhandjes op een plek waarvan hij nooit had durven dromen dat iemand die zou betasten. Sinds die dag liet Rolf Carlé zijn boeken links liggen, verwaarloosde de jonge hondjes, vergat de koekoeksklokken en de brieven aan zijn moeder en zelfs zijn eigen naam. Hij leefde in een roes, zijn lusten waren gewekt en zijn geest was verduisterd. Van maandag tot donderdag, als er geen gasten in huis waren, vertraagde het ritme van de huishoudelijke taken en beschikten de drie jongelui over een paar vrije uren om in de gastenkamers te verdwijnen, die op die weekdagen leegstonden. Aan smoesjes geen gebrek: de dekbedden luchten, de ramen lappen, de kakkerlakken verdelgen, de meubels in de was zetten, de lakens verschonen. Van hun ouders hadden de meisjes hun gevoel voor rechtvaardigheid en hun organisatietalent geërfd. Terwijl de één de wacht hield in de gang om alarm te slaan zodra er iemand aankwam, trok de ander zich met Rolf in de kamer terug. Ze hielden zich strikt aan wie er aan de beurt was, maar de jongen merkte gelukkig niets van die vernederende bijzonderheid. Wat deden ze als ze alleen waren? Niets nieuws, dezelfde spelletjes tussen neven en nichten die de mensheid al zesduizend jaar kende. Het werd pas interessant toen ze besloten hadden 's nachts met z'n drieën in één bed te slapen bij het geruststellende gesnurk van Rupert en Burgel in de aangrenzende kamer. De ouders sliepen met de deur open om over hun dochters te waken, wat die dochters in staat stelde hun ouders in de gaten te houden. Rolf Carlé was even onervaren als zijn twee vriendinnetjes, maar vanaf hun eerste samenzijn zorgde hij dat ze niet zwanger konden worden en hij legde in de bedspelletjes voldoende enthousiasme en inventiviteit aan de dag om zijn amateuristische onwetendheid te compenseren. Zijn energie werd onophoudelijk gevoed door de geweldige overgave van zijn niet terughoudende, warme, smakelijke nichtjes, die altijd stikten van het lachen en goed gemutst waren. Bovendien was het feit dat alles in doodse stilte moest gebeuren, de angst dat het bed zou kraken, en diep weggekropen onder de lakens en omhuld door hun gezamenlijke geuren en lichaamswarmte, een extra prikkel om hun harten in vuur en vlam te zetten. Ze waren juist op de leeftijd om onvermoeibaar te kunnen beminnen. Terwijl de meisjes opbloeiden en een zomerse vitaliteit ontplooiden, hun ogen steeds dieper blauw, hun huid steeds glanzender en hun glimlach steeds gelukzaliger, vergat Rolf zijn geleerde praatjes, botste tegen de meubels, stond te slapen en bediende met knikkende knieën en een wazige blik, als een slaapwandelaar, de gastentafels. Die jongen werkt te hard, Burgel, hij ziet bleek, hij heeft vitamine nodig, zei Rupert, zonder er een idee van te hebben dat de neef achter zijn rug grote porties van de befaamde smakelijke stoofpot van zijn tante verslond, opdat zijn spieren geen dienst zouden weigeren op het uur der beproeving. Het drietal ontdekte gezamenlijk de voorwaarden om klaar te komen en zo nu en dan slaagden ze er in om tegelijk een hoogtepunt te bereiken. De jongen wenste zich er niet bij neer te leggen dat het vermogen tot wellust van zijn vriendinnen groter was en dat zij hun bravourestukjes bij dezelfde gelegenheid verschillende keren konden herhalen, en hij ontwikkelde om zijn prestige overeind te houden en hen niet teleur te stellen, eigen technieken om zowel zijn krachten als zijn lusten te verdelen. Jaren later kwam hij erachter dat diezelfde methoden al ten tijde van Confucius in China werden toegepast, wat hem tot de conclusie deed komen dat er inderdaad niets nieuws onder de zon is, zoals zijn oom Rupert altijd zei als hij de krant las. Soms waren de drie geliefden 's nachts zo gelukkig dat ze vergaten uit elkaar te gaan en in een kluwen van door elkaar gestrengelde lichaamsdelen in slaap vielen, de jongeman verloren in een weke, geurige berg en gesust door de dromen van zijn nichtjes. Bij het eerste hanengekraai werden ze wakker, net op tijd om gauw in hun eigen bed te springen voor de ouders hen op een zo verrukkelijke onachtzaamheid konden betrappen. In het begin hadden de zusjes erover gedacht kruis of munt te gooien om de onvermoeibare Rolf Carlé, maar tijdens die gedenkwaardige stoeipartijen ontdekten ze dat ze met hem verbonden werden door een speels en vrolijk gevoel, dat totaal ongeschikt was om als basis te dienen voor een eerbiedwaardig huwelijk. Praktische vrouwen als ze waren, meenden ze dat het verstandiger was in het huwelijk te treden met de geurige kaarsenfabrikanten en hun neef als minnaar aan te houden en hem, zo mogelijk, de vader te laten worden van hun kinderen. Zodoende zouden ze niet het risico lopen om zich te gaan vervelen, alhoewel het niet geheel uit te sluiten was dat ze achterlijke kinderen ter wereld zouden brengen. Een dergelijke oplossing kwam nooit op in het hoofd van Rolf Carlé. Dat zat vol met romantische literatuur en ridderromans, en met de strenge voorschriften over eer die hem in zijn jeugd waren bijgebracht. Terwijl zij gewaagde combinaties bedachten, slaagde hij er slechts in zijn schuldgevoelens over het feit dat hij hen allebei beminde, tot zwijgen te brengen met het zoethoudertje dat het om een tijdelijke overeenkomst ging, waarvan het uiteindelijke doel was elkaar beter te leren kennen alvorens een paar te vormen; een afspraak op lange termijn was in zijn ogen een schrikbarende perversiteit. Hij was in een onoplosbaar conflict gewikkeld tussen zijn lusten, die steeds weer krachtig geprikkeld werden door die twee weelderige, vrijgevige lichamen, en zijn eigen strengheid, die hem zei het monogame huwelijk te beschouwen als de enig mogelijke weg voor een fatsoenlijk man. Doe niet zo mal, Rolf, je ziet toch wel dat het ons niet kan schelen? Ik wil jou niet voor mij alleen en mijn zusje ook niet, laten we toch zo doorgaan zolang we niet getrouwd zijn, en daarna misschien ook. Het voorstel kwetste de ijdelheid van de jongen. Gedurende dertig uur trok hij zich beledigd terug, maar daarna hield zijn begeerte het niet langer vol. Hij raapte al zijn waardigheid bij elkaar en ging weer bij hen slapen. En opnieuw hulden de aanbiddelijke nichtjes hem, elk aan een kant, zonnig en naakt, opnieuw in hun verrukkelijke geuren van kaneel, kruidnagel, vanille en citroen tot hij zijn zelfbeheersing verloor en zijn droge christelijke deugden overboord zette.

Dat ging drie jaar zo door, lang genoeg om de macabere nachtmerries van Rolf Carlé uit te wissen en te vervangen door heerlijke dromen. Misschien zouden de meisjes de strijd tegen zijn scrupules gewonnen hebben en zou hij de rest van zijn leven bij hen gebleven zijn, om zijn nederige taak van minnaar en tegenspeler in het dubbelspel te vervullen, als niet zijn lot een andere richting had genomen. Degene die hem die andere richting wees, was een zekere meneer Aravena, van beroep journalist en uit roeping cineast.

Aravena schreef voor de belangrijkste krant van het land. Hij was de beste klant van het pension en bracht vrijwel ieder weekeinde door in het huis van Rupert en Burgel, waar voor hem een vaste kamer gereserveerd was. Zijn pen genoot zoveel aanzien dat zelfs de dictatuur er niet in geslaagd was hem volledig het zwijgen op te leggen, en in de jaren dat hij zijn beroep uitoefende had hij een aureool van eerlijkheid verkregen, waardoor hij dingen kon publiceren die zijn collega's nooit zouden wagen. Zelfs de Generaal en de Man met de Gardenia behandelden hem met consideratie en hielden zich aan een stilzwijgende overeenkomst, die inhield dat hij, binnen zekere grenzen, zich bepaalde vrijheden mocht veroorloven zonder te worden lastiggevallen. Voor de regering had dit het voordeel dat ze zichzelf de schijn van tolerantie verleende door te verwijzen naar zijn nogal gewaagde artikelen. Hij was een man met een duidelijke voorliefde voor een goed leven, hij rookte dikke sigaren, kon eten als een leeuw en stond zijn mannetje bij het drinken, hij was de enige die in staat was oom Rupert te verslaan bij het bierdrinken op zondag. Hij was ook de enige die zich de luxe kon veroorloven om de nichtjes van Rolf in hun wonderbaarlijke billen te knijpen, omdat hij het op een vriendelijke manier deed, niet om ze te beledigen maar om hun de eer te bewijzen die hun toekwam. Komen jullie eens hier, aanbiddelijke walkuren van me, laat je eens betasten door deze arme journalist, en zelfs tante Burgel moest lachen als de meisjes elkaar verdrongen om hun geborduurde vilten rokken plechtig door hem te laten oplichten en hij in vervoering raakte bij het aanschouwen van de in kinderlijke broeken gehulde bollen. Meneer Aravena was in het bezit van een filmcamera en een draagbare, lawaaiige schrijfmachine, met door slijtage gebleekte toetsen, waarop hij de gehele zaterdag en de halve zondag op het terras van het pension zijn artikelen zat te tikken, met twee vingers en onder het eten van veel worst en het drinken van veel bier. Het doet mc goed om de frisse berglucht in te ademen, zei hij, onder het uitblazen van dikke rookwolken van zijn sigaar. Soms bracht hij een dame mee, nooit dezelfde, die hij voorstelde als zijn nichtje, en dan deed Burgel of ze dat geloofde, dit huis is niet zo'n onfatsoenlijk hotel, wat denken jullie wel, alleen hem stond ze toe gezelschap mee te brengen, hij was immers een bekende persoonlijkheid, jullie hebben zijn naam toch wel gezien in de krant? Bij Aravena duurde het enthousiasme voor de dame van dienst nooit langer dan een nacht, dan had hij genoeg van haar en stuurde hij haar terug met de eerste de beste vrachtwagen met tuinbouwproducten die naar de hoofdstad ging. Met Rolf Carlé kon hij dagen doorbrengen, pratend en wandelend in de omgeving van het dorp. Hij becommentarieerde het buitenlandse nieuws, wijdde hem in in de plaatselijke politiek, raadde hem aan wat hij moest lezen, leerde hem met de filmcamera omgaan en bracht hem de eerste beginselen bij van steno. Jij kunt niet eeuwig hier in de Kolonie blijven, zei hij, dat is goed voor een neuroticus als ik, om geestelijk en lichamelijk een beetje bij te komen, maar geen enkel normaal jong mens kan in dit toneeldecor blijven leven. Hoewel Rolf Carlé de werken van Shakespeare, Molière en Calderon de la Barca gelezen had, was hij nog nooit in een theater geweest en hij begreep dan ook niet wat het verband was tussen een toneeldecor en het dorp. Het zou echter niet in hem opkomen om te twijfelen aan de woorden van de meester, voor wie hij een mateloze bewondering voelde.

'Ik ben tevreden over je, neef. Nog een paar jaar en dan kan jij de klokken helemaal voor je rekening nemen. Dat is een goede zaak,' zei oom Rupert op de twintigste verjaardag van de jongen.

'Eigenlijk wil ik geen klokkenmaker worden, oom. Ik geloof dat filmer een beroep is dat beter bij mij past.'

'Filmer? En wat schiet je daar mee op?'

'Films maken. Ik heb belangstelling voor documentaires. Ik wil weten wat er in de wereld gebeurt, oom.'

'Hoe minder je weet, des te beter, maar als dat is wat je graag wilt, doe dan maar wat je niet laten kunt.'

Burgel werd haast ziek toen ze hoorde dat Rolf alleen in de stad wilde gaan wonen, die heksenketel vol gevaren, drugs, politiek en ziektes, waar alle vrouwen sletten zijn, vergeef me de uitdrukking, zoals die toeristes die zwaaiend met hun achtersteven en met hun voorsteven recht vooruit in de Kolonie rondliepen. De nichtjes deden wanhopig hun best hem van zijn voornemen af te brengen door hem hun gunsten te weigeren, maar aangezien die straf voor henzelf even pijnlijk was als voor hem, gingen ze op een andere tactiek over en maakten ze hem zo vurig het hof dat Rolf zienderogen vermagerde. Het meest ondersteboven waren echter de honden, die zodra ze lucht kregen van de voorbereidingen, hun eetlust verloren en rondliepen met hun staart tussen hun poten, met hangende oren en een onverdraaglijk smekende blik in hun ogen.

Rolf Carlé weerstond alle sentimentele druk, en twee maanden later vertrok hij naar de universiteit, nadat hij aan zijn oom Rupert beloofd had dat hij ieder weekeinde bij hen door zou brengen, aan zijn tante Burgel dat hij alle koekjes, hammen en jam, die ze in zijn koffer had gestopt, zou opeten, en aan de nichtjes dat hij absolute

kuisheid zou betrachten om met hernieuwde energie terug te keren om met hen te stoeien onder het donzen
dekbed.

5

Terwijl al die dingen voorvielen in het leven van Rolf Carlé, ontgroeide ik niet ver daar vandaan de kindertijd. Het was de tijd waarin voor mijn peettante de ellende begon. Ik hoorde ervan op de radio en ik zag haar portret in de roddelbladen die Elvira achter de rug van de bazin kocht, en zo kwam ik te weten dat ze een monster had gebaard. Van geleerden van naam vernam het publiek dat het schepsel gedefinieerd werd als stam III, dat wil zeggen dat het gekenmerkt werd door een samensmelting van twee lichamen met twee hoofden; soort x, dat wil zeggen dat het één ruggenwervel had; en klasse monopagus, dat wil zeggen dat het slechts één navel had voor beide lichamen. Het merkwaardige was dat het ene hoofd van het blanke en het andere van het zwarte ras was.

'Dat arme ding heeft twee vaders, dat is wel zeker,' zei Elvira met een van afschuw vertrokken gezicht. 'Volgens mij komt zulke ellende van met twee mannen slapen op dezelfde dag. Ik ben al over de vijftig, maar dat heb ik nog nooit gedaan. Ik heb er in ieder geval altijd voor opgepast dat in mijn buik niet het zaad van twee mannen vermengd werd, want dat is een zonde waar circuskereltjes uit geboren worden.'

Mijn peettante kwam aan de kost door 's avonds kantoren schoon te maken. Ze was ergens op de tiende verdieping bezig het tapijt te reinigen toen de eerste weeën zich aandienden, maar ze was door blijven werken. Ze was niet in staat geweest uit te rekenen wanneer ze zou moeten bevallen en bovendien was ze razend op zichzelf omdat ze voor de verleiding gezwicht was, waarvoor ze nu moest betalen met deze haar niet te pas komende zwangerschap. Na middernacht voelde ze een warme vloeistof tussen haar benen lopen en ze wilde naar het ziekenhuis gaan, maar het was al te laat, ze was niet meer in staat naar beneden te gaan. Ze schreeuwde haar longen schor, maar er was niemand in het verlaten gebouw om haar te hulp te komen. Ze berustte erin dat wat ze net had schoongemaakt weer vuil te maken en ging op de grond liggen. Wanhopig perste ze net zolang tot haar kind eruit kwam. Toen ze het vreemde tweekoppige wezen zag dat ze gebaard had, kende haar ontsteltenis geen grenzen en haar eerste reactie was er zich zo snel mogelijk van te ontdoen. Zodra ze kans zag op haar benen te staan, pakte ze de pasgeborene, liep naar de gang, wierp hem in de vuilstortkoker en begon naar adem snakkend het tapijt weer schoon te maken. Toen de conciërge de volgende dag in de kelder kwam, vond hij daar het minuscule lijkje tussen het neergevallen vuilnis van de kantoren, vrijwel onbeschadigd omdat het op papiersnippers gevallen was. Op zijn geschreeuw kwamen de diensters uit de cafetaria aanrennen en binnen enkele minuten had het bericht de straat bereikt en verspreidde het zich door de hele stad. Om twaalf uur 's middags was het schandaal in het hele land bekend en kwamen er zelfs journalisten uit het buitenland om het kindje te fotograferen, want een soortgelijke combinatie van rassen was in de annalen van de medische wetenschap nog nooit eerder voorgekomen. Een weeklang werd er over niets anders gepraat, zelfs de dood van twee studenten, die voor de universiteit waren neergeschoten door de Garde, omdat ze met rode vlaggen hadden gezwaaid en de Internationale hadden gezongen, werd overschaduwd. De moeder van de baby werd uitgemaakt voor ontaarde vrouw, moordenares en vijandin van de wetenschap, omdat ze weigerde het lijkje voor onderzoek over te dragen aan het Anatomisch Instituut en het met alle geweld, in overeenstemming met de katholieke geboden, wilde begraven op het kerkhof.

'Eerst doodt ze het en gooit ze het als een rotte vis op de vuilnis en dan wil ze het een christelijke begrafenis geven. Voor een dergelijk misdrijf kent God geen vergiffenis, vogeltje.'

'Maar grootje, het is toch niet bewezen dat mijn peettante het gedood heeft...'

'Wie zou dat dan gedaan moeten hebben?'

Wekenlang hield de politie de moeder vast in een geisoleerde cel, totdat de gerechtelijk arts zijn stem kon laten horen. Niemand had naar hem willen luisteren, maar hij had vanaf het begin gezegd dat de doodsoorzaak niet was dat het in de vuilnis gegooid was maar dat het schepsel al dood was voor het geboren werd. Ten slotte werd de arme vrouw door het gerecht in vrijheid gesteld, maar ze bleef hoe dan ook gebrandmerkt omdat de krantenkoppen haar nog maandenlang bleven vervolgen en niemand geloof hechtte aan de officiële versie. De wrede sympathie van het volk ging uit naar het kind, en mijn peettante kreeg de naam 'Moordenares van het Monstertje'. Die onaangename episode tastte haar zenuwen aan. Ze kon het niet verdragen dat door haar schuld een gedrocht ter wereld was gebracht, en toen ze vrij kwam uit de gevangenis was ze niet meer de oude, ze had zich in haar hoofd gezet dat deze bevalling een goddelijke straf was voor een vreselijke zonde waarvan ze zich niet kon herinneren welke die geweest was. Ze schaamde zich om zich in het openbaar te vertonen en begon zich terug te trekken in ellende en wanhoop. Als uiterste redmiddel riep ze de hulp in van de heksen, die haar een lijkwade aantrokken, haar op de grond neerlegden, brandende kaarsen om haar heen zetten en haar verstikten met rook, talkpoeder en kamfer totdat uit het binnenste van de patiënt een diepe kreet ontsnapte die geïnterpreteerd werd als de definitieve uitdrijving van de boze geesten. Daarna hingen ze gewijde kettingen om haar hals om te beletten dat het kwaad opnieuw bezit van haar zou nemen. Toen ik haar met Elvira ging opzoeken, trof ik haar in hetzelfde indigoblauw geschilderde hutje aan. Ze was haar stevige vlees kwijt en er was niets meer over van de brutale koketterie die haar vroeger pit had gegeven, ze had zich omringd met katholieke prentjes en inheemse godinnen en haar enige gezelschap was de opgezette poema.

Toen ze merkte dat haar rampspoed geen einde nam door de gebeden, de hekserij of de recepten van de kruidenmengsters, zwoer peettante voor het altaar van de Heilige Maria dat ze nooit meer vleselijke gemeenschap zou hebben met welke man ook en om zichzelf te verplichten die eed te vervullen, liet ze haar vagina dichtnaaien door een vroedvrouw. Het scheelde niet veel of ze stierf aan de infectie. Het zal wel nooit aan het licht komen of ze gered werd door de antibiotica in het ziekenhuis, door de voor de Heilige Rita gebrande kaarsen of door het aan de lopende band drinken van kruidenaftreksels. Vanaf dat moment kon ze niet meer afblijven van de rum en de schijnheiligheid, ze raakte volkomen de kluts kwijt, het kwam regelmatig voor dat ze iemand niet meer herkende en ze doolde door de straten, wartaal prevelend over de zoon van de duivel, een tweerassig ondier geboren uit haar buik. Ze was volkomen in de war en niet in staat in haar levensonderhoud te voorzien. Door de verwarde toestand waarin ze verkeerde en met haar foto in het politieblad, was er niemand die werk voor haar had. Soms was ze een hele tijd verdwenen en dan vreesde ik dat ze dood was, maar op de dag dat ik daar het minst op verdacht was, kwam ze ineens weer terug, iedere keer nog afgeleefder en treuriger en met bloeddoorlopen ogen, voorzien van een touw met zeven knopen om de omvang van mijn schedel te meten, een manier die ze god mag weten waar vandaan had om erachter te komen of ik nog steeds maagd was. Dat is je enige schat, zolang je rein bent ben je nog iets waard, zodra je die kwijt bent ben je niemand meer, zei ze en ik begreep niet waarom juist dat deel van mijn lijf, dat zondig en verboden was, tegelijkertijd zo waardevol kon zijn.

Terwijl er vroeger soms maanden overheen gingen voor ze mijn loon kwam innen, probeerde ze nu ineens door smeken of bedreigen geld te lenen; mijn meisje wordt hier slecht behandeld, ze is haast niet gegroeid, ze is erg mager en boze tongen beweren dat de baas haar betast, dat bevalt mij helemaal niet, misbruik van minderjarigen heet zoiets. Zodra ik haar zag aankomen, verstopte ik me gauw in de doodkist. Onvermurwbaar, weigerde de oude vrijster mijn loon te verhogen en ze liet peettante weten dat ze de politie erbij zou halen als ze het nog eens waagde haar lastig te vallen, ze kennen jou wel, ze weten heel goed wie je bent, je zou me dankbaar moeten zijn dat ik die kleine meid van je onder mijn hoede heb genomen, als ik er niet geweest was, zou ze al lang dood geweest zijn, net als dat kind met twee koppen van je. De toestand werd onhoudbaar en ten slotte raakte het geduld van de bazin op een dag op en werd ik ontslagen.

De scheiding van Elvira was heel treurig. Meer dan drie jaar waren we samen geweest, zij had me haar genegenheid geschonken en ik had haar hoofd gevuld met onwaarschijnlijke verhalen, we hadden elkaar geholpen, elkaar in bescherming genomen en samen gelachen. We hadden in hetzelfde bed geslapen en dodenwake gespeeld bij de lijkkist, we hadden een onwrikbare band gesmeed, die ons behoed had voor de eenzaamheid en die de scherpe kantjes van het beroep van dienstbode had afgeslepen. Elvira kon zich niet neerleggen bij het idee dat ze mij nooit meer zou zien en sinds die dag zocht ze me overal op waar ik was. Ze zag altijd weer kans me op te sporen. Als een lieve grootmoeder verscheen ze overal waar ik werkte met een fles guavesiroop of een paar op de markt gekochte lolly's. We gingen zitten en keken elkaar aan met de geheime genegenheid waaraan we beiden gewend waren geraakt en voor ze weer opstapte vroeg Elvira me om een lang verhaal, lang genoeg om erop te kunnen teren tot haar volgende bezoek. Zo ontmoetten we elkaar een tijdlang, totdat we elkaar door een lelijke streek van het lot uit het oog verloren.

Voor mij begon een zwerftocht van het ene huis naar het andere. Mijn peettante liet me steeds van betrekking veranderen en eiste elke keer meer loon voor me. Niemand was echter bereid gul voor mijn diensten te betalen. Veel meisjes van mijn leeftijd die werkten, ontvingen helemaal geen loon maar kregen uitsluitend kost en inwoning. In die periode raakte ik volkomen de tel kwijt en ik kan me nu onmogelijk alle betrekkingen herinneren die ik gehad heb, afgezien van een enkele, die onvergetelijk is, zoals in het huis van de dame met het koude porselein, wier kunst voor mij, jaren later, de basis is geweest voor een merkwaardig avontuur.

Het betrof een weduwe die in Joegoslavië geboren was en die gebrekkig Spaans sprak en ingewikkelde gerechten klaarmaakte. Zij had de formule ontdekt van de Universele Materie, zoals ze het mengsel van met water bevochtigd krantenpapier, gewoon meel en tandpoeder bescheiden noemde, waarvan ze een grijze massa kneedde, die soepel bleef zolang hij vochtig was, maar na het opdrogen steenhard werd. Ze kon er van alles van maken, al was het haar nooit gelukt er de doorzichtigheid van glas of de vochtige glans van een oog aan te verlenen. Ze kneedde de massa, wikkelde hem in een vochtige doek en bewaarde hem in de ijskast tot het moment dat ze hem wilde gebruiken. Ze kon hem boetseren als klei of met een deegroller uitrollen tot hij zo dun was als zijde, ze kon er stukken van knippen, er verschillende structuren in aanbrengen of in alle richtingen uitrekken en weer opvouwen. Als het materiaal droog en hard was, lakte ze het en beschilderde het vervolgens naar believen om er een structuur aan te verlenen die de indruk maakte van hout, metaal, textiel, fruit, marmer, mensenhuid of wat dan ook. De woning van de Joegoslavische was een toonkamer van de mogelijkheden van dit wonderbaarlijke materiaal: bij de ingang stond een coromandelhouten kamerscherm, de salon werd beheerst door vier musketiers, gekleed in fluweel en kant met uit de schede getrokken zwaarden, een op Indiase wijze versierde olifant deed dienst als telefoontafeltje; een Romaanse fries als hoofdsteun van het bed. Een van de vertrekken was omgetoverd tot de grafkamer van een farao: op de deuren was in bas-reliëf een rouwstoet afgebeeld, de lampen waren zwarte panters met gloeilampjes in hun ogen, de tafel

147

was een imitatie van een gepolijste sarcofaag ingelegd met namaak lapis lazuli, en de asbakken hadden de serene, onvergankelijke vorm van de sfinx, met een gat in de rug om peuken in uit te drukken. Ik zwierf rond door dit museum, doodsbang dat er iets zou breken onder de aanraking van mijn plumeau of tot leven zou komen om mij te achtervolgen en me met het musketierszwaard, de olifantenslurf of de panterklauwen te doorboren. Zo werd mijn fascinatie voor de cultuur van het oude Egypte en mijn afschuw van brooddeeg geboren. Ik raakte door de Joegoslavische behept met een onoverkomelijk wantrouwen jegens levenloze voorwerpen en sindsdien moet ik iets aanraken om te weten of het is wat het lijkt of dat het gemaakt is uit haar Universele Materie. In de maanden dat ik daar werkte leerde ze mij haar ambacht, maar ik was zo wijs er niet verslaafd aan te raken. Koud porselein is een gevaarlijke verleiding. Zodra de kunstenaar de geheimen ervan onder de knie heeft kan niets hem beletten om alles wat denkbaar is te imiteren, een wereld vol leugens op te bouwen en daar zelf volkomen in op te gaan.

De oorlog had het zenuwgestel van mijn bazin aangetast. Ervan overtuigd dat onzichtbare vijanden haar bespiedden om haar kwaad te doen, had ze haar bezit omheind door een hoge, met glasscherven bezaaide muur, en in haar nachtkastje bewaarde ze twee pistolen; deze stad zit vol dieven, een arme weduwe moet in staat zijn zich alleen te verdedigen, de eerste indringer die mijn huis betreedt krijgt een voltreffer tussen zijn ogen. De kogels waren niet uitsluitend gereserveerd voor bandieten, op de dag dat dit land in handen van het communisme valt, dood ik jou, zodat je niet lijdt, Evita, en daarna jaag ik mezelf een kogel door de kop, zei ze. Ze behandelde mij voorkomend en zelfs met een zekere tederheid, ze zag erop toe dat ik ruim voldoende at, ze kocht een goed bed voor me en iedere middag ontbood ze me in de salon om samen naar het hoorspel op de radio te luisteren. 'De bladzijden van het geluid worden omgeslagen om u te laten delen in de romantiek en emotie van een nieuwe aflevering...' Naast elkaar gezeten en geflankeerd door de musketiers en de olifant knabbelden we koekjes en luisterden we naar drie achtereenvolgende afleveringen, twee liefdesgeschiedenissen en een detective. Ik voelde me op mijn gemak bij deze bazin, ik had het gevoel ergens thuis te zijn. Het enige nadeel was misschien dat het huis in een afgelegen buurt stond en dat het voor Elvira moeilijk was me te komen bezoeken. Desondanks maakte mijn grootje de reis op elke vrije middag die ze kon krijgen, al dat geloop valt me zwaar, vogeltje, maar jou niet zien valt me nog zwaarder, iedere dag vraag ik God jou vastigheid te geven en mij gezondheid om jou te kunnen vertroetelen, zei ze.

Ik zou daar heel lang hebben kunnen blijven want mijn peettante had geen reden tot klagen, ze werd stipt op tijd en zonder te knibbelen betaald, doch een vreemd voorval maakte een eind aan deze betrekking. Op een stormachtige avond, om een uur of tien, hoorden we een aanhoudend geluid, als de roffel van een tamboer. De weduwe vergat de pistolen, ze sloot bevend de luiken en weigerde buiten te gaan kijken wat er aan de hand was. De volgende dag troffen we in de tuin vier dode katten aan, gewurgd, onthoofd of van onder tot boven opengesneden, en op de muur waren met bloed scheldwoorden geschreven. Ik herinnerde me dat ik op de radio over soortgelijke voorvallen had gehoord, die werden toegeschreven aan bendes van jongens die zich met dit soort gruwelijke grappen onledig hielden, ik probeerde mijn mevrouw ervan te overtuigen dat er geen reden was tot paniek, maar helaas vergeefs. Gek van angst besloot de Joegoslavische het land te ontvluchten voordat de bolsjewisten met haar hetzelfde zouden doen als met de katten.

'Je hebt geluk, ik kan je werk bezorgen in het huis van een minister,' kondigde mijn peettante aan.

De nieuwe baas bleek een onbenullig mannetje te zijn, net zoals vrijwel alle openbare figuren in die tijd waarin het politieke leven bevroren was en ieder vleugje originaliteit kon leiden naar een kelder, waar een in een wolk Franse parfum gehulde figuur met een bloem in zijn knoopsgat stond te wachten. Door zijn afkomst en zijn fortuin behoorde mijn nieuwe baas tot de oude aristocratie, wat hem een zekere onschendbaarheid verleende ten aanzien van zijn schunnigheden; hij had de grenzen van het toelaatbare echter zodanig overschreden dat hij ten langen leste door zijn familie verstoten was. Van zijn post bij de kanselarij was hij ontheven nadat hij betrapt was toen hij in de wapenzaal achter de groen brokaten gordijnen urineerde. Om diezelfde reden was hij al eens uit een ambassade verwijderd, maar die vreemde gewoonte, die voor het diplomatieke protocol onaanvaardbaar was, bleek geen beletsel om hem *chef de cabinet* te maken van een ministerie. Zijn voornaamste goede eigenschappen waren zijn vermogen om de Generaal te vleien en zijn talent om onopgemerkt te blijven. In feite werd zijn naam eerst jaren later beroemd, toen hij in een privé-vliegtuigje het land ontvluchtte en in het tumult en de haast om te vertrekken een koffer vol goud op de startbaan achterliet, waaraan hij hoe dan ook in ballingschap geen gebrek had. Hij woonde in een koloniaal landhuis midden in een schaduwrijk park, waar varens zo groot als inktvissen groeiden en wilde orchideeën in de bomen hingen. 's Nachts glinsterden er rode puntjes in het gebladerte van de tuin: de ogen van aardgeesten en andere de plantengroei bevorderende wezens, of van gewone vleermuizen die in scheervlucht vanaf de daken naar beneden kwamen. De minister was gescheiden, had geen kinderen of vrienden, en woonde helemaal alleen op deze betoverde plek. Het huis, erfgoed van zijn grootouders, was veel te groot voor hem en zijn personeel, veel vertrekken stonden leeg en waren afgesloten. Mijn verbeelding sloeg op hol bij al die deuren die zich aaneenrijden in de gangen; ik meende er gezucht, geweeklaag en gelach achter te horen. In het begin legde ik mijn oor te luisteren en loerde ik door de sleutelgaten, maar al spoedig hoefde ik geen beroep meer te doen op dergelijke methoden om er gehele, verstopte universums te kunnen raden, elk met zijn eigen wetten, zijn tijd, zijn bewoners, gevrijwaard voor slijtage en alledaagse vervuiling. Ik gaf de kamers namen die eenzelfde klank hadden als de verhalen van mijn moeder, Katmandu, Berenpaleis, de Grot van Merlijn, en ik hoefde me maar een heel klein beetje in te spannen om door het hout te dringen en binnen te treden in de buitengewone gebeurtenissen die zich aan de andere kant van de wand afspeelden.

Behalve de chauffeurs en de bewakers, die het parket smerig maakten en drank gapten, werkten er in het grote huis nog een keukenmeid, een oude tuinman, een butler en ik. Ik heb nooit geweten waarom ze mij hadden aangenomen en wat de zakelijke overeenkomst was tussen de baas en mijn peettante; ik bracht vrijwel de hele dag in ledigheid door, ik dwaalde door de tuin, luisterde naar de radio, droomde over de afgesloten kamers of vertelde in ruil voor snoepjes spookverhalen aan de andere bedienden. Slechts twee taken waren speciaal mij voorbehouden: de schoenen poetsen en de po van de baas legen.

Op dezelfde dag dat ik er aankwam werd er een diner gegeven voor ambassadeurs en politici. Ik had dergelijke voorbereidingen nog nooit meegemaakt. Met een vrachtwagen werden er ronde tafels en vergulde stoelen aangevoerd, uit de grote kisten in de linnenkamer kwamen geborduurde tafelkleden en uit het buffet in de eetkamer werd het serviesgoed voor het banket gehaald en schalen met het gouden familiemonogram. De butler gaf mij een doek om het kristal op te poetsen, ik was verrukt van het volmaakte geluid dat de glazen maakten als ze tegen elkaar kwamen en van het lamplicht dat in elk glas weerspiegelde als een regenboog. Er werd een vracht rozen uitgeladen die in porseleinen vazen werden gezet en verspreid werden over de salons. Uit de kasten kwamen kannen en karaffen van gepolijst zilver te voorschijn, in de keuken werd een keur van vis en vlees, wijn en uit Zwitserland aangevoerde kaas, gekonfijte vruchten en bij de nonnen bestelde taarten aangedragen. Tien kelners met witte handschoenen bedienden de gasten terwijl ik vanachter de gordijnen van de salon toekeek, gefascineerd door al dat raffinement dat mij stof gaf om mijn verhalen te verrijken. Nu zou ik koninklijke festijnen kunnen beschrijven, ik zou kunnen lachen om bijzonderheden die ik uit mezelf nooit bedacht zou kunnen hebben, zoals muzikanten die in rokkostuum gekleed op het terras dansmuziek ten gehore brachten, fazanten gevuld met kastanjes en bekroond met gevederde pluimen, stukken gebraad die besprenkeld met likeuren en met blauwe vlammen brandend werden opgediend. Ik wilde niet gaan slapen voor de laatste gast vertrokken was. De volgende dag moest ik schoonmaken, het bestek tellen, de verwelkte bloemen verwijderen en alles weer op zijn plaats zetten. Ik werd opgenomen in het gewone ritme van het huis.

Op de eerste verdieping was de slaapkamer van de minister, een ruim vertrek met een bed waarin bolwangige engelen waren uitgesneden, het vakwerkplafond bestond al een eeuw, de tapijten waren afkomstig uit het Verre Oosten, aan de wanden prijkten koloniale heiligen uit Quito en Lima en een verzameling foto's van hemzelf in gezelschap van verschillende hoogwaardigheidsbekleders. Bij het jacarandahouten bureau stond een antieke leunstoel bekleed met bisschoppelijk velours en voorzien van vergulde armleuningen en poten, en met in de zitting een gat. Daarop nam de baas plaats om zijn natuurlijke behoeften te doen, en het resultaat daarvan kwam terecht in een eronder aangebrachte stenen po. Gezeten op dit anachronistische meubel bracht hij uren door met het schrijven van brieven en redevoeringen, de krant lezen of whisky drinken. Als hij klaar was, trok hij aan het koord van een bel, die in het hele huis weergalmde als de aankondiging van een catastrofe en daarop stormde ik woedend naar boven om de po weg te halen. Ik begreep niet waarom die man niet net als ieder ander normaal mens van het toilet gebruikmaakte. Die manie heeft meneer nu eenmaal altijd gehad, vraag niet zo veel, meisje, luidde het enige commentaar dat de butler me gaf. Binnen een paar dagen had ik het gevoel dat ik zou stikken, ik kreeg niet voldoende lucht, ik verkeerde voortdurend in ademnood, mijn handen en voeten jeukten, het zweet brak me uit. Noch de hoop een ander feest bij te wonen, noch de fabelachtige avonturen van de gesloten kamers konden de zetel van velours, het gezicht van de

baas als hij me op mijn taak wees, de weg die ik moest afleggen om de po te legen uit mijn gedachten verdrijven.
De vijfde dag deed ik net of ik doof was toen ik het dwingende gebel hoorde en bleef me in de keuken vermaken,
maar binnen een paar minuten beukte het geklingel mijn
hersens. Ten slotte ging ik naar boven, stap voor stap de
trap op, per trede meer opgewonden. Ik ging het luxueuze vertrek binnen waar het stonk als in een stal, bukte me
achter de stoel en nam de po weg. Uitermate kalm, alsof
het een volkomen natuurlijk gebaar was, tilde ik de pot
op en keerde hem om boven de minister van Staat, waarmee ik mezelf door een enkel handgebaar bevrijdde van
de vernedering. Gedurende een lang ogenblik bleef hij
roerloos, met uitpuilende ogen, zitten.

'Vaarwel, meneer.' Ik maakte rechtsomkeert en snelde
de kamer uit, ik nam afscheid van de achter de gesloten
deuren slapende personages, daalde de trap af, liep tussen
de chauffeurs en bewakers door, stak het gazon over en
maakte me uit de voeten voordat het slachtoffer van zijn
verbazing was bekomen.

Ik waagde het niet naar mijn peettante te gaan, want
ik was bang voor haar geworden sinds ze met haar verwarde krankzinnige brein gedreigd had ook mij vanbinnen dicht te naaien. In een cafetaria mocht ik telefoneren
en ik belde naar de vrijgezellen om met Elvira te spreken,
maar daar kreeg ik te horen dat ze op een ochtend vertrokken was met haar lijkkist op een gehuurde kar, en
niet meer was komen werken, ze wisten niet waar ze zat,
ze was met de noorderzon vertrokken zonder enig excuus
en ze had de rest van haar bezittingen achtergelaten. Ik
geloof dat ik mij nog nooit zo verlaten heb gevoeld; om
mezelf moed in te spreken haalde ik me mijn moeder
voor de geest, en alsof ik met iemand een afspraak had

begaf ik mij op weg naar het centrum van de stad. Op het plein van de Vader des Vaderlands herkende ik het ruiterbeeld haast niet, ze hadden het schoongepoetst en in plaats van besmeurd met duivenpoep en onder de groen verweerde uitslag stond het er nu glorieus fonkelend bij. Ik dacht aan Huberto Naranjo, die voor mij het dichtst benaderde wat men een vriend zou kunnen noemen. Ik dacht er geen moment aan dat hij mij misschien vergeten was of dat ik hem niet zou kunnen vinden. Ik had nog niet genoeg meegemaakt om te weten wat pessimisme was. Ik ging op de rand van de fontein zitten, waar hij weddenschappen afsloot op de vis zonder staart, en ik staarde naar de vogels, de zwarte eekhoorns en de luiaards op de takken van de bomen. Toen het donker werd vond ik dat ik lang genoeg gewacht had, ik stond op en wandelde door de zijstraten, die de bekoorlijkheid van de koloniale bouwstijl nog behouden hadden en nog niet waren aangetast door de draglines van de Italiaanse bouwbedrijven. In buurtwinkels, kiosken en restaurants vroeg ik naar Naranjo, veel mensen kenden hem wel omdat dit zijn werkterrein was geweest vanaf dat hij nog maar een snotneus was. Overal werd ik vriendelijk behandeld maar niemand wenste een compromitterend antwoord te geven, ik veronderstel dat de dictatuur de mensen had geleerd hun lippen op elkaar te houden. Je weet maar nooit, zelfs een meisje met een dienstbodeschort en een stofdoek aan haar ceintuur gebonden kan verdacht zijn. Eindelijk was er iemand die medelijden met me had en me iets toefluisterde: ga naar de Republiekstraat, daar zwerft hij 's nachts rond, werd me gezegd. In die tijd bestond de rosse buurt alleen nog maar uit een paar slecht verlichte blokken en was ze, vergeleken met de citadel die het later geworden is, onschuldig.

Wel waren er al raamadvertenties van dames met een zwarte strook over hun naakte borsten, vanwege de censuur, en lichtreclames die de weg wezen naar passantenhotels, onopvallende bordelen en speelholen. Ik herinnerde me dat ik niet gegeten had, maar ik durfde geen hulp te vragen, liever dood dan bedelen, vogeltje, had Elvira me ingeprent. Ik vond een doodlopende steeg, installeerde me achter een paar kartonnen dozen en viel ogenblikkelijk in slaap. Uren later werd ik wakker doordat een paar stevige vingers op mijn schouder drukten.

'Ik heb gehoord dat je me loopt te zoeken. Wat wil je verdomme?'

In het begin herkende ik hem niet en hij mij ook niet. Huberto Naranjo had het kind dat hij eens was, achter zich gelaten. Ik vond dat hij er elegant uitzag, met zijn donkere bakkebaarden, geplakte kuif, nauwe broek, laarzen met hoge hakken, en een leren riem met metaalbeslag. Er lag een verwaande uitdrukking op zijn gezicht, maar in zijn ogen twinkelde nog steeds de ondeugende blik, die door geen enkele van de gewelddadigheden waarbij hij in zijn leven nog betrokken zou raken, zou kunnen worden uitgewist. Hij zal hoogstens vijftien jaar geweest zijn, maar hij zag er veel ouder uit door de manier waarop hij liep, enigszins zwaaiend, met licht gebogen knieën, wijdbeens, zijn hoofd achterover en een sigaret bungelend aan zijn onderlip. Ik herkende hem aan de manier waarop hij zijn lichaam bewoog, als een struikrover, hij liep nog net zo als toen hij nog een jochie met een korte broek was.

'Ik ben Eva.'

'Wie?'

'Eva Luna.'

Huberto Naranjo streek met zijn hand door zijn haar,

stak zijn duimen achter zijn riem, spuugde zijn sigaret op de grond en nam me vanuit de hoogte op. Het was donker en hij kon me niet goed onderscheiden, maar mijn stem was niet veranderd en in de schaduwen kon hij een glimp opvangen van mijn ogen.

'Ben jij dat meisje dat verhalen vertelde?'

'Ja.'

Daarop liet hij zijn schurkenrol varen en werd hij weer de door een kus op zijn neus beschaamde jongen, die op een dag afscheid van mij genomen had. Hij knielde met een knie op de grond, kwam dichterbij en glimlachte, blij als iemand die een weggelopen hond heeft teruggevonden. Ik glimlachte ook, nog steeds slaapdronken. Verlegen drukten we elkaar de hand, twee zweterige, tastende, herkennende handen, en we bloosden, hola, hola, en ineens kon ik me niet meer bedwingen, ik kwam overeind, sloeg mijn armen om hem heen en drukte me stijf tegen zijn borst, mijn gezicht afwrijvend aan zijn geborduurde overhemd en aan zijn door geparfumeerde brillantine bevlekte kraag, terwijl hij me troostend op mijn rug klopte en iets wegslikte.

'Ik heb een beetje honger,' was het enige dat ik kon uitbrengen om te verbergen dat ik eigenlijk het liefste een potje zou huilen.

'Snuit je neus, dan gaan we eten,' antwoordde hij terwijl hij gewoontegetrouw zijn kuif met een zakkammetje in orde bracht.

Door de lege, stille straten nam hij me mee naar de enige kroeg die nog open was, als een cowboy duwde hij de deuren open en we stonden in een halfdonkere ruimte die blauw stond van de rook. Een jukebox speelde sentimentele deuntjes, terwijl de klanten zich verveelden aan het biljart of zich bedronken aan de tapkast. Hij duwde me achter de bar langs, we gingen door een gangetje en belandden in een keuken. Een donkere jongen met een snor was stukken vlees aan het snijden, waarbij hij het mes hanteerde als een sabel.

'Bak een biefstuk voor dit meisje, Neger, maar een flinke grote, hoor je? En doe er twee eieren, rijst en gebakken aardappelen bij. Ik betaal.'

'Je zegt het maar, Naranjo. Is dat niet het meisje dat naar je liep te vragen? Ze is hier vanavond langs geweest. Is ze je verloofde?' vroeg de ander lachend met een knipoog.

'Doe niet zo achterlijk, Neger, ze is mijn zuster.'

Hij schepte me zoveel eten op dat ik het in geen twee dagen op zou kunnen. Terwijl ik zat te smikkelen bekeek Huberto Naranjo me zwijgend en peilde met ervaren blik de zichtbare veranderingen van mijn lichaam, niet veel bijzonders, pas veel later zou ik volledig tot ontwikkeling komen. Mijn ontluikende borsten tekenden zich echter wel als twee citroenen af in mijn katoenen schort en Naranjo was toen al net zo'n fijnproever van vrouwen als hij nu is, en in staat om de toekomstige vorm van heupen en andere rondingen te schatten en daaruit zijn conclusies te trekken.

'Je hebt eens tegen me gezegd dat ik bij je kon blijven,' zei ik.

'Dat is jaren geleden.'

'Ik ben nu gekomen om te blijven.'

'Daar zullen we het later wel over hebben, nu eet je eerst het toetje op dat de Neger je geeft, dat is echt lekker,' antwoordde hij en over zijn gezicht trok een schaduw.

'Je kan niet bij mij blijven. Een vrouw kan niet op straat leven,' luidde het hardvochtige oordeel van Huberto Naranjo om een uur of zes, toen er geen levende ziel meer in de kroeg zat en zelfs de liefdeszangen in de jukebox dood waren. Buiten brak een dag als alle andere aan, begon het komen en gaan van het verkeer en van gehaaste mensen.

'Je hebt het me eerst zelf voorgesteld!'

'Ja, maar toen was je nog een kind.'

De logica van die redenering ontging mij volkomen. Ik had het gevoel dat ik juist beter voorbereid was om het lot het hoofd te bieden, nu ik wat ouder was en ik meende een flinke dosis levenservaring te hebben opgedaan, maar hij legde me uit dat het net andersom was, naarmate ik opgroeide zou ik meer behoefte hebben aan de bescherming van een man, in ieder geval zolang ik nog jong was, daarna deed het er niet meer toe, omdat ik dan voor niemand meer begeerlijk zou zijn. Ik vraag je niet voor me te zorgen, niemand doet me wat, ik wil alleen maar met je mee, pleitte ik, maar hij was onvermurwbaar en om tijd te sparen brak hij de discussie af door met zijn vuist op de tafel te slaan, goed meisje, zo is het genoeg, jouw argumenten kunnen me geen reet schelen, hou je mond. Zodra de stad ontwaakt was, pakte Naranjo me bij mijn arm en sleurde me min of meer mee naar de flat van Madame, op de zesde verdieping van een flatgebouw in de Republiekstraat, dat beter onderhouden was dan de rest van de wijk. We werden opengedaan door een rijpe vrouw in een ochtendjas en op pantoffels met pompoenen, nog een beetje slaapdronken en bezig de kater van de afgelopen nacht te verwerken.

'Wat is er, Naranjo?'

'Ik heb een vriendin bij me.'

'Hoe haal je het in je hoofd me op dit uur uit mijn bed te halen?'

Ze vroeg ons echter wel binnen te komen, bood ons een stoel aan en zei dat ze zich een beetje ging opknappen. Na een hele tijd wachten verscheen de vrouw ten slotte. In het voorbijgaan stak ze een paar lampen aan en vulde het vertrek met het geruis van haar nylon ochtendjas en haar verschrikkelijke parfum. Ik had een paar minuten nodig om te beseffen dat het om dezelfde persoon ging, haar wimpers waren gegroeid, haar huid leek van porselein, haar bleke, glansloze krullen stonden versteend rechtop, haar oogleden waren twee blauwe bloembladeren en haar mond een kapotgeknepen kers; toch had deze verbazingwekkende metamorfose de sympatieke uitdrukking op haar gezicht en de charmante glimlach onverlet gelaten. Madame, zoals ze door iedereen genoemd werd, lachte om alles en als ze dat deed trokken er rimpeltjes om haar ogen en verscheen er een vriendelijk, aanstekelijk trekje op haar gezicht dat mij onmiddellijk voor haar innam.

'Ze heet Eva Luna en ze komt bij je wonen,' kondigde Naranjo aan.

'Je bent gek, jongen.'

'Ik betaal je ervoor.'

'Laat me je eens bekijken, meisje, draai je eens om. Ik zit niet in dit soort zaken, maar...'

'Ze komt niet werken!' onderbrak hij haar.

'Ik denk er ook niet over om haar nu aan het werk te zetten, niemand zou haar willen hebben, zelfs niet voor niks, maar ik zou het haar kunnen leren.'

'Niks daarvan. Hou er rekening mee dat ze mijn zuster is.'

'En waarom zou ik jouw zuster bij me in huis nemen?'

'Om je gezelschap te houden, ze kan verhalen vertellen.'

'Wat?'

'Ze vertelt verhalen.'

'Wat voor verhalen?'

'Over liefde, oorlog, angst, wat je maar vraagt.'

'Maak het nou!' riep Madame uit en ze bekeek me belangstellend. 'Hoe dan ook moet ze een beetje opgeknapt worden, Huberto, kijk die ellebogen en knieën eens, die lijken wel van schuurpapier. Je zult wat manieren moeten leren, meisje, zit er niet bij alsof je op de fiets zit.'

'Vergeet al die flauwekul en leer haar lezen.'

'Lezen? Wat moet jij met een intellectueel?'

Huberto was een man van snelle beslissingen en ook in die jaren was hij er al van overtuigd dat zijn woord wet was, zodat hij de vrouw wat bankbiljetten in haar hand duwde, beloofde dikwijls terug te komen en vertrok onder het uitspreken van bevelen die hij met zijn hakken stampend kracht bijzette, haal het niet in je hoofd haar haar te verven, want dan krijg je met mij te doen, ze mag 's avonds niet op straat, want het is een rotzooi sinds die studenten vermoord zijn, iedere ochtend liggen er doden, meng haar niet in je zaken, denk er aan dat ze zo goed als familie van mij is, koop jongedameskleren voor haar, ik betaal alles, geef haar melk, ze zeggen dat je daar dik van wordt, als je me nodig hebt laat je een boodschap voor me achter in de kroeg van de Neger en dan kom ik aanvliegen, o... en bedankt, je weet dat ik tot je dienst sta. Zodra hij weg was verscheen de schitterende glimlach weer op Madames gezicht, ze liep om me heen om me te onderzoeken terwijl ik beschaamd en met gloeiende wangen naar de grond bleef staren, omdat ik tot die dag nog nooit de kans had gehad de omvang van mijn eigen onbeduidendheid te schatten.

'Hoe oud ben je?'

'Dertien, ongeveer.'

'Maak je maar niet bezorgd, niemand wordt mooi geboren, dat kost geduld en inspanning, maar het loont de moeite want als het je lukt is je kostje gekocht. Begin eens met je hoofd op te tillen en te glimlachen.'

'Ik wil liever leren lezen...'

'Dat is flauwekul van Naranjo. Stoor je niet aan hem. Mannen hebben het hoog in hun kop, die hebben altijd een mening. Het beste is op alles ja en amen te zeggen en dan gewoon te doen waar je zelf zin in hebt.'

Madame was een nachtbraakster, het daglicht werd uit haar flat geweerd door dikke gordijnen en er brandden zoveel gekleurde lampjes dat de eerste indruk was dat je een circus binnenkwam. Ze liet me de bladerrijke varens zien, die in alle hoeken stonden en van plastic waren, de bar met allerlei flessen en glazen, de smetteloze keuken waar geen pan te zien was, haar slaapkamer met een rond bed waarop een Spaanse, in een noppenjurk geklede pop lag. In de met cosmeticapotten volgestouwde badkamer hingen grote roze badhanddoeken.

'Kleed je uit.'

'Hè?'

'Trek je kleren uit. Wees maar niet bang, ik ga je alleen maar wassen,' lachte Madame.

Ze liet het bad vollopen, deed er een handvol badzout in die het water deed schuimen en daar liet ik me inglijden, eerst aarzelend maar daarna met een zucht van genot. Toen ik bijna in slaap was gevallen in de dampen van jasmijn en het schuimen van de zeep, verscheen Madame weer met een paardenharen washand om me af te boe-

162

nen. Daarna hielp ze me met afdrogen, strooide talkpoeder onder mijn oksels en een paar druppels parfum in mijn hals.

'Kleed je aan, dan gaan we iets eten en daarna gaan we naar de kapper,' kondigde ze aan.

Onderweg bleven voetgangers stil staan om naar de vrouw te kijken, in verwarring gebracht door haar provocerende manier van lopen en haar stierenvechtersuiterlijk, dat zelfs in die omgeving van felle kleuren en opgedirkte meiden nog opviel. Haar nauwsluitende jurk accentueerde haar rondingen, om haar hals en haar armen glinsterden kralen, haar huid was spierwit, iets wat in dat deel van de stad nog werd gewaardeerd, hoewel bij rijke mensen een door zon en zee gebronsde huid al mode was. Na het eten begaven wij ons naar de schoonheidssalon, waar Madame met haar luidruchtige begroetingen de ambiance in beslag nam en met haar vlekkeloze glimlach en haar prominente aanwezigheid van briljante hetaere alle andere aanwezigen in de schaduw stelde. De kapsters hielpen ons met het aan belangrijke klanten voorbehouden respect, en vervolgens gingen we samen in opgewekte stemming op weg naar de winkelgalerijen in het centrum, ik met een toreadorslok en de vrouw met een vlinder van schildpad in haar lokken gevangen, overal waar we passeerden lieten we een wolk van parfum en haarlak achter. Toen er uiteindelijk tot kopen moest worden overgegaan, liet ze me alles wat er in voorraad was aanpassen, behalve broeken, want Madame was de mening toegedaan dat een vrouw in manskleren even grotesk was als een man met een rok. Ten slotte maakte zij een keus voor me, ballerinaschoenen en wijde jurken, met een ceintuur van elastiek, zoals je in films ziet. De kostbaarste aanwinst was een piepklein behaatje, waarin

mijn belachelijke tietjes als verdwaalde pruimen rond-
zweefden. Toen ze met me klaar was, was het intussen vijf
uur in de middag en was ik een ander wezen geworden,
ik bekeek mezelf langdurig in de spiegel maar ik kon mezelf niet vinden, het spiegelglas weerkaatste het beeld van
een het spoor bijster geraakte muis.

Tegen donker verscheen Melecio, Madames beste
vriend.

'Wat is dit?' vroeg hij verbaasd toen hij mij zag.

'Laten we niet in details treden en zeggen dat het de
zuster is van Huberto Naranjo.'

'Je bent toch niet van plan...?'

'Nee, hij heeft haar bij me achtergelaten als gezelschap...'

'Daar zat je op te wachten!'

Binnen enkele minuten had hij me echter geaccepteerd en speelden we samen met de pop, terwijl we naar
rock-'n-rollplaten luisterden. Dat was voor mij een geweldige ontdekking, ik was gewend aan de salsa, de bole-
rowijsjes en de volksdeuntjes van de keukenradio. Die
avond proefde ik voor het eerst brandewijn met ananassap en roomtaartjes, het basisdieet van dit huis. Later
vertrokken Madame en Melecio naar hun respectieve
werkkringen, ik bleef achter op het ronde bed met de
Spaanse pop in mijn armen, gewiegd op het razende ritme van de rock en in de volledige overtuiging dat dit een
van de gelukkigste dagen van mijn leven was geweest.

Melecio verwijderde zijn gezichtsharen met een pincet en
depte daarna zijn gezicht met een in ether gedrenkt wat-
je, en had zo een zijdezachte huid gekregen, hij verzorgde
zijn lange, smalle handen en elke avond borstelde hij zijn
haar honderdmaal; hij was groot en stevig van postuur,

maar hij bewoog zich zo soepel dat hij een broze indruk maakte. Hij had nooit een woord over zijn familie gezegd en pas jaren later, in de tijd van de gebeurtenissen rond de Santa Maria-gevangenis, zou Madame zijn afkomst kunnen achterhalen. Zijn vader was een uit Sicilië geëmigreerde beer van een kerel, die zijn zoon te lijf ging als hij hem met het speelgoed van zijn zusje zag spelen. Onder het uitroepen van *ricchione!, pederasta!, mascalzone!* gaf hij hem een pak slaag. Zijn moeder, die meestal vol overgave bezig was met het ritueel van pasta maken, sprong kordaat als een wild dier voor hem in de bres, wanneer zijn vader hem probeerde te dwingen tegen een voetbal te schoppen, te boksen, te drinken en later ook naar de hoeren te gaan. Als ze alleen was met haar zoon, probeerde ze zijn gevoelens te peilen, maar de enige verklaring die Melecio haar ooit had kunnen geven, was dat hij binnen in zich een vrouw droeg en dat hij niet kon wennen aan het uiterlijk van een man, waarin hij als in een keurslijf gevangen zat. Hij zou nooit iets anders zeggen, en ook later, toen zijn hersens door psychiaters met hun vragen binnenstebuiten gekeerd werden, zou hij altijd hetzelfde antwoord blijven geven: ik ben geen homo, ik ben een vrouw, en dit lichaam is een vergissing. Niets meer en niets minder. Hij verliet het ouderlijk huis zodra hij zijn *mamma* ervan had kunnen overtuigen dat het veel erger zou zijn als hij zou blijven en door de hand van zijn eigen vader het leven zou laten. Hij oefende allerlei beroepen uit en eindigde ten slotte met het geven van Italiaanse les aan een taleninstituut, waar ze hem niet veel betaalden maar waar het rooster hem goed uitkwam. Eenmaal per maand trof hij zijn moeder in het park, overhandigde haar een envelop met twintig procent van zijn inkomsten, wat die ook waren, en stelde haar gerust met verzinsels over een zogenaamde architectuurstudie. De vader werd niet meer genoemd en na verloop van een jaar begon de vrouw weduwekleren te dragen, want hoewel de beer van een kerel in perfecte gezondheid verkeerde, had zij hem in haar hart gedood. Melecio hield het een tijdje vol, maar hij had zelden genoeg geld en er waren dagen dat hij het met een enkele kop koffie moest stellen. In die tijd had hij Madame leren kennen en vanaf dat ogenblik was voor hem een gelukkiger periode aangebroken. Hij was opgegroeid in een klimaat als van een tragische opera, en de komische toon van zijn nieuwe vriendin was voor hem een balsem op de wonden die hij thuis had opgelopen en die hem ook dagelijks nog vanwege zijn verfijnde manieren op straat werden toegebracht. Ze waren geen minnaars. Voor haar was seks uitsluitend de hoeksteen van haar onderneming en op haar leeftijd was ze niet bereid haar energie te verkwisten aan dergelijke onzin, en voor Melecio was de intimiteit van een vrouw shockerend. Ze waren zo verstandig geweest om vanaf het begin een relatie aan te knopen waarin geen plaats was voor jaloezie, zucht om de ander te bezitten, gebrek aan eerbied voor elkaar of andere ongemakken, die de vleselijke liefde met zich meebrengt. Zij was twintig jaar ouder dan hij en ondanks dit verschil, of misschien juist daardoor, deelden ze een schitterende vriendschap.

'Ik weet een uitstekende baan voor je. Heb je zin om in een bar te zingen?' had Madame hem op een dag voorgesteld.

'Ik weet niet... ik heb het nog nooit gedaan.'

'Niemand zal je herkennen. Je gaat verkleed als vrouw. Het is in een travestietenclub, maar je hoeft niet bang te zijn, het zijn keurige mensen en ze betalen goed, je zult eens zien...'

'Jij denkt dus ook dat ik zo ben!'

'Je hoeft niet kwaad te worden. Het betekent niets als je daar zingt. Het is een beroep, net als elk ander,' wierp Madame tegen. Met haar praktische instelling wist ze altijd alles tot huiselijke proporties terug te brengen.

Met enige moeite slaagde ze erin de barrière van vooroordelen van Melecio te overwinnen en hem te overtuigen van de voordelen van het aanbod. Aanvankelijk stuitte de omgeving hem tegen de borst maar op de avond van zijn eerste optreden ontdekte hij dat hij niet alleen een vrouw in zich droeg maar ook een actrice. Hij ontpopte zich als een tot dan toe ongekend talent op toneel- en muziekgebied en wat begonnen was als een entr'acte werd uiteindelijk het hoofdnummer van het spektakel. Hij begon een dubbelleven, overdag was hij de onbeduidende leraar van het instituut en 's nachts een fantastisch, met veren en namaakdiamanten overdekt creatuur. Zijn financiële toestand verbeterde aanmerkelijk, hij kon zijn moeder zo nu en dan een cadeautje geven, hij kon naar een nettere kamer verhuizen en zich beter voeden en kleden. Hij zou gelukkig geweest zijn als hij niet steeds als hij aan zijn eigen genitaliën werd herinnerd, bevangen werd door een onbedwingbaar gevoel van onbehagen. Hij leed als hij zichzelf naakt in de spiegel zag of moest vaststellen dat hij, zeer ondanks zichzelf, als een normale man functioneerde. Hij werd gekweld door een dwingende obsessie, hij stelde zich voor dat hij zichzelf castreerde met een tuinschaar, een armbeweging en ploef, het vervloekte aanhangsel viel als een bloedend reptiel op de grond.

Hij had zijn intrek genomen in een huurkamer in de jodenbuurt, aan de andere kant van de stad, maar iedere avond, voor hij naar zijn werk ging, nam hij de tijd om

Madame op te zoeken. Hij kwam tegen donker, als de rode, blauwe en groene lampjes in de straat aangestoken werden en de hoertjes uit hun ramen hingen of hun strijdkreten slakend op de trottoirs heen en weer liepen. Nog voor de bel was overgegaan, wist ik dat hij in aantocht was en spoedde ik me naar de deur om hem te verwelkomen. Hij tilde me op, je bent geen gram aangekomen sinds gisteren, geven ze je niet te eten? luidde zijn gewone begroeting, en als een goochelaar toverde hij tussen zijn vingers iets lekkers voor me te voorschijn. Zijn voorkeur ging uit naar moderne muziek, maar zijn publiek verwachtte romantische liedjes in het Engels of in het Frans. Hij besteedde er uren aan om die te leren en zijn repertoire uit te breiden en spelenderwijs leerde hij ze mij ook. Ik leerde de teksten uit mijn hoofd zonder er iets van te begrijpen, want die woorden kwamen niet voor in *this pencil is red, is this pencil blue?* van de cursus Engels voor beginners die ik op de radio volgde. We vermaakten ons met kinderspelletjes waarvoor we in onze jeugd geen van beiden de kans hadden gehad, we maakten huizen voor de Spaanse pop, speelden krijgertje, zongen kinderliedjes in het Italiaans en dansten. Ik keek graag toe als hij zich opmaakte en ik hielp hem bij het opnaaien van glitters op de fantasiegewaden voor de nachtclub.

In haar jeugd had Madame haar mogelijkheden afgewogen en ze was tot de conclusie gekomen dat ze het geduld niet zou kunnen opbrengen om op respectabele wijze in haar onderhoud te voorzien. Ze vestigde zich als specialiste op het gebied van erudiete massage. In het begin had ze daarmee veel succes, aangezien een dergelijke nieuwigheid in deze streken nog niet was doorgedrongen, maar met de demografische groei en de ongecontroleerde immigratie was er een oneerlijke concurrentie ontstaan. Aziatische meisjes brachten duizenden jaren oude technieken mee die voor anderen onmogelijk aan te leren waren, en door de Portugese meisjes zakten de prijzen beneden elk redelijk peil. Daardoor was Madame van deze ceremoniële kunst afgestapt, ze was niet bereid acrobatische toeren te verrichten of het op een koopje te doen, dat zou ze zelfs niet gedaan hebben met haar eigen man, als ze die gehad zou hebben. Iemand anders zou zich er in haar plaats bij hebben neergelegd om haar beroep op de traditionele manier te blijven uitoefenen, maar zij was nu eenmaal een vrouw met originele ideeën. Ze vond excentriek speelgoed uit, waarmee ze dacht de markt te kunnen veroveren. Ze kon echter niemand vinden die bereid was de zaak te financieren. Door het gebrek aan commercieel inzicht in dit land, werd dit idee, net als vele andere, ingepikt door de Noord-Amerikanen, die nu de patenten bezitten en haar modellen over de hele wereld verkopen. De telescopische penis met zwengel, de vibrator, de onfeilbare borst met snoeptepels, waren creaties van haar en als ze haar ooit het percentage zouden betalen waar ze wettelijk recht op heeft, zou ze miljonaire zijn. Ze was haar tijd ver vooruit, niemand had toen kunnen denken dat er naar dergelijke hulpmiddelen ooit nog eens grote vraag zou ontstaan en het leek niet rendabel om er enkele stuks van te vervaardigen voor specialistisch gebruik. Ze slaagde er ook niet in een banklening te krijgen om haar eigen fabriek te beginnen. Beneveld door de olierijkdom wilde de Regering niets weten van niet-traditionele industrieën. Ze liet zich echter door die tegenslag niet ontmoedigen. Madame stelde een in zachtpaars fluweel gebonden catalogus van haar meisjes samen en zond die discreet toe aan de hoogste autoriteiten. Reeds enkele dagen later ontving ze de eerste aanvraag voor een feest op La Sirena, een particulier, door koraalriffen en haaien omgeven, slechts per sportvlicgtuig bereikbaar eiland, dat op geen enkele zeekaart voorkomt. Nadat het eerste enthousiasme gezakt was, besefte ze de omvang van haar verantwoording en begon ze te overdenken wat de beste manier was om een zo uitgelezen publiek te behagen. Op dat moment, althans dat is wat Melecio me jaren later vertelde, viel haar oog op ons. Wij hadden de Spaanse pop in een hoek gezet en probeerden vanaf het andere eind van de kamer munten in haar noppenrok te gooien. Terwijl ze naar ons keek, liet haar creatieve geest verschillende mogelijkheden de revue passeren, tot ze ten slotte op de gedachte kwam de pop te vervangen door een van haar meisjes. Er schoten haar andere kinderspelletjes in gedachten. Ze verleende er een obsceen tintje aan en schiep zodoende volkomen nieuwe pretjes voor de genodigden op het feest. Daarna had het haar nooit meer ontbroken aan werk voor bankiers, magnaten en op hoge posten verkerende regeringsfunctionarissen, die haar voor haar diensten betaalden uit de staatskas. Het mooiste van dit land is dat de corruptie mogelijkheden biedt voor iedereen, zuchtte zij verrukt. Voor haar personeel was ze streng. Ze paaide niemand met ijdele praatjes als van een gewone pooier; om misverstanden te voorkomen en eventuele scrupules meteen de kop in te drukken, zei ze duidelijk wat ze verwachtte. Als iemand haar in de steek liet, of het nu was wegens ziekte, een sterfgeval of een andere onuitsprekelijke catastrofe, werd ze op staande voet ontslagen. Doe het met enthousiasme, meisjes, wij werken in opdracht van heren, in deze branche wordt veel mystiek vereist, placht ze te zeggen. Ze was duurder dan de plaatselijke concurrentie omdat ze had ondervonden dat men van goedkope pleziertjes niet geniet en daar ook nooit aan terugdenkt. Het gebeurde eens dat een kolonel van de Garde, die met een van de meisjes de nacht had doorgebracht, op het moment dat er afgerekend moest worden, zijn dienstrevolver trok en dreigde haar gevangen te nemen. Madame bleef kalm. Binnen een maand belde de militair op, hij wenste drie welgeschapen dames te bestellen om een stel buitenlandse gedelegeerden te vermaken, waarop zij hem vriendelijk antwoordde dat hij zijn vrouw, zijn moeder en zijn grootmoeder maar moest uitnodigen als hij gratis wilde neuken. Twee uur later verscheen er een ordonnans met een cheque en een kristallen doos met drie paarse orchideeën, wat, zoals Melecio mij uitlegde, in bloementaal wil zeggen drie vrouwelijke verrukkingen van de hoogste orde, hoewel de klant dat waarschijnlijk niet wist en die bloemen alleen gekozen had vanwege de protserige verpakking.

Door de gesprekken van de vrouwen af te luisteren leerde ik in een paar weken meer dan waar de meeste mensen een heel leven voor nodig hebben. In haar zucht de kwaliteit van de dienstverlening van haar onderneming te verbeteren, schafte Madame Franse boeken aan, die de blinde van de kiosk haar onder de toonbank verkocht; haar veronderstelling bleek nauwelijks van enig nut; de meisjes beklaagden zich erover dat de hoge heren, als het tot daden kwam, niet verder kwamen dan het drinken van een paar borrels en het herhalen van de aloude routine, zodat al die studie nergens toe diende. Als ik alleen in de flat was, klom ik op een stoel en haalde de verboden boeken uit hun schuilplaats. Ik stond versteld. Hoewel ik ze niet kon lezen, waren de plaatjes voldoende om me op ideeën te brengen die, daarvan ben ik zeker, veel verder reikten dan wat anatomisch mogelijk was.

Het was een goede episode in mijn bestaan, al had ik het gevoel in een wolk van weglatingen en leugens te hangen. Soms meende ik tot de waarheid te zijn doorgedrongen, maar al spoedig bevond ik me weer op een dwaalspoor in een woud vol dubbelzinnigheden. In dit huis waren de uren door elkaar gehaald, er werd 's nachts geleefd en overdag geslapen, als ze zich hadden opgemaakt waren de vrouwen in volkomen andere schepsels veranderd, mijn bazin was een kluwen van geheimzinnigheden, Melecio had geen leeftijd en behoorde niet tot een bepaald geslacht, zelfs de maaltijden hadden meer weg van smulpartijen op een verjaardag, nooit eens een stevige pot. Ook geld werd iets onwezenlijks. Madame bewaarde dikke bundels bankbiljetten in schoenendozen en nam daar iets uit voor de dagelijkse uitgaven, schijnbaar zonder de rekening bij te houden. Ik vond overal geld en in het begin dacht ik dat ze het liet rondslingeren om mijn eerlijkheid op de proef te stellen, maar later begreep ik dat het geen val was maar gewoon overvloed en puur slordigheid.

Ik heb Madame vaak horen zeggen dat ze sentimentele banden verafschuwde, maar ik geloof dat ze haar ware aard verloochende en, net zoals Melecio was overkomen, vatte ook zij ten slotte genegenheid voor mij op. Laten we de ramen openzetten, dan kunnen het geluid en het licht naar binnen, vroeg ik haar en ze stemde toe; laten we een vogel kopen om voor ons te zingen en een pot met echte varens, die we kunnen zien groeien, stelde ik haar daarna voor en dat deed ze ook; ik wil leren lezen, bleef ik aandringen, maar hoewel ze wel bereid was het mij te le-

ren, is het altijd, door dringender zaken, bij een voornemen gebleven. Nu, nadat er vele jaren voorbij zijn gegaan
en ik in het licht van mijn ervaringen aan haar kan denken, geloof ik dat haar lot niet gemakkelijk is geweest,
om in het rauwe milieu te overleven was ze gedwongen
zich met ordinaire zaken bezig te houden. Misschien had
ze zichzelf voorgespiegeld dat ze behoorde tot het handjevol uitverkorenen, die zichzelfde luxe konden permitteren goed te doen, en had ze daarom besloten mij te beschermen tegen de misère van de Republiekstraat en te
zien of ze het lot een poets kon bakken en mij kon behoeden voor een leven als dat van haar. In het begin probeerde ze me voor te liegen over haar commerciële activiteiten, maar toen ze merkte dat ik bereid was de wereld te
slikken met al haar fouten, veranderde ze van tactiek. Later heb ik van Melecio gehoord dat Madame met de andere vrouwen had afgesproken dat ik onbezoedeld zou
blijven en ze deden daar zo hun best voor, dat ik uiteinde-
delijk de belichaming werd van het goede dat ze stuk
voor stuk in zich hadden. Door hun pogingen mij verre
te houden van ruwheid en platvloersheid, kreeg hun eigen leven nieuwe waarde. Als ze mij vroegen de afloop te
vertellen van de hoorspelaflevering, improviseerde ik een
dramatisch einde, dat nooit in overeenstemming was
met de ontknoping op de radio, maar dat kon hun niets
schelen. Ze namen me mee naar Mexicaanse films en na
de bioscoop gingen we naar *La Espiga de Oro* om over het
vertoonde na te praten. Op hun verzoek veranderde ik
het verhaal en maakte ik in een handomdraai een bloe-
dig, griezelig drama van een tedere liefdesgeschiedenis.
Als jij het vertelt, is het veel mooier dan in de bioscoop,
veel droeviger, zwijmelden ze met hun mond vol choco-
ladetaart.

173

Huberto Naranjo was de enige die mij niet om verhalen vroeg, hij vond dat maar een stom gedoe. Hij kwam op bezoek met zijn zakken vol geld, dat hij met twee handen uitdeelde, zonder te vertellen hoe hij eraan gekomen was. Hij schonk mij jurken met kant en stroken, kinderschoentjes en babytasjes, die iedereen prachtig vond omdat ze mij ook dolgraag in het stadium van het onnozele wicht wilden houden. Ik wees ze echter beledigd van de hand.

'Dit past de Spaanse pop niet eens. Zie je niet dat ik geen snotneus meer ben?'

'Ik wil niet dat je er als een sletje bij loopt. Leren ze je nu al lezen?' vroeg hij en hij werd woedend toen hij merkte dat mijn ongeletterdheid nog geen letter minder was geworden.

Ik paste er wel voor op om hem te vertellen dat mijn kennis op andere terreinen met sprongen vooruit was gegaan. Ik aanbad hem met de jeugdige obsessie die onuitwisbare sporen nalaat, maar ik kreeg Naranjo nooit zo ver dat hij op mijn vurige bereidheid inging, iedere keer dat ik probeerde hem iets te suggereren, kreeg ik een uitbrander.

'Laat me met rust. Wat jij moet doen is leren, voor onderwijzeres of voor verpleegster, dat zijn nette beroepen voor een vrouw.'

'Hou je niet van me?'

'Ik bekommer me om je, en daarmee uit.'

Als ik alleen in bed lag, nam ik het kussen in mijn armen en bad dat ik gauw zwaardere borsten en dikkere benen zou krijgen, hoewel ik Huberto Naranjo nooit in verband bracht met de plaatjes in de leerboeken van Madame of met de opmerkingen die ik van de vrouwen opving. Ik kon me niet voorstellen dat die capriolen iets te maken hadden met de liefde, ze schenen mij louter een manier om de kost te verdienen, net als naaien of typen. De liefde dat was de liefde van de liedjes of de hoorspelen, zuchten, kussen, dringende woorden. Ik zou graag met Huberto onder een laken liggen, met mijn hoofd op zijn schouder rustend naast hem slapen, maar mijn fantasieën waren nog kuis.

Melecio was de enige waardige artiest in de nachtclub waar hij werkte, de rest vormde een deprimerend allegaartje: een paar homo's, die zich het Blauwe Ballet noemden en op een rij achter elkaar aansjokten, een dwerg die onzedelijke toeren uithaalde met een melkfles, en een heer op leeftijd van wie het nummer daaruit bestond dat hij zijn broek liet zakken om met zijn achterwerk naar de toeschouwers toe er drie biljartballen uit te halen. Het publiek lachte zich tranen om dit soort clownsnummers, maar als Melecio met een courtisanepruik op en gehuld in veren boa's opkwam om een Frans chanson te zingen, werd het muisstil in de zaal. Er werd niet naar hem gefloten en hij werd niet bestookt met lollige opmerkingen, zoals de andere leden van het gezelschap overkwam, want zelfs de ongevoeligste cliënt raakte onder de indruk van zijn kwaliteiten. Tijdens de uren in de nachtclub veranderde hij in de begeerde en bewonderde ster, die straalde in het licht van de schijnwerpers en waar alle blikken op gericht waren, daar werd de droom van zijn vrouwzijn vervuld. Na afloop van zijn opkomst trok hij zich terug in het onfrisse kamertje dat hem als kleedkamer was toegewezen en legde hij zijn divatooi af. De aan een haakje hangende veren leken een zieltogende struisvogel, zijn pruik lag op de tafel als een afgehakt hoofd, zijn glazen juwelen rustten op een koperen dienblad, als de buit van een bedrogen zeerover. Met crème verwijderde hij de make-up en zijn mannelijke gezicht verscheen weer. Hij deed zijn manskleren aan, trok de deur dicht en zodra hij buiten stond werd hij bevangen door een intense droefheid, omdat het beste van hem daar achterbleef. Hij begaf zich naar de kroeg van de Neger om alleen aan een tafel in een hoekje iets te eten en te denken aan het uur van geluk dat hij zojuist op het toneel had beleefd. Om wat frisse lucht te krijgen keerde hij daarna te voet door de verlaten straten terug naar zijn pension, hij klom de trap op naar zijn kamer, waste zich en ging op zijn bed in het donker liggen staren tot hij in slaap viel.

Toen homoseksualiteit niet langer een taboe was en het volle daglicht kon verdragen, werd het mode om, zoals dat genoemd werd, homo's in hun eigen milieu te bezoeken. Rijke mensen arriveerden in hun auto's met chauffeur; elegante, luidruchtige, veelkleurige vogels die zich een weg baanden tussen de gewone klanten en plaatsnamen om nepchampagne te drinken, een snuifje cocaïne te gebruiken en de artiesten toe te juichen. Vooral de vrouwen waren enthousiast; van welvarende immigranten afstammende fijne dames, in Parijse japonnen en met fonkelende replica's van de juwelen die ze in hun kluizen bewaarden, nodigden de acteurs aan hun tafeltjes om het glas met hen te heffen. De door de slechte drank, de rook en het nachtbraken aangerichte schade moesten ze de volgende dag herstellen met Turkse baden en schoonheidsbehandelingen, maar het loonde de moeite, want op de Country Club was dit soort uitstapjes het verplichte onderwerp van gesprek. De faam van de wonderbaarlijke Mimi, zoals Melecio's artiestennaam luidde, ging dat seizoen van mond tot mond, al bleef zijn roem beperkt tot de salons; in de jodenbuurt, waar hij woonde, of in de Republiekstraat wist niemand ervan en het kon ook trouwens niemand iets schelen dat de verlegen leraar Italiaans dezelfde persoon was als Mimi.

Om te kunnen overleven hadden de bewoners van de rosse buurt zich georganiseerd. Hun stilzwijgende erecode werd zelfs door de politie geëerbiedigd. Er werd slechts ingegrepen bij verstoring van de openbare orde en zo nu en dan werd er in de straten gepatrouilleerd om de commissie op te strijken of om direct overleg te plegen met de verklikkers, waarbij de belangstelling dan nog voornamelijk uitging naar politieke informatie. Iedere vrijdag verscheen er in de flat van Madame een sergeant, die zijn auto openlijk op de stoep parkeerde, zodat iedereen wist dat hij zijn percentage van de winst kwam innen, men moest vooral niet denken dat de autoriteiten niet wisten wat voor zaken deze matrone deed. Zijn bezoek duurde nooit langer dan tien à vijftien minuten, net lang genoeg om een sigaret te roken en een paar moppen te vertellen, en daarna vertrok hij tevreden met een fles whisky onder zijn arm en zijn percentage in zijn zak. Iedereen hield zich aan deze regelingen en ze waren lonend omdat de ambtenaren hun inkomen erdoor verhoogden en de anderen in rust hun werk konden doen. Ik woonde een paar maanden bij Madame toen de sergeant werd overgeplaatst en de goede betrekkingen van de ene dag op de andere naar de bliksem werden geholpen. De zaken kwamen in gevaar door de buitensporige eisen van de nieuwe officier, die de van ouds geldende normen niet in acht nam. Zijn ontijdige invallen, zijn dreigementen en afpersingsmethoden maakten een eind aan de voor de bloei van het bedrijf zo broodnodige rust. Ze probeerden het met hem op een akkoordje te gooien maar hij was een inhalig individu met bekrompen opvattingen. Zijn aanwezigheid verstoorde het wankele evenwicht in de Republiekstraat en zaaide alom ontreddering, de mensen kwamen in de kroegen bij elkaar om te overleggen, zo is het godsonmogelijk de kost te verdienen, er moet iets gebeuren voordat die ellendeling ons in het verderf stort. Bewogen door de klaagzangen besloot Melecio tussenbeide te komen, hoewel de zaak hem niet direct aanging, en hij stelde voor een brief te schrijven, en die ondertekend door alle getroffenen naar het Hoofd van de Politie te brengen, met een kopie voor de minister van Binnenlandse Zaken. Per slot van rekening hadden deze beide heren jarenlang geprofiteerd en waren ze daarom moreel verplicht het oor te lenen aan de problemen. Het duurde niet lang of hij moest vaststellen dat het een onwijs plan was en de uitvoering ervan waaghalzerij. Een paar dagen waren ze bezig om de handtekeningen van de buurt bij elkaar te krijgen, een niet eenvoudige opgave omdat aan iedereen stuk voor stuk de bijzonderheden moesten worden uitgelegd. Toen ze ten slotte de belangrijkste verzameld hadden, ging Madame in hoogsteigen persoon de petitielijsten aanbieden aan de geadresseerden. Vierentwintig uur later, tegen het aanbreken van de ochtend, toen iedereen sliep, kwam de Neger uit de kroeg aanhollen met het bericht dat ze bezig waren huis aan huis binnen te vallen. De vervloekte sergeant kwam met de agenten van de Zedenpolitie, die erom bekendstonden dat ze wapens neerlegden en drugs in zakken stopten om onschuldigen verdacht te maken. Buiten adem vertelde de Neger dat ze als een horde de nachtclub waren binnengedrongen en dat ze alle artiesten en een deel van het publiek gevangen hadden genomen, waarbij de elegante clientèle discreet buiten het schandaal was gehouden.

Een van de gearresteerden was Melecio, als een carnavals-vogel behangen met valse juwelen en een staart van ve-ren. Hij werd beschuldigd van pederastie en dealen, twee mij tot op dat moment onbekende woorden. De Neger verdween ijlings om het slechte nieuws bij de rest van zijn vrienden te gaan verspreiden, Madame in een zenuwcrisis achterlatend.

'Kleed je aan, Eva! Vooruit! Doe alles in een koffer! Nee! Daar is geen tijd voor! We moeten hier weg... Arme Melecio!'

Halfnaakt draafde ze door de woning, zich stotend aan de verchroomde stoelen en kaptafels en intussen kleedde ze zich haastig aan. Tot slot greep ze de schoenendoos met geld en begon met mij op haar hielen de diensttrap af te rennen, ik was nog slaapdronken en begreep niet wat er aan de hand was, hoewel ik aanvoelde dat het iets heel ergs moest zijn. We gingen naar beneden op hetzelfde moment dat de politie de lift binnendrong. Beneden stuitten we op de conciërge in haar nachthemd, een moederlijke Galicische vrouw die onder normale omstandigheden verrukkelijke tortilla's van aardappelen met worst maakte in ruil voor flesjes eau de cologne. Toen ze zag in wat voor verwarring wij verkeerden en ze het gejoel van de uniformdragers en de sirenes van de patrouillewagens hoorde, begreep ze dat dit niet het juiste moment was om vragen te stellen. Ze gebaarde dat we haar moesten volgen naar de kelder, waar een nooddeur was die uitkwam in een parkeergarage en waardoor we konden ontsnappen zonder door de Republiekstraat te hoeven, die geheel bezet was door het openbaar gezag. Na die onwaardige holpartij bleef Madame hijgend tegen de muur van een hotel staan, een flauwte nabij. Daarop scheen het of ze mij voor het eerst zag.

'Wat doe jij hier?'

'Ik ben ook gevlucht...'

'Verdwijn! Als ze jou bij mij vinden word ik beschuldigd van misbruik van minderjarigen!'

'Waar moet ik naartoe? Ik kan nergens heen.'

'Ik weet het niet, kind. Ga Huberto Naranjo maar zoeken. Ik moet me verschuilen en hulp zien te krijgen voor Melecio, ik kan me nu niet om jou bekommeren.'

Ze verdween in het straatgewoel, en het laatste wat ik van haar zag was haar gebloemde heupwiegende achterwerk, dat geen spoor vertoonde van de vroegere stoutmoedigheid maar eerder openlijke ontreddering uitstraalde. Ik bleef me schuilhouden op de hoek terwijl de politiewagens loeiend langsreden en overal om me heen lichtekooien, homoseksuelen en koppelaarsters maakten dat ze wegkwamen. Iemand bracht me aan mijn verstand dat ik me ook uit de voeten moest maken. De brief, die Melecio had opgesteld en die iedereen ondertekend had, was in handen gevallen van journalisten. Het schandaal zou op zijn minst een minister en zeker verscheidene hoge politiefunctionarissen hun baantje kosten en ten slotte als een hakbijl op onze buurt terugvallen. Ze drongen ieder gebouw, ieder huis, ieder hotel en iedere kroeg in de buurt binnen, ze arresteerden iedereen, zelfs de blinde uit de kiosk, ze spoten zoveel traangas dat er een dozijn vergiftigden was en een pasgeboren baby stierf omdat de moeder met een klant bezig was en hem niet op tijd in veiligheid had kunnen brengen. Drie dagen en drie nachten werd er over niets anders gesproken dan over de Oorlog tegen de Onderwereld, zoals het in de pers werd genoemd. In de volksmond sprak men echter over het Hoerenoproer, de naam waaronder het voorval bewaard bleef in de verzen van de dichters.

Ik bezat geen rooie cent, iets wat me al eerder was overkomen en dat me ook in de toekomst nog vaak zou gebeuren, Huberto Naranjo kon ik nergens vinden, de verwarring van de strijd had hem in een ander deel van de stad verrast. Besluiteloos ging ik tussen twee pilaren van een gebouw zitten om te vechten tegen het gevoel van verlatenheid dat ik al eerder had ondervonden en dat nu weer over me kwam. Ik stopte mijn hoofd tussen mijn knieën en riep mijn moeder aan, en algauw kreeg ik de lichte geur van schone, gesteven katoen in mijn neus. Onberoerd verscheen ze voor me, met haar opgestoken vlecht en haar grijze ogen schitterend in haar sproetige gezicht, om me te zeggen dat deze twist mij niets aanging en dat er geen aanleiding was om bang te zijn, dat ze mij de schrik te boven zou laten komen en dat we er samen vandoor zouden gaan. Ik stond op en gaf haar een hand.

Ik kon niet een van mijn kennissen vinden en ik had ook de moed niet om terug te gaan naar de Republiek-straat, want steeds als ik daar in de buurt kwam, zag ik de geparkeerde patrouillewagens en meende ik dat die op mij stonden te wachten. Van Elvira had ik in lang niets vernomen en ik verwierp de gedachte om mijn peettante te gaan zoeken, die toen al volkomen haar verstand verloren had en zich alleen interesseerde voor de loterij en ervan overtuigd was dat de heiligen haar het winnende lotnummer per telefoon zouden aanwijzen; maar de hemelse heerscharen vergisten zich net zo in hun voorspellingen als iedere andere sterveling.

Het beroemde Hoerenoproer had alles op zijn kop gezet. In het begin juichte het publiek het krachtige ingrijpen van de regering toe en de bisschop was de eerste die een verklaring aflegde ten gunste van de harde hand tegen de zedeloosheid; de situatie sloeg echter volkomen om toen een humoristisch blad, uitgegeven door een groep kunstenaars en intellectuelen, onder de titel *Sodom en Gomorra* de karikaturen publiceerde van bij de corruptie betrokken hoge functionarissen. Twee van de tekeningen leken verdacht veel op de Generaal en op de Man met de Gardenia, van wie bekend was dat hij bij allerlei duistere zaken betrokken was, maar tot op dat moment had niemand het gewaagd het zwart op wit te zetten. De Veiligheidsdienst viel het kantoor van de krant binnen, vernielde de machines, verbrandde het papier, arresteerde alle personeelsleden die ze te pakken kon krijgen en verklaarde dat de directeur voortvluchtig was; de volgende dag werd zijn lijk echter met sporen van martelingen en onthoofd aangetroffen in een in het centrum van de stad geparkeerde auto. Geen mens twijfelde eraan wie de verantwoordelijken waren voor zijn dood: dezelfden als die van de slachtpartij onder de studenten en het verdwijnen van zovele anderen, van wie de lichamen in bodemloze putten geworpen werden, in de hoop dat, als ze ooit gevonden zouden worden, ze voor fossielen zouden worden aangezien. Deze misdaad maakte een eind aan het geduld van de openbare mening, die jarenlang het machtsmisbruik van de dictatuur lijdzaam had verdragen, en binnen enkele uren werd er een massale manifestatie georganiseerd, heel anders dan de bliksemacties waarmee de oppositie vergeefs placht te protesteren tegen de regering. De straten in de buurt van het Plein van de Vader des Vaderlands raakten verstopt van de duizenden studenten en arbeiders, die spandoeken meedroegen, affiches aanplakten en autobanden in brand staken. Het zag ernaar uit dat de angst eindelijk geweken was om ruim baan te maken voor de opstand. Te midden van het tumult naderde door een zijlaan een korte, merkwaardig uitziende stoet. Het waren de bewoonsters van de Republiekstraat, die niet begrepen hadden wat de reikwijdte van het schandaal was en die meenden dat het volk hen te hulp schoot. Ontroerd beklommen enkele jonge meisjes een geïmproviseerde tribune om te danken voor het gebaar van solidariteit met de verschoppelingen van de samenleving, zoals zij zichzelf noemden. Het is goed zoals het is, medeburgeressen, want zouden moeders, verloofdes en echtgenotes rustig kunnen slapen als wij niet ons werk zouden doen? Waar zouden hun zonen, verloofden en echtgenoten heen moeten met hun hartstochten als wij onze plicht niet vervulden? De menigte bracht hen zo'n ovatie dat het niet veel scheelde of het was een carnaval geworden, maar voor het zo ver kon komen liet de Generaal het leger oprukken. Met een olifantenrumoer rolden de tanks voorwaarts maar ze kwamen niet ver, omdat het koloniale plaveisel van de straten in het centrum wegzakte en de mensen de straatstenen gebruikten om tegen de autoriteiten van leer te trekken. Er waren zoveel gewonden en gekwetsten dat voor het hele land de staat van beleg werd afgekondigd en de avondklok werd ingesteld. Die maatregelen gaven alleen maar voedsel aan nog meer geweld, dat overal spontaan uitbarstte als een bosbrand in de zomer. De studenten plaatsten eigengemaakte bommen tot op de preekstoelen in de kerken, het gepeupel vernielde de rolluiken van de Portugese warenhuizen om de etalages te plunderen, een groepje scholieren overmeesterde een politieagent en liet hem naakt over de Onafhankelijkheidslaan lopen. Er waren veel slachtoffers en vernielingen te betreuren maar toch was het een fantastische schermutseling die het publiek de gelegenheid gaf zich schor te schreeuwen, gewelddaden te plegen en zich opnieuw vrij te voelen. Geïmproviseerde muziekgroepjes die op lege benzineblikken trommelden ontbraken niet, evenmin als lange rijen danseressen die zich bewogen op het ritme van Cubaanse en Jamaicaanse muziek. Het oproer duurde vier dagen, maar ten slotte doofde het enthousiasme, iedereen was uitgeput en niemand wist nog precies waar het allemaal om begonnen was. De verantwoordelijke minister diende zijn ontslag in en werd vervangen door iemand die ik kende. Toen ik langs een kiosk kwam, zag ik zijn portret op de voorpagina van een krant en het kostte me moeite hem te herkennen, omdat de beeltenis van die ernstige man, met zijn gefronste wenkbrauwen en de opgeheven hand, niet overeenkwam met degene die ik vernederd had achtergelaten op een zetel van bisschoppelijk fluweel.

Tegen het eind van de week kreeg de regering de stad weer onder controle en vertrok de Generaal naar zijn eiland om zijn dikke pens in de Caribische zon te laten bekomen, er volledig van overtuigd dat hij zelfs de dromen van zijn landgenoten onder controle had. Hij verwachtte de rest van zijn leven te blijven regeren, daarvoor had hij immers de Man met de Gardenia, die erover waakte dat noch in de kazernes noch op straat geconspireerd werd. Bovendien was hij ervan overtuigd dat de bliksemflits van de democratie niet lang genoeg geduurd had om in het bewustzijn van het volk belangrijke sporen achter te laten. Het saldo van deze geweldige beroering bestond uit enkele doden en een onbepaald aantal gevangenen en verbannenen. De speelhuizen en bordelen in de Republiekstraat gingen weer open en de bewoners gingen weer aan hun gewone werk, alsof er niets gebeurd was. De autoriteiten gingen door met het ontvangen van hun procenten en de nieuwe minister bleef ongehinderd op zijn post, nadat hij de politie had opgedragen de onderwereld niet lastig te vallen en zich, net als voorheen, bezig te houden met het vervolgen van politieke tegenstanders en het arresteren van gekken en bedelaars om hen het hoofd kaal te scheren, hen met desinfectiemiddelen te bespuiten en ergens langs de weg te dumpen zodat ze langs natuurlijke weg zouden verdwijnen. De Generaal raakte niet van zijn stuk door de praatjes en vertrouwde erop dat de beschuldigingen van misbruik en corruptie zijn aanzien slechts zouden versterken. Hij had zijn lesje geleerd van de Weldoener en hij geloofde dat de geschiedenis onverschrokken leiders consacreerde, omdat het volk oprechtheid minacht als een eigenschap van vrouwen en priesters, en die afwijst in echte kerels. Hij was ervan overtuigd dat men geleerden diende te eren met standbeelden en dat het handig was om er een paar te hebben om in schoolboekjes als voorbeeld te stellen, maar dat als het moment daar was om de macht te verdelen alleen eigenmachtige, vrees inboezemende leiders kans van slagen hadden.

Dagenlang zwierf ik van hot naar haar. Ik bleef buiten het Hoerenoproer omdat ik ervoor zorgde buiten de wanordelijkheden te blijven. Ondanks de zichtbare aanwezigheid van mijn moeder had ik in het begin een onbestemd verlangen midden in mijn lichaam en was mijn mond droog en ruw alsof er zand in zat, maar later raakte ik daaraan gewend. Ik vergat alles wat mijn peettante en Elvira me hadden ingeprent over reinheid en ik waste me niet meer in een fontein of aan een openbare kraan. Ik veranderde in een smerig schepsel dat overdag doelloos rondslenterde en at wat het maar te pakken kon krijgen, en als het donker werd zocht ik mijn toevlucht in een

donker hoekje om me te verstoppen tijdens de avondklok, wanneer alleen de wagens van de Veiligheidsdienst
door de straten reden.

Op een dag, 's middags om een uur of zes, leerde ik Riad
Halabi kennen. Ik stond op een hoek en hij kwam voorbij lopen op de stoep en bleef stilstaan om naar me te kijken. Ik keek op en zag een gezette man van middelbare
leeftijd, met weemoedige ogen en dikke oogleden. Ik geloof dat hij een licht kostuum droeg met een stropdas,
maar ik zie hem altijd voor me in een van die onberispelijke batisten tropenhemden, die ik niet lang daarna met
zoveel overgave voor hem zou gaan strijken.
   'Hé, meisje...' riep hij me met een nasale stem toe.
   En daarop viel het me op dat hij een gebrek aan zijn
mond had: van zijn bovenlip naar zijn neus liep een diepe spleet en achter zijn uit elkaar staande tanden was zijn
tong zichtbaar. De man haalde een zakdoek te voorschijn
en bracht die naar zijn gezicht om zijn misvorming te bedekken, terwijl zijn olijfvormige ogen naar me lachten.
Ik had de neiging achteruit te deinzen maar ik werd plotseling overvallen door een diepe vermoeidheid, een onverdraaglijk verlangen om me te laten gaan en om te slapen; mijn knieën knikten en ik liet me vallen, terwijl ik
door een dichte nevel naar de onbekende keek. Hij bukte
zich, pakte me bij mijn armen en dwong me op te staan,
een, twee, drie stappen te doen tot ik weer tot mijn positieven kwam in een cafetaria achter een enorme sand-
wich en een glas melk. Met bevende handen pakte ik het
eten aan en de geur van het verse brood drong in mijn
neus. Al kauwend en slikkend voelde ik een doffe pijn,
een hevig genot, een woest verlangen, zoals ik naderhand
slechts een enkele maal heb ondervonden in een liefdes-

186

omarming. Ik at vlug en was niet in staat alles op te eten omdat ik weer misselijk werd en ditmaal de braakneigingen niet kon onderdrukken, ik kotste alles uit. De mensen om me heen deinsden vol afschuw achteruit en de kelner begon te schelden, maar de man bracht hem met een paar bankbiljetten tot zwijgen en leidde me aan mijn ceintuur naar buiten.

'Waar woon je, meisje? Heb je familie?'

Beschaamd schudde ik van nee. De man nam me mee naar een naburige straat waar zijn krakkemikkige vrachtwagen stond, beladen met kisten en zakken. Hij hielp me instappen, sloeg zijn jasje om mijn schouders, startte de motor en reed in oostelijke richting weg.

De reis duurde de hele nacht en ging door een duister gebied; de enige lichtjes waren die van de accijnskantoren, van de vrachtwagens op weg naar de olievelden en van het Armenpaleis, dat zich gedurende dertig seconden als een hallucinatie aan de kant van de weg verhief. Ooit was dat het zomerverblijf van de Weldoener geweest, waar de mooiste meisjes uit het Caribisch gebied dansten, maar op de dag dat de tiran stierf waren de armen gekomen, eerst aarzelend maar vervolgens in groten getale. Ze drongen de tuinen binnen en aangezien ze door niemand werden tegengehouden gingen ze verder, ze beklommen de brede, door gebeeldhouwde zuilen met bronzen platen omzoomde trappen, trokken door de reusachtige salons van marmer, wit uit Almeria, roze uit Valencia en grijs uit Carrera, ze liepen door de gangen vol marmeren bomen, arabesken en koepels, ze drongen de badkamers van onyx, jade en toermalijn binnen en ten slotte namen ze er hun intrek met hun kinderen, hun grootouders, hun huisdieren en hun hele hebben en houden. Elk gezin zocht een plek uit en de grote vertrekken werden door denkbeeldige scheidslijnen onderverdeeld. Ze hingen hun hangmatten op, sloegen het rococo-meubilair aan stukken om hun kookvuren te laten branden, de kinderen sloopten de Romeinse zilveren kranen, de jongeren beminden elkaar tussen de tuinornamenten en de ouderen zaaiden tabak in de vergulde badkuipen. Iemand liet de Garde komen om hen eruit te schoppen, maar de voertuigen van het gezag verdwaalden onderweg en kwamen nooit ter plaatse aan. Het was nooit gelukt de bezetters te verdrijven, omdat het paleis en alles wat erbij hoorde zich aan het menselijk oog onttrok en van een andere dimensie werd, waarin het ongestoord bleef voortbestaan.

Toen wij eindelijk onze bestemming bereikten, stond de zon al hoog aan de hemel. Agua Santa was een van die in provinciale rust ingeslapen dorpen, gewassen door de regen, glanzend in het ongelooflijke tropenlicht. De vrachtauto reed door de hoofdstraat met zijn koloniale huizen, elk met een moestuintje en een kippenhok, en hield halt voor een witgekalkt woonhuis, dat steviger en hechter was dan de andere huizen. Op dat uur was de deur gesloten en ik besefte niet dat het een winkel was.

'We zijn thuis,' zei de man.

6

Riad Halabi was een door medelijden bewogen mens. Hij beminde zijn medemensen zozeer dat hij zijn hele leven probeerde hen de weerzinwekkende aanblik van zijn gespleten lip te besparen en hij had dan ook altijd een zakdoek in zijn hand om die te bedekken, hij at of dronk nooit in het openbaar, hij lachte nauwelijks en wist zich altijd zo op te stellen dat hij in het tegenlicht of in de schaduw zat, waar zijn gebrek verborgen bleef. Hij heeft nooit geweten dat hij bij zijn omgeving sympathie heeft gewekt en bij mij liefde. Hij was vijftien jaar toen hij in dit land aankwam, alleen, zonder geld, zonder vrienden en op een toeristenvisum dat gestempeld was in het vervalste Turkse paspoort dat zijn vader in het Nabije Oosten voor hem gekocht had van een corrupte consul. Hij had de opdracht meegekregen om fortuin te maken en geld te sturen aan zijn familie, en hoewel hij in dat eerste nooit geslaagd is, heeft hij het tweede nooit nagelaten. Hij zorgde dat zijn broers konden doorleren, hij gaf al zijn zusters een bruidsschat mee en voor zijn ouders kocht hij een olijfboomgaard, wat in het land van vluchtelingen en bedelaars, waar hij was opgegroeid, een teken van aanzien was. Hij sprak Spaans met alle creoolse uitdrukkingen, maar aan zijn accent was duidelijk te horen dat hij afkomstig was uit de woestijn, en aan die woestijn dankte hij ook zijn gastvrijheid en zijn hartstocht voor water. In zijn eerste immigrantenjaren had hij geleefd op brood, bananen en koffie. Hij sliep op de grond in de textielfabriek van een landgenoot, die in ruil voor onderdak van hem verlangde dat hij het kantoor schoonhield, rollen linnen en katoen oplaadde en voor de muizenvallen zorgde, wat hem een deel van de dag kostte. De rest van de tijd besteedde hij aan allerlei andere zaken. Hij had al snel begrepen waar het meeste aan te verdienen was en besloot zich aan de handel te wijden. Hij ging kantoren langs met ondergoed en horloges, bij deftige woonhuizen probeerde hij de dienstboden te verleiden tot het kopen van cosmetische producten en goedkope kralen, aan middelbarescholieren bood hij schriften en potloden aan, in gevangenissen verkocht hij foto's van naakte filmsterren en plaatjes van Sint-Gabriel, de beschermheilige van de militie en de dienstplichtige militairen. De concurrentie was echter moordend en zijn kansen om hogerop te komen waren vrijwel nihil, omdat zijn enige kracht als koopman was dat hij dol was op loven en bieden, wat hem geen cent meer opleverde, maar wel een goed voorwendsel was om met zijn klanten van gedachten te wisselen en vrienden te maken. Hij was eerlijk en absoluut niet ambitieus, hij had de capaciteiten niet om in dit beroep stand te houden, in ieder geval niet in de hoofdstad, zodat zijn streekgenoten hem aanraadden met zijn handel langs kleine plaatsen in de provincie te gaan trekken, waar de mensen naïever zijn. Riad Halabi begaf zich op weg met dezelfde vage angst als waarmee zijn voorouders ooit aan een lange doortocht door de woestijn begonnen waren. Eerst reisde hij per autobus, totdat hij in staat was op afbetaling een motorfiets te kopen, waar hij een grote kist achterop monteerde. Daarop hotsend reed hij over ezelspaden en steile berghellingen, met de hardnekkigheid die bij zijn ruiterafstamming hoorde. Vervolgens schafte hij een oude, maar pittige auto aan en ten slotte een kleine vrachtwagen. Met dat vervoermiddel trok hij door het land. Hij klom naar de toppen van de Andes langs in bedroevende staat verkerende wegen om te verkopen in gehuchten waar de lucht zo zuiver was dat men er in de schemering de engelen kon zien; langs de kust belde hij bij de huizen aan, terneergedrukt door de hitte van de siësta, zwetend, koortsachtig door de vochtigheid, en zo nu en dan stilstaand om leguanen te helpen die met hun pootjes vastzaten in het door de zon gesmolten asfalt; hij stak zandbanken over, zonder kompas navigerend op een zee van door de wind bewogen zand, zonder om te kijken, opdat de verlokking der vergetelheid zijn bloed niet in karnemelk zou veranderen. Ten slotte bereikte hij een gebied dat vroeger welvarend was geweest en waar kano's beladen met zakken geurige cacao de rivieren plachten af te varen, maar dat door de aardolie ten onder was gegaan en nu ten prooi gevallen was aan het oerwoud en aan de nalatigheid van de mensen. Verliefd op het landschap, reisde hij met bewonderende blik en een dankbaar gemoed door deze natuur, terugdenkend aan zijn droge, woeste geboorteland waar men zo vasthoudend moest zijn als een mier om ook maar één sinaasappel te kweken, een schril contrast met dit van vruchten en bloemen overvloeiende oord, een voor alle kwaad behoed paradijs. Het bleek gemakkelijk allerlei snuisterijen te verkopen, zelfs voor iemand die zo weinig op winst belust was als hij. Hij had een goed hart en was niet in staat te profiteren van andermans onwetendheid om zichzelf te verrijken. Hij nam de mensen, levenskunstenaars in hun armoede en verlatenheid, voor zich in. Waar hij kwam werd hij binnengehaald als een vriend, net zoals zijn grootvader vreemdelingen in zijn tent had genood, in de overtuiging dat de gast heilig is. Op iedere boerderij werd hem een glas limonade, een geurige kop warme koffie of een stoel om in de schaduw uit te rusten, aangeboden. Het waren opgewekte, vrijgevige mensen die duidelijke taal spraken, het gesproken woord had bij hen kracht van wet. Hij opende zijn koffer en spreidde zijn koopwaar uit op de vloer van aangestampte leem. De omstanders bekeken de goederen, waarvan het nut soms twijfelachtig was, met een glimlach en waren bereid iets van hem te kopen, ze wilden hem niet voor het hoofd stoten, maar de meeste mensen hadden niets om hem mee te betalen, ze beschikten zelden over geld. Ze stonden nog wantrouwend tegenover bankbiljetten, dat was bedrukt papier dat vandaag iets waard was en morgen uit de circulatie genomen kon worden, al naar gelang de grillen van de regering van dat moment, en als je even niet oplette kon het verdwijnen, zoals gebeurd was met de collecte voor de Leprozenhulp, die in zijn geheel was opgeslokt door een geit die het kantoor van de penningmeester was binnengedrongen. Ze hadden liever munten, die wogen tenminste iets in je zak en ze rinkelden en glansden op de toonbank, dat was pas echt geld. De alleroudsten verstopten hun spaargeld nog in lemen potten en olieblikken, ingegraven in hun patio, omdat ze nog nooit van banken gehoord hadden. Daar stond tegenover dat er niet veel mensen wakker lagen van financiële problemen, de meerderheid leefde van ruilhandel. Riad Halabi paste zich bij deze omstandigheden aan en zette de ouderlijke opdracht om rijk te worden uit zijn hoofd.

Een van zijn reizen bracht hem in Agua Santa. Toen hij het plaatsje binnenkwam scheen het hem verlaten, er was geen levende ziel op straat te zien, maar even later ontdekte hij een voor het postkantoor verzamelde menigte. Dat was op de gedenkwaardige ochtend dat de zoon van juffrouw Inés, de onderwijzeres, gestorven was door een schot in zijn hoofd. De moordenaar was de eigenaar van een huis dat omringd werd door steile hellingen waarop de mango's groeiden zonder dat iemand er iets aan deed. Jongens gingen erheen om gevallen vruchten op te rapen, ondanks de dreigementen van de eigenaar, iemand van buiten die de kleine plantage geërfd had en zichzelf nog niet bevrijd had van de inhaligheid die sommige stadsmensen eigen is. De mangobomen waren zo vol dat de takken onder het gewicht braken, maar het had geen enkele zin te proberen de mango's te verkopen. Geen mens zou ze kopen, want waarom zou je betalen voor iets dat de grond gratis gaf. Die dag had de zoon van juffrouw Inés op weg naar school het pad verlaten om een vrucht te plukken, net zoals al zijn schoolkameraadjes. Het geweerschot was zijn voorhoofd binnengedrongen en er via zijn hals weer uitgegaan, zonder hem de tijd te geven erachter te komen wat die vonk en die klap die hem in het gezicht vlogen, te betekenen hadden.

Riad Halabi stopte zijn vrachtwagen in Agua Santa enkele ogenblikken nadat de jongens met het lijk op een geïmproviseerde draagbaar aangekomen waren en die hadden neergezet voor het postkantoor. Het hele dorp liep uit om te kijken. De moeder keek naar haar zoon zonder te kunnen bevatten wat er gebeurd was, terwijl vier mannen in uniform de mensen in bedwang hielden om te voorkomen dat ze het recht in eigen hand zouden nemen, hoewel ze die taak niet met veel enthousiasme uitvoerden, omdat ze de wet kenden, ze wisten dat de moordenaar zou worden vrijgesproken. Riad Halabi mengde zich onder de menigte met het voorgevoel dat deze plaats hem door het lot was aangewezen, dat dit het einde was van zijn pelgrimstocht. Zodra hij zich op de hoogte had gesteld van wat er gebeurd was, nam hij zonder aarzelen de leiding en zijn manier van doen bevreemdde niemand, het was alsof ze hem verwacht hadden. Hij baande zich een weg, tilde het lichaam op in zijn armen en droeg het naar het huis van de onderwijzeres, waar hij de dode op de eettafel opbaarde. Daarna nam hij de tijd om koffie te zetten en die rond te delen, wat bij de aanwezigen enige consternatie wekte, omdat ze nog nooit een man in de keuken bezig hadden gezien. 's Nachts bleef hij de moeder gezelschap houden en door zijn ferme, verstandige manier van doen kregen veel mensen de indruk dat hij een familielid was. De volgende ochtend regelde hij de begrafenis en hielp hij met zoveel oprechte smart bij het neerlaten van de kist in het graf, dat juffrouw Inés wenste dat deze onbekende de vader van haar zoon zou zijn geweest. Toen de aarde op het graf was aangestampt, wendde Riad Halabi zich tot de rondom verzamelde mensen en met de zakdoek voor zijn mond deed hij een voorstel dat in staat was de collectieve woede in goede banen te leiden. Van de begraafplaats vertrokken ze gezamenlijk om mango's te plukken, ze vulden zakken, manden, tassen en kruiwagens en trokken zo naar het landgoed van de moordenaar, die toen hij hen zag aankomen de neiging had ze met geweerschoten weg te jagen, maar het toch beter achtte zich te verstoppen tussen het riet langs de rivier. De menigte trok zwijgend voorwaarts, omsingelde het huis, sloeg ramen en deuren kapot en stortte de manden en zakken leeg in de kamers. Daarna gingen ze nog meer halen. De hele dag waren ze bezig met het aanslepen van mango's totdat er niet één meer aan de bomen hing en het huis tot aan de nok toe vol was. Het vruchtensap droop langs de muren en liep als zoet bloed over de grond. Pas toen de nacht viel en iedereen naar huis was teruggekeerd, waagde de misdadiger het uit het water te komen, hij sprong in zijn auto en maakte dat hij weg kwam om nooit meer terug te keren. In de daarop volgende dagen verwarmde de zon het huis en veranderde het in een grote kookketel, waarin de mango's op een zacht vuurtje gestoofd werden, het bouwwerk werd okerkleurig, werd langzaam helemaal week, viel uit elkaar en verrotte, het hele dorp nog jarenlang doordringend met een jamlucht.

Sinds die dag had Riad Halabi zichzelf als een inwoner van Agua Santa beschouwd en als zodanig werd hij ook geaccepteerd. Hij bouwde er zijn huis en zijn winkel. Zoals veel woningen op het platteland was ook zijn huis vierkant, de vertrekken lagen rond een patio, waarop hoge, bladerrijke planten groeiden om schaduw te verschaffen, palmen, varens en een enkele fruitboom. Dit erf was het hart van het huis, daar speelde het leven zich af, het was de enige doorgang van de ene kamer naar de andere. In het midden had Riad Halabi een grote, serene Arabische fontein gebouwd, die de geest tot rust bracht door het onvergelijkelijke geluid van water op stenen. Rond de binnentuin had hij betegelde geulen aangebracht waar kristalhelder water door stroomde en in ieder vertrek stond altijd een stenen waskom, waarin bloembladeren dreven om met hun geuren de drukkende benauwdheid van het klimaat te verlichten. Het woonhuis had verschillende deuren, zoals in de huizen van rijke mensen, en in de loop der tijd werd het steeds groter om ruimte te maken voor de voorraden. De drie grote voorkamers werden in beslag genomen door de winkel en verder naar achteren bevonden zich de woonvertrekken, de keuken en de badkamer. Langzamerhand werd de zaak van Riad Halabi de bloeiendste van de hele streek; alles was er te koop: levensmiddelen, mest, ontsmettingsmiddelen, textiel, medicijnen, en als iets niet in voorraad was, droeg men de Turk op het van een volgende reis mee te brengen. De zaak heette De Parel van het Oosten, als eerbewijs aan Zulema, zijn echtgenote.

Agua Santa was een bescheiden dorp, met huizen opgetrokken uit leem, hout en riet, dat aan de rand van de landweg lag en dat met kapmessen verdedigd moest worden tegen een wilde plantengroei die in een onbewaakt ogenblik alles zou kunnen overwoekeren. De golf van immigranten en het tumult van de moderne tijd waren hier nog niet doorgedrongen, de mensen waren beminnelijk, de genoegens eenvoudig en als de strafinrichting Santa Maria niet in de nabijheid gelegen had, was het een gehucht als alle andere in deze streek geweest. De aanwezigheid van de Garde en het bordeel had er echter een kosmopolitisch tintje aan gegeven. Gedurende zes dagen van de week verliep het leven zonder verrassingen, maar op zaterdag was er in de gevangenis aflossing van de wacht en kwamen de bewakers naar het dorp om zich te vermaken. Hun aanwezigheid was een inbreuk op de routine van de dorpsbewoners, die net deden of ze er niet waren en of het rumoer veroorzaakt werd door een heksensabbat van apen in het kreupelhout, al deden ze uit voorzorg wel hun deuren op slot en hielden ze hun dochters binnen. Op zaterdag kwamen ook de indianen naar het dorp om te bedelen: een banaan, een slokje drinken, een stuk brood. Ze verschenen in een lange rij, in lompen, naakte kinderen, door ouderdom ineengeschrompelde mannen, eeuwig zwangere vrouwen, in hun ogen een licht spottende uitdrukking en gevolgd door een meute dwerghonden. De pastoor hield altijd wat munten uit de collecte voor hen achter en van Riad Halabi kregen ze allemaal een sigaret of een snoepje.

Totdat de Turk verscheen, was de handel beperkt gebleven tot het aan de vrachtwagenchauffeurs verkopen van kleine hoeveelheden landbouwproducten. In alle vroegte zetten jongens tentjes op als bescherming tegen de zon en stalden ze hun groente, fruit en kaas uit op een kistje, waarvan ze voortdurend de vliegen moesten wegjagen. Als ze geluk hadden verkochten ze iets en keerden ze met een paar geldstukken terug naar huis. Het was een idee van Riad Halabi om met de chauffeurs die vracht transporteerden naar de oliekampementen en leeg terugreden, een overeenkomst te sluiten om tuinbouwproducten naar de hoofdstad te vervoeren. Hij zorgde er zelf voor dat die op de Centrale Markt werden uitgeladen bij de kraam van een landgenoot van hem en zo bracht hij enige welvaart in het dorp. Niet lang daarna merkte hij op dat er in de stad belangstelling bestond voor kunstnijverheidsproducten van hout, gebakken leem of riet en hij zette zijn buren aan het werk om dergelijke dingen te maken. Hij verkocht ze in souvenirwinkels en binnen een halfjaar werd dit voor vele gezinnen de belangrijkste bron van inkomsten. Niemand twijfelde ooit aan zijn goede bedoelingen of betwistte zijn prijzen, in de lange tijd dat hij met hen had samengewoond had de Turk ontelbare malen bewezen dat hij eerlijk was. Ongemerkt werd zijn winkel het middelpunt van het zakelijk leven van Agua Santa, vrijwel alle transacties in de streek verliepen via hem. Hij vergrootte het pakhuis, bouwde meer kamers, kocht schitterende ijzeren en koperen potten en pannen voor de keuken, keek tevreden om zich heen en besloot dat hij alles bezat wat nodig was om een vrouw te behagen. Daarop schreef hij zijn moeder en verzocht haar in zijn geboorteland een echtgenote voor hem te zoeken.

Zulema was bereid met hem te trouwen, want ondanks haar schoonheid had ze nog geen echtgenoot kunnen vinden en ze was al vijfentwintig jaar toen de koppelaarster haar over Riad Halabi sprak. Het werd haar verteld dat hij een hazenlip had, maar zij wist niet wat dat was en de foto die ze haar lieten zien, vertoonde tussen de mond en de neus alleen een donkere plek, die meer weg had van een gedraaide snor dan van een obstakel voor een huwelijk. Haar moeder overtuigde haar ervan dat uiterlijkheden niet tellen als het erom gaat een gezin te stichten en dat alles te verkiezen was boven ongetrouwd blijven en een dienstmeid te worden in het huis van haar getrouwde zusters. Bovendien gaat men op den duur altijd houden van de echtgenoot, als men maar wil; het is de wet van Allah dat twee mensen die samen slapen en kinderen op de wereld brengen, uiteindelijk achting voor elkaar krijgen, zei ze. Zulema, van haar kant, dacht dat haar pretendent een rijke zakenman was, ergens in Zuid-Amerika en hoewel ze er geen flauw idee van had waar die plaats met de exotische naam zich bevond, stond het voor haar vast dat het daar aangenamer zou zijn dan in de buurt vol vliegen en ratten waar ze nu woonde. Nadat hij het positieve antwoord van zijn moeder ontvangen had, nam Riad Halabi afscheid van zijn vrienden in Agua Santa, deed zijn winkel en zijn huis op slot en ging scheep naar zijn land, waar hij in vijftien jaar geen voet had gezet. Hij vroeg zich af of zijn familie hem nog zou herkennen, want hij had het gevoel dat hij een ander mens geworden was, alsof het Amerikaanse land-

schap en de hardheid van het leven hem opnieuw gevormd hadden. In feite was hij niet veel veranderd; wellis-
waar was hij geen magere jongen meer met een door de
ogen en de haakneus overheerst gezicht, maar een stevige
kerel met een beginnend buikje en een onderkin, en ook
nog steeds verlegen, onzeker en sentimenteel.

Omdat de bruidegom het kon betalen, werd het huwelijk tussen Zulema en Riad Halabi met volledig ceremonieel voltrokken. Het werd een gedenkwaardige gebeurtenis voor het arme gehucht waar men haast vergeten was wat een echt feest was. Het enige onheilspellende
voorteken was wellicht dat aan het begin van de week de
khamsin uit de woestijn kwam waaien, zodat alles onder
het zand kwam te zitten; het zand drong de huizen binnen, verscheurde de kleren, schuurde de huid; en toen de
trouwdag aanbrak had het bruidspaar zand in hun wimpers. Maar dat kon de feestvreugde niet deren. De eerste
dag van de ceremonie kwamen de vriendinnen en de
vrouwen van beide families bijeen om de uitzet van de
bruid, de oranjebloesem en de roze linten te bewonderen, en intussen aten ze lucumovruchten, *gazellenhoorn-
tjes,* amandelen en pistachenoten. Hun onderdrukte
geproest van blijdschap was tot op de straat en in het kof-
fiehuis, waar de mannen zaten, te horen. De daaropvolgende dag werd Zulema in optocht naar het openbare
badhuis gebracht. Voorop liep een oude man die op de
tamboerijn sloeg om de mannen hun ogen te laten af-
wenden als de bruid, gekleed in zeven lichte gewaden,
voorbijkwam. Toen ze haar in het bad ontdeden van haar
kleren om de verwanten van Riad Halabi te laten zien dat
ze goed gevoed was en geen littekens had, barstte haar
moeder uit in geween, zoals de traditie wil. Ze smeer-
den haar handen in met henna, onthaarden haar hele

lichaam met was en zwavel, masseerden haar met crème, vlochten mooie kralen in haar haren en zongen, dansten en aten zoete gebakjes bij de pepermuntthee. Tot slot gaf de bruid al haar vriendinnen een goudstuk ten geschenke. De derde dag was de ceremonie van de *Neftah*. Haar grootmoeder raakte haar voorhoofd aan met een sleutel om haar geest open te stellen voor oprechtheid en genegenheid en vervolgens werden haar door haar moeder en door de vader van Riad Halabi in honing gedrenkte schoenen aangetrokken, opdat ze het huwelijk over een zoet pad zou binnentreden. De vierde dag ontving zij, gekleed in een eenvoudige tuniek, haar schoonouders om hen te onthalen op eigenhandig bereide gerechten en ze sloeg haar ogen bescheiden neer toen ze zeiden dat het vlees taai was en de couscous te zout maar de bruid mooi. De vijfde dag werd Zulema's ernst op de proef gesteld door haar te confronteren met vijf troubadours, die gewaagde liederen ten beste gaven, maar zij bleef onbewogen achter haar sluier en iedere obsceniteit die op haar maagdelijke gelaat afketste werd beloond met geldstukken. In een andere zaal werd het mannenfeest gevierd, waar Riad Halabi de grappen van de hele gemeenschap moest verdragen. De zesde dag trouwden ze in het gemeentehuis en op de zevende ontvingen ze de kadi. De gasten legden hun geschenken neer aan de voeten van het bruidspaar en riepen luidkeels wat ze er voor betaald hadden, de vader en moeder dronken alleen met Zulema een laatste kom kippenbouillon en droegen haar vervolgens, zoals het behoort met tegenzin, over aan haar echtgenoot. De vrouwen van de familie leidden haar naar het voor de gelegenheid in orde gebrachte vertrek en verwisselden haar japon voor het eerstehuwelijksnachthemd, vervolgens voegden ze zich bij de mannen op straat om te wachten tot het bebloede laken als bewijs van haar maagdelijkheid uit het raam gehangen zou worden.

Eindelijk was Riad Halabi alleen met zijn echtgenote. Ze hadden elkaar nog nooit van dichtbij gezien, ook hadden ze nog nooit een woord of een glimlach gewisseld. Het gebruik wilde dat zij angstig was en beefde, maar in werkelijkheid was hij degene die zich zo voelde. Zolang hij op een veilige afstand kon blijven zonder een mond open te doen, viel zijn gebrek niet zo op, maar hij wist niet hoe zijn vrouw in de intimiteit van het samenzijn zou reageren. In verwarring naderde hij haar en strekte zijn vingers uit om haar aan te raken, aangetrokken door haar paarlemoeren huid, haar weelderige vlees en de schaduwen van haar lange haren, maar het gebaar bevroor in de lucht toen hij de blik van afschuw in haar ogen zag. Hij haalde zijn zakdoek te voorschijn en bracht die naar zijn gezicht, met zijn ene hand hield hij die daar terwijl hij met de andere haar uitkleedde en streelde, maar al zijn geduld en tederheid waren niet toereikend om de afwijzing van Zulema te overwinnen. Dit samenzijn was voor hen allebei droevig. Later, toen zijn schoonmoeder het laken liet wapperen op het balkon, dat blauw geschilderd was om de boze geesten te verjagen, en de buren beneden geweerschoten losten en de vrouwen hartstochtelijk weenden, verstopte Riad Halabi zich in een hoekje. Hij voelde de vernedering als een dolkstoot in zijn buik. Die pijn zou hem altijd bijblijven, als een stomme kreet, en hij sprak er nooit over tot de dag dat hij zijn verdriet kon uiten aan de eerste vrouw die hem op zijn mond kuste. Hij was opgegroeid met het gebod tot zwijgen: het is een man verboden zijn gevoelens of geheime wensen te uiten. Zijn positie van echtgenoot had hem veranderd in de meester van Zulema, het zou niet juist zijn als zij zijn zwakheden zou kennen, omdat ze daar gebruik van zou kunnen maken om hem te grieven of te domineren.

Ze keerden terug naar Amerika en daar begreep Zulema al snel dat haar echtgenoot niet rijk was en het ook nooit zou worden. Vanaf het eerste ogenblik haatte ze dit nieuwe vaderland, dit dorp, dit klimaat, die mensen, dit huis; ze weigerde Spaans te leren en onder het oncontroleerbare voorwendsel van migraine werkte ze nooit mee in de winkel; ze sloot zich op in huis, op bed liggend propte ze zich vol met voedsel en werd steeds dikker en luier. Ze was volkomen afhankelijk van haar man, zelfs om zich met de buren te onderhouden moest hij dienstdoen als tolk. Riad Halabi dacht dat hij haar tijd moest laten om zich aan te passen. Hij was er zeker van dat alles anders zou worden zodra er kinderen kwamen, maar de kinderen kwamen niet, ondanks de hartstochtelijke nachten en siësta's die hij met haar deelde, waarbij hij nooit vergat een zakdoek voor zijn gezicht te houden. Zo verliep er een jaar, zo verliepen er twee, drie, tien, totdat ik mijn intrede deed in de Parel van het Oosten en in hun levens.

Het was nog heel vroeg en het dorp was nog in diepe rust toen Riad Halabi de vrachtwagen parkeerde. Door de achterdeur ging hij me voor het woonhuis binnen, we staken de patio over waar het water in de fontein ruiste en de padden zongen. In de badkamer liet hij me achter met een stuk zeep en een handdoek in mijn handen. Een lange tijd liet ik het water over mijn lichaam stromen om de katterigheid van de reis en de desolaatheid van de laatste weken van me af te spoelen, totdat mijn huid zijn door verwaarlozing haast vergeten natuurlijke kleur had teruggekregen. Daarna droogde ik me af, maakte een vlecht in mijn haar en trok een mannenoverhemd aan, dat ik met een koord om mijn middel snoerde, en een paar touwschoentjes, die Riad Halabi uit de winkel had gehaald.

'Nu ga je eerst eten, en rustig, want anders komt alles er weer uit,' zei de heer des huizes en zette me in de keuken achter een feestmaal bestaande uit rijst, vlees gemengd met maïs en ongegist brood. 'Ik word de Turk genoemd, en hoe heet jij?'

'Eva Luna.'

'Als ik op reis ben, is mijn vrouw alleen, ze heeft iemand nodig om haar gezelschap te houden. Ze gaat nooit uit, ze heeft geen vriendinnen en ze spreekt geen Spaans.'

'Wilt u dat ik haar bediende word?'

'Nee. Je wordt meer een soort dochter.'

'Ik ben al heel lang niemands dochter en ik kan me niet meer herinneren hoe dat is. Moet ik haar in alles gehoorzamen?'

'Ja.'

'Wat doet ze met me als ik me slecht gedraag?'

'Dat weet ik niet, dat zullen we wel zien.'

'Ik waarschuw u dat ik er niet tegen kan om geslagen te worden.'

'Niemand zal je slaan, meisje.'

'Ik blijf een maand op proef en als het me niet bevalt, smeer ik 'm.'

'Afgesproken.'

Op dat moment verscheen Zulema in de keuken, nog slaapdronken. Zonder zich zichtbaar te verbazen over mijn aanwezigheid bekeek ze me van top tot teen, ze had zich neergelegd bij de ongeneeslijke gastvrijheid van haar man, die in staat was iedereen die er behoeftig uitzag onderdak te verlenen. Tien dagen tevoren had hij een reiziger met een ezel in huis genomen en terwijl de gast krachten aan het verzamelen was om zijn weg te kunnen vervolgen, had het dier al het wasgoed opgegeten dat te drogen hing en een ravage aangericht in de winkel. Zulema was groot, ze had een blanke huid, zwart haar, twee moedervlekken dicht bij haar mond en grote, donkere, uitpuilende ogen. Ze verscheen in een katoenen tuniek die tot op haar voeten reikte. Ze was getooid met gouden oorringen en armbanden, die rinkelden als bellen. Ze bekeek me zonder enig enthousiasme, in de overtuiging dat ik de een of andere door haar man onder zijn hoede genomen zwerfster was. Ik groette haar in het Arabisch, zoals Riad Halabi me even tevoren geleerd had, en daarop verscheen er een brede glimlach op Zulema's gezicht, ze nam mijn hoofd in haar handen en kuste mijn voorhoofd onder het uiten van een lange reeks woorden in haar eigen taal. De Turk begon te schateren en hield daarbij de zakdoek voor zijn mond.

Die begroeting was afdoende om het hart van mijn nieuwe bazin te ontdooien en vanaf die ochtend had ik het gevoel dat ik in dat huis was opgegroeid. De gewoonte om vroeg op te staan kwam me daar goed van pas. Ik ontwaakte bij het ochtendgloren, zwaaide mijn benen energiek uit bed en bleef de hele dag zingend in de weer. Ik zette koffie, zoals het me gezegd was, in een koperen pot driemaal aan de kook laten komen en dan op smaak brengen met kardemompitten; daarna schonk ik hem over in een klein kopje en bracht dat aan Zulema, die het zonder haar ogen te openen leegdronk en vervolgens tot de middag verder sliep. Riad Halabi daarentegen ontbeet in de keuken. Hij hield ervan om die eerste maaltijd zelf klaar te maken en langzamerhand raakte hij zijn schaamte om zijn mismaakte mond kwijt en stond hij mij toe hem gezelschap te houden. Daarna hesen we samen het metalen rolluik voor de winkel op, maakten we de toonbank schoon, ordenden we de waren en gingen we op de klanten zitten wachten, die niet lang daarna verschenen.

Voor het eerst kon ik mij vrij op straat begeven, tot dan toe had ik me altijd tussen vier muren bewogen, achter een gesloten deur, of had ik doelloos rondgezworven door een vijandige stad. Ik verzon smoesjes om met de buren te praten of om 's middags op het plein te wandelen. Rond het plein stonden de kerk, het postkantoor, de school en het kantoor van de commandant, en daar werd ieder jaar op de trommels geslagen door de tamboers van Sint Jan, daar werd een lappenpop verbrand om het verraad van Judas te herdenken, daar werd de Koningin van Agua Santa gekroond en daar organiseerde juffrouw Inés ieder jaar met Kerstmis het *tableau vivant* van de school, bestaande uit in crèpepapier en zilveren slingers geklede leerlingen die scènes uitbeeldden zoals de Verkondiging, de Geboorte en het door Herodes afgekondigde bloedbad onder de onschuldige kinderen. Ik liep hardop te praten, vrolijk en uitdagend mengde ik me tussen de anderen, blij dat ik deel was van deze gemeenschap. In Agua Santa zat er geen glas in de ramen en de deuren stonden altijd open, het was de gewoonte bij elkaar op bezoek te gaan, elkaar te groeten als men langs een huis kwam, naar binnen te gaan om een kop koffie of een glas vruchtensap te drinken, iedereen kende elkaar, niemand hoefde zich te beklagen over eenzaamheid of verlatenheid. Zelfs de doden werden er niet alleen gelaten.

Riad Halabi leerde me verkopen, wegen, afmeten, optellen, wisselgeld teruggeven en ook loven en bieden, wat een fundamenteel onderdeel is van de handel. Men marchandeerde niet om voordeel te trekken van de klant maar om het genoegen van het gesprek te rekken, zei hij. Hij leerde me ook een paar zinnen Arabisch om met Zulema te kunnen communiceren. Al spoedig besliste Riad Halabi dat ik me niet nuttig kon maken in de winkel of verder door het leven kon gaan zonder dat ik kon lezen en schrijven en hij verzocht juffrouw Inés of ze mij privélessen wilde geven, omdat ik al te groot was voor de eerste klas van de school. Iedere dag legde ik de vier blokken naar haar huis af met mijn boek goed zichtbaar, zodat iedereen het kon zien, trots dat ik een studente was. Een paar uur zat ik aan de tafel van juffrouw Inés, naast een foto van de vermoorde zoon, *hand, laars, oog, koe, mijn mama kust me, Pepe rookt een pijp*. Schrijven was het mooiste dat me in mijn hele leven overkomen was, ik was zielsverrukt, ik las hardop, mijn schrift had ik altijd en overal bij de hand, ik schreef gedachten op, namen van bloemen, geluiden van vogels, ik bedacht woorden. Kunnen schrijven maakte het overbodig rijm te gebruiken om iets te kunnen onthouden en ik kon mijn verhalen uitbreiden met talloze personages en avonturen. Door enkele korte zinnen te noteren, kon ik mij de rest herinneren en uit mijn hoofd herhalen voor mijn bazin, maar dat was pas later, toen zij Spaans had leren spreken.

Om me te oefenen in lezen kocht Riad Halabi een almanak en een paar filmbladen met foto's van filmsterren, waar zelfs Zulema blij mee was. Toen ik zonder haperen kon lezen bracht hij romantische boeken voor me mee, allemaal van hetzelfde genre: secretaresse met pruillipjes, zachte borsten en naïeve blik ontmoet een zakenman met stalen spieren, zilveren slapen en grijsblauwe ogen, zij is altijd maagd, zelfs in het zeldzame geval dat ze weduwe is, hij is autoritair en staat in elk opzicht boven haar, er is sprake van hetzij een misverstand over een erfenis hetzij jaloezie, maar alles komt in orde en hij neemt haar in zijn sterke armen en zij slaakt een smachtende zucht, ze worden allebei door hartstocht overmand, maar nooit grof of vleselijk. Het toppunt is een enkele kus die hen beiden naar de extase voert van een paradijs zonder terugweg: het huwelijk. Na de kus volgde er niets meer, alleen het woord einde omrankt door bloemen of duiven. Het duurde niet lang of ik was in staat al op de derde pagina de inhoud te raden, die ik om me te vermaken veranderde, ik gaf er een tragische wending aan – volkomen anders dan de auteur bedacht had en meer in overeenstemming met mijn eigen ongeneeslijke neiging tot ellende en wreedheid – waarbij het meisje zich ontpopte als een wapenhandelaarster en de ondernemer vertrok om leprozen te verplegen in India. Ik kruidde het thema met gewelddadige ingrediënten, die ik van de radio had of uit de politieverslagen in de krant, of stiekem had opgedaan uit de illustraties in de leerboeken van Madame. Op een dag sprak juffrouw Inés met Riad Halabi over de *Duizend-en-één-nacht* en van zijn volgende reis bracht hij vier grote in rood leer gebonden boeken voor me mee, waarin ik me zo verdiepte dat ik de contouren van de werkelijkheid uit het oog verloor. Erotiek en fantasie drongen met de kracht van een tyfoon mijn leven binnen, doorbraken alle mogelijke grenzen en gooiden de bekende orde van de dingen volkomen ondersteboven. Ik weet niet meer hoe vaak ik elk verhaal las. Toen ik ze allemaal uit mijn hoofd kende, begon ik de personages van het ene verhaal te verplaatsen naar het andere, de anekdotes te veranderen en er dingen aan toe te voegen of uit weg te laten, een spel met oneindige mogelijkheden. Zulema luisterde urenlang naar me, met al haar zintuigen gespannen om ieder gebaar en ieder geluid te begrijpen, totdat ze op een dag wakker werd en zonder te haperen Spaans sprak, alsof het idioom al die tien jaar in haar keel gezeten had, in afwachting van het moment dat zij haar mond eindelijk zou opendoen en het naar buiten laten.

Ik hield van Riad Halabi als van een vader. We werden verbonden door glimlach en spel. De man die soms ernstig en triest scheen, was in werkelijkheid vrolijk, maar alleen in de huiselijke intimiteit en ver van vreemde blikken durfde hij te lachen en zijn mond te laten zien. Als hij dat deed draaide Zulema altijd haar hoofd af, maar ik beschouwde zijn gebrek als een geboortegeschenk, iets wat hem onderscheidde van de anderen, enig in deze wereld. We speelden samen domino en gingen weddenschappen aan met als inzet de hele inventaris van de Parel van het Oosten, onzichtbare goudschatten, gigantische plantages en oliebronnen. Ik werd multimiljonaire omdat hij me liet winnen. We deelden onze voorliefde voor zegswijzen, volksliedjes, onschuldige grappen, we bespraken het krantennieuws en eenmaal in de week gingen we samen naar de film kijken in de bioscoopwagen, die van dorp tot dorp trok om op sportvelden of pleinen het filmdoek op te zetten. Het beste bewijs van onze vriendschap was dat we samen aan tafel gingen. Riad Halabi boog zich diep over zijn bord en duwde het voedsel met een stuk brood of met zijn vingers naar binnen, slurpend en lebberend, en met papieren servetjes het eten wegvegend dat aan zijn mond ontsnapte. Wanneer ik hem zo zag, altijd aan de donkerste kant van de keuken, leek hij me een groot, goedig beest en had ik de neiging zijn krulhaar te aaien en zijn rug te strelen. Ik waagde het nooit hem aan te raken. Ik wilde hem dolgraag door kleine diensten mijn genegenheid en mijn dankbaarheid tonen, maar dat stond hij me niet toe omdat hij niet gewend was tederheid te ontvangen, alhoewel het in zijn aard lag die wel aan anderen te geven. Ik waste zijn hemden en jasjes, bleekte ze in de zon, deed er wat stijfsel in, streek ze zorgvuldig, vouwde ze op en legde ze in een kast met basilicum en muntblaadjes ertussen. Ik leerde *hummus* en *tehina* koken, vijgenbladeren gevuld met vlees en pijnboompitten, falafel van graan, lamslever en aubergines, kip met *alcuzcuz,* dille en saffraan, *baklava's* van honing en noten. Als er geen klanten in de winkel waren probeerde hij de gedichten van Harun Al Raschid voor mij te vertalen en ook zong hij oosterse liederen voor me, één lange, prachtige klaagzang. Soms bedekte hij de helft van zijn gezicht met een theedoek, alsof hij een haremvrouw was, en dan danste hij voor me, onhandig, met geheven armen en een krankzinnig ronddraaiende buik. Zo leerde hij me onder veel gelach buikdansen.

'Het is een heilige dans, die dans je alleen voor de meest beminde man in je leven,' zei Riad Halabi.

Zulema's moraal ging niet verder dan die van een zuigeling, al haar energie was in andere banen gedwongen of onderdrukt, ze stond overal buiten en verdiepte zich uitsluitend in haar eigen ik. Ze was overal bang voor: om door haar man in de steek gelaten te worden, om kinderen met hazenlippen te krijgen, om haar schoonheid te verliezen, om door migraine geplaagd te worden, om oud te worden. Ik weet zeker dat ze eigenlijk een hekel had aan Riad Halabi maar ze durfde hem ook niet te verlaten en liever verdroeg ze zijn aanwezigheid dan te moeten werken en zich zelfstandig door het leven te moeten slaan. Ze verafschuwde de intimiteit met hem, maar om hem in haar ban te houden daagde ze hem tegelijkertijd uit, doodsbang dat hij zijn genot bij een andere vrouw zou gaan zoeken. Van zijn kant beminde Riad haar met hetzelfde beschaamde, droevige vuur van hun eerste samenzijn en hij bezocht haar veelvuldig. Ik had geleerd hun blikken te ontcijferen en als ik die speciale gloed ontwaarde, ging ik wat op straat lopen of in de winkel helpen, terwijl zij zich in de slaapkamer terugtrokken. Verwoed boende Zulema zichzelf daarna af met zeep, wreef zich in met alcohol en nam azijnbaden. Het duurde een hele tijd voor ik het verband ontdekte tussen het rubberapparaat met die buis en het feit dat mijn bazin niet zwanger werd. Het was Zulema geleerd een man te dienen en te behagen, maar haar echtgenoot vroeg niets van haar en misschien was het daarom dat ze de gewoonte aannam om niet de minste moeite te doen en ten slotte veranderde in een groot stuk speelgoed. Mijn verhalen droegen niets bij aan haar geluk, ze vulden haar hoofd slechts met romantische ideeën en zetten haar aan tot dromen over onmogelijke avonturen en geleende helden, waardoor ze definitief van de werkelijkheid vervreemdde. Alleen goud en opzichtige juwelen konden haar enthousiasme wekken. Als haar man naar de hoofdstad reisde, besteedde hij een groot deel van zijn winst aan opvallende sieraden, die zij in een op de patio begraven kistje bewaarde. Geobsedeerd door de angst dat ze gestolen zouden worden, verstopte ze ze bijna wekelijks op een andere plaats, maar dikwijls wist ze niet meer waar ze ze gestopt had en was ze urenlang aan het zoeken. Ten slotte kende ik alle in aanmerking komende verstopplaatsen en drong het tot me door dat ze die steeds in dezelfde volgorde gebruikte. Juwelen mogen niet te lang onder de grond blijven liggen omdat verondersteld wordt dat op deze breedtegraad zelfs edelmetalen verwoest worden door schimmels, en dat er na verloop van tijd fosforescerende dampen uit de bodem opstijgen die dieven op het spoor zetten. Daarom legde Zulema haar sieraden zo nu en dan tijdens de siësta in de zon. Ik zat naast haar om ze te bewaken. Haar hartstocht voor die geheime schat heb ik nooit begrepen. Ze had nooit de gelegenheid ermee te pronken, ze ontving geen bezoek, ze ging niet met Riad Halabi op reis, ze wandelde niet door de straten van Agua Santa, het enige wat ze deed was zich voorstellen dat ze ooit in haar land zou terugkeren, waar ze de jaloezie zou opwekken met al die luxe, en zo de jaren rechtvaardigen die ze verloren had in een dergelijke uithoek van de wereld.

Op haar manier was Zulema goed voor mij, ze behandelde me als een schoothondje. We waren geen vriendinnen, en toch maakte het Riad Halabi zenuwachtig als we lang alleen waren. Als hij ons erop betrapte dat we zaten te fluisteren, zocht hij een voorwendsel om ons te onderbreken alsof hij bang was dat we tegen hem samenzweren. Als haar man op reis was vergat Zulema haar hoofdpijnen en was ze vrolijker, ik moest in haar kamer komen om haar in te wrijven met lotion en om schijfjes komkommer op haar huid te leggen om die lichter te maken. Ze ging op haar rug op het bed liggen, op haar oorringen en armbanden na naakt, met gesloten ogen en haar blauwzwarte haar uitgespreid op het laken. Als ik haar zo zag, deed ze me denken aan een bleke vis die is achtergelaten op het strand. Soms was het drukkend warm en onder het wrijven van mijn handen leek zij te gloeien als een steen in de zon.

'Doe olie op mijn lichaam en als ik straks wat ben afgekoeld verf je mijn haar,' beval Zulema me in haar nieuwbakken Spaans.

Ze had een hekel aan het haar op haar lichaam; dat was volgens haar een teken van dierlijkheid, dat alleen bij mannen door de beugel kon, dat waren toch halve beesten. Ze krijste als ik die haren verwijderde met een mengsel van hete suiker en citroen; alleen een kleine donkere driehoek op de schaamheuvel mocht blijven zitten. Haar eigen lichaamsgeur hinderde haar en ze waste en parfumeerde zichzelf als een bezetene. Ze verlangde van mij dat ik haar liefdesverhalen vertelde, dat ik haar de hoofdpersoon beschreef, hoe lang zijn benen waren, hoe sterk zijn handen, wat de omvang van zijn borstkas was, ze liet me langdurig stilstaan bij erotische bijzonderheden, of hij dit deed of dat, hoe vaak, wat hij fluisterde in bed. Ze had een haast ziekelijke belangstelling. Soms probeerde ik wel eens in mijn verhalen een jonge man te laten optreden die minder goed bedeeld was, iemand met een lichamelijk gebrek, misschien een litteken in de buurt van zijn mond, maar dat bracht haar uit haar humeur en ze dreigde me de straat op te gooien, maar even later verzonk ze plotseling in een geveinsde droefheid.

In de loop van de maanden werd ik zelfverzekerder; ik legde mijn heimwee af en ik sprak niet meer over de proeftijd, in de verwachting dat Riad Halabi er niet meer aan zou denken. In zekere zin waren mijn bazen mijn familie. Ik raakte gewend aan de hitte, aan de leguanen die in de zon lagen als prehistorische monsters, aan het Arabische eten, aan de trage middaguren, aan de altijd gelijke dagen. Ik hield van dit vergeten dorp, dat met de wereld verbonden was door één enkele telefoondraad en één bochtige weg, die omzoomd was door een zo weelderige plantengroei dat toen er ooit een vrachtwagen voor de ogen van vele getuigen over de rand gekanteld was, en ze zich over het ravijn bogen, ze hem niet meer zagen, hij was opgeslokt door de varens en de philodendrons. De bewoners kenden elkaar bij naam en ze hadden geen geheimen voor elkaar. De Parel van het Oosten was een ontmoetingspunt waar men met elkaar praatte en handelde, en waar verliefde paartjes met elkaar afspraken. Niemand vroeg ooit naar Zulema, zij was niet meer dan een in de achterkamers verborgen uitheemse schim, en haar minachting voor het dorp werd met gelijke munt terugbetaald. Riad Halabi daarentegen stond hoog in aanzien en ze vergaven het hem dat hij niet, zoals de vriendschapsnormen eigenlijk voorschreven, met de buren meeat of dronk. Ondanks de twijfel van de pastoor, die bezwaren had tegen zijn muzelmannengeloof, was hij de peetvader van een groot aantal naar hem vernoemde kinderen, trad hij in twistgevallen op als scheidsrechter, en was hij raadsman bij problemen. Ik koesterde me in de schaduw van zijn aanzien, ik was blij dat ik tot zijn huishouding behoorde en in mijn toekomstplannen zou ik verder leven in dit ruime, witte huis, dat doordrenkt was van de geur van bloemblaadjes in de waskommen in de slaapkamers, en dat koel was door de bomen op de patio. Ik treurde niet langer over het verlies van Huberto Naranjo en Elvira, ik schilderde voor mezelf een aanvaardbaar beeld van mijn peettante en ik verdrong de slechte herinneringen om te kunnen terugdenken aan een mooi verleden. Mijn moeder had ook een plaatsje gevonden in de schaduwen van de vertrekken en als een zacht briesje placht ze 's nachts aan mijn bed te verschijnen. Ik voelde me tot rust gekomen en blij. Ik was een beetje gegroeid en mijn gezicht was veranderd en als ik mezelf in de spiegel bekeek zag ik niet langer een onbestemd wezen. Mijn definitieve trekken, de trekken die ik nu heb, begonnen zichtbaar te worden.

'Je kunt niet als een bedoeïene blijven leven, je moet je opgeven bij de Burgerlijke Stand,' zei mijn baas op een dag.

Om mijn definitieve plaats in het leven te bereiken heeft Riad Halabi me een aantal fundamentele zaken meegegeven, waarvan de belangrijkste zijn: het schrijven en het administratieve bewijs van mijn bestaan. Er waren geen papieren om mijn aanwezigheid op deze aarde te bewijzen, bij mijn geboorte had niemand me ingeschreven, ik was nooit op school geweest, het was alsof ik nooit geboren was, maar hij sprak erover met een vriend in de stad, betaalde hem de gebruikelijke steekpenningen en ontving daarvoor een identiteitsbewijs, waarop ik door een fout van de ambtenaar vermeld sta als zijnde drie jaar jonger dan ik in werkelijkheid ben.

Kamal, de tweede zoon van een oom van Riad Halabi, kwam anderhalf jaar na mij in het huis wonen. Zijn eerste optreden in De Parel van het Oosten was zo beschaafd dat de voorboden van het noodlot door ons niet werden opgemerkt en wij er niet het minste vermoeden van hadden dat hij op ons bestaan de uitwerking zou hebben van een orkaan. Hij was vijfentwintig jaar, klein en mager, hij had smalle handen en lange wimpers, hij maakte een onzekere indruk en zijn begroetingen waren ceremonieel, hij legde een hand op zijn borst en boog zijn hoofd, een gebaar dat onmiddellijk werd overgenomen door Riad Halabi en dat de kinderen van Agua Santa later gierend van de pret gingen nadoen. Hij was gewend aan narigheid. Zijn familie had na de oorlog haar geboortedorp verlaten op de vlucht voor de Israëli's en had alles moeten achterlaten wat ze aan aardse bezittingen had: de kleine van haar voorouders geërfde moestuin, de ezel en wat keukengerei. Hij was opgegroeid in een kamp voor Palestijnse vluchtelingen en wie weet voorbestemd geweest om *guerrillero* te worden en tegen de joden te moeten vechten. Hij bleek echter niet opgewassen tegen de wisselvalligheden van de strijd. Hij voelde zich evenmin, zoals zijn vader en zijn broers, verontwaardigd wegens het verlies van een verleden waarmee hij zich niet verbonden achtte. Hij voelde zich meer aangetrokken tot de westerse levensstijl en hij snakte ernaar daar weg te komen en een ander leven te beginnen, ergens waar hij niemand eerbied verschuldigd was en waar niemand hem kende. In zijn kinderjaren had hij zich bezig gehouden met zwarte handel en toen hij een puber was vermaakte hij zich met het verleiden van de weduwen in het kamp, totdat zijn vader, die er schoon genoeg van had hem stokslagen te moeten verkopen en hem voor zijn vijanden te moeten verstoppen, zich herinnerde dat hij een neef had, Riad Halabi, die zich ergens in het verre Zuid-Amerika gevestigd had, in een land waarvan hij de naam nauwelijks meer wist. Hij vroeg niet wat Kamal ervan dacht maar nam hem eenvoudig bij zijn arm en sleepte hem mee naar de haven, waar hij hem als scheepsjongen aan boord van een koopvaarder wist te plaatsen. Hij gaf zijn zoon de opdracht mee niet eerder terug te komen dan wanneer hij fortuin had gemaakt. En zo was de jongeman, net als vele andere immigranten, op de hete kust aangekomen waar Rolf Carlé vijf jaar eerder van een Noors schip aan wal was gegaan. Kamal stapte in de bus naar Agua Santa, waar hij door zijn neef met open armen ontvangen werd.

Drie dagen lang bleef De Parel van het Oosten gesloten en stond Riad Halabi's huis open voor een onvergetelijk feest, waaraan alle inwoners van het dorp deelnamen. Terwijl Zulema, teruggetrokken in haar kamer, aan een van haar talloze kwaaltjes leed, bereidden de baas en ik, met hulp van juffrouw Inés en nog een paar buurvrouwen, zoveel eten dat het wel een bruiloft aan het hof van Bagdad leek. Op de met sneeuwwitte lakens gedekte lange tafels zetten we grote schalen rijst met saffraan, pijnboompitten, rozijnen, pistachenoten, peper en kerrie, en daar rondom heen vijftig schotels met Arabische en Amerikaanse stoofgerechten, waarvan sommige hartig en andere zoetzuur of sterk gekruid, met vis- en vleessoorten die vanaf de kust waren aangevoerd in zakken ijs, en bovendien allerlei soorten meelspijzen in de bijbehorende sauzen. Alleen voor de nagerechten, die varieerden van oosterse zoetigheden tot volgens creools recept bereide lekkernijen, was een aparte tafel nodig. Ik ging rond met enorme kannen rum met vruchten, waarvan Riad Halabi en zijn neef, als goede islamieten, niets namen; maar de anderen dronken ervan tot ze zielsgelukkig onder de tafels rolden en wie nog op zijn benen kon staan danste ter ere van de nieuwkomer. Kamal werd aan alle buren voorgesteld en aan elke buur moest hij zijn levensverhaal vertellen, in het Arabisch. Er was niemand die ook maar een woord begreep van wat hij zei, maar iedereen was het erover eens dat hij een sympathieke indruk maakte, en hij was ook sympathiek. Hij leek een teer ventje, maar hij had een dikke bos donker haar, en met zijn verwarrende oogopslag deed hij de harten van de vrouwen sneller kloppen. Als hij een vertrek binnenkwam, vulde hij het tot in alle hoeken met zijn aanwezigheid; als hij voor de deur van de winkel van de avondkoelte ging zitten genieten, raakte de hele straat in zijn ban, en werd iedereen in verrukking gebracht. Hoewel hij zich alleen kon uiten door middel van gebaren en grimassen, hing iedereen aan zijn lippen en volgde gefascineerd het ritme van zijn stem en de scherpe klank van zijn woorden.

'Nu kan ik rustig op reis gaan, er is nu een man uit mijn eigen familie om over de vrouwen, het huis en de winkel te waken,' zei Riad Halabi en hij gaf zijn neef een schouderklopje.

Met de komst van de bezoeker veranderde er veel. Tussen de baas en mij ontstond een verwijdering, hij liet me niet meer komen om hem verhalen te vertellen of om het nieuws uit de kranten te bespreken, het was afgelopen met de grappen en het samen lezen, het dominospel werd een mannenaangelegenheid. Vanaf de eerste week maakte hij er een gewoonte van om alleen met Kamal naar de filmvertoning te gaan, omdat zijn neef niet gewend was aan vrouwelijk gezelschap. Afgezien van een paar dokteressen van het Rode Kruis en protestantse zendingzusters, die de vluchtelingenkampen bezochten, en die zo dor waren als een eind hout, had de jonge man na zijn vijftiende jaar uitsluitend vrouwen met gesluierde gezichten gezien. Slechts eenmaal had hij de plek waar hij was opgegroeid verlaten om mee te rijden met een vrachtauto, die naar de hoofdstad moest, naar de wijk waar de Amerikaanse kolonie gevestigd was. Dat was op een zaterdag geweest, de dag waarop de vrouwen uit de Verenigde Staten, gekleed in shorts en laag uitgesneden bloesjes op straat hun auto's de wekelijkse wasbeurt gaven. Hele horden mannen kwamen op die dag uit verafgelegen dorpen in de omtrek om van dit schouwspel te genieten. Ze huurden stoelen en parasols om op hun gemak te kunnen kijken. Verkopers van allerlei versnaperingen deden goede zaken, maar de vrouwen waren zich de beroering die zij veroorzaakten niet bewust en lieten zich niet storen door het gesteun, het gezweet, het gezucht en de erecties die ze teweegbrachten. Voor die uit een andere beschaving naar het Midden-Oosten overgeplante dames waren die in bedoeïenengewaden gehulde figuren met hun donkere huid en hun profetenbaarden een optisch bedrog, een existentiële vergissing, een door de hitte veroorzaakte hallucinatie.

In het bijzijn van Kamal gedroeg Riad Halabi zich tegenover Zulema en mij als een barse, autoritaire heer des huizes, maar als we alleen waren, gaf hij ons kleine geschenken om het weer goed te maken en werd hij weer de lieftallige vriend van vroeger. Mij werd de taak toegewezen om de nieuwkomer Spaans te leren, een niet eenvoudige opdracht, want hij vond het vernederend als ik hem uitlegde wat een woord betekende of hem erop wees dat hij iets verkeerd uitsprak. Toch leerde hij al snel wat brabbelen en het duurde niet lang of hij kon meehelpen in de winkel.

'Houd je benen gesloten als je gaat zitten en knoop je schort helemaal dicht,' beval Zulema me. Ik geloof dat ze aan Kamal dacht.

De betovering van de neef doordrenkte zowel het woonhuis als De Parel van het Oosten, verspreidde zich over het hele dorp en werd door de wind ook tot ver daarbuiten meegedragen. Elk moment kwamen er meisjes onder de meest ongeloofwaardige voorwendsels naar de winkel. Onder zijn ogen bloeiden ze op als wilde vruchten, ze knapten zowat uit hun korte rokjes en hun strakke bloesjes en ze verspreidden zoveel parfum dat de lucht er na hun vertrek nog geruime tijd door verzadigd was. In groepjes van twee of drie kwamen ze giechelend en smoezend binnen, ze leunden over de toonbank zodat hun borsten goed te zien waren en hun achterwerken brutaal boven hun bruine benen opwipten. Ze wachtten hem op op straat, ze nodigden hem 's avonds uit bij hen thuis, ze wijdden hem in in de ceremonie van de Caribische dans.

Ik voelde een voortdurend aanwezige onvrede. Voor het eerst van mijn leven was ik jaloers en dat gevoel, dat dag en nacht als een smerige vlek op mijn huid kleefde, zo vies dat het niet weg te wassen was, vond ik zo ondraaglijk dat, toen ik er ten slotte in slaagde me ervan te ontdoen, ik mijzelf voorgoed bevrijd had van de zucht om een ander te bezitten en van de verleiding om iemand anders toe te behoren. Vanaf het eerste ogenblik bracht Kamal mijn hoofd op hol, ik werd heen en weer geslingerd tussen het absolute genot van hem te beminnen en de verschrikkelijke angst hem vergeefs te beminnen. Ik liep hem overal als een schaduw achterna, ik maakte me dienstbaar, hij was voor mij de held van mijn eenzame dromen. Maar hij negeerde mij volkomen. Ik werd mij bewust van mezelf, ik bekeek mezelf in de spiegel, ik betastte mijn lichaam, in de stilte van de siësta probeerde ik allerlei kapsels, ik bracht een vleugje rouge aan op mijn wangen en mijn lippen, heel licht, zodat niemand het zou merken. Kamal liep langs me zonder me te zien. Hij was de hoofdpersoon in al mijn liefdesverhalen. Ik nam geen genoegen meer met een kus aan het slot van de romans die ik Zulema voorlas, en begon stormachtige, denkbeeldige nachten met hem te beleven. Ik was vijftien jaar en ik was maagd, maar als het koord met de zeven knopen, dat mijn peettante had uitgevonden, ook geschikt was geweest om gedachten te meten, zou ik te licht bevonden zijn.

Voor ons allemaal nam het leven een andere wending toen Zulema, Kamal en ik alleen bleven tijdens de eerste reis van Riad Halabi. De bazin was als bij toverslag genezen van haar kwalen en ontwaakte uit een bijna veertigjarige lethargie. In die dagen stond ze vroeg op en maakte het ontbijt klaar, ze kleedde zich in haar mooiste gewaden, tooide zich met al haar sieraden, kamde haar haren naar achteren, de helft in haar hals samengebonden tot een staart en de rest los op haar schouders hangend. Ze was nog nooit zo mooi geweest. In het begin ontweek Kamal haar, in haar bijzijn sloeg hij zijn ogen neer en richtte nauwelijks het woord tot haar, hij hield zich de hele dag in de winkel op en 's avonds slenterde hij door het dorp. Al spoedig was hij echter niet langer in staat zich te onttrekken aan de aantrekkingskracht van deze vrouw, aan het zware spoor van haar geur, de gloed die ze uitstraalde, de betovering van haar stem. De atmosfeer raakte vervuld van geheime verlangens, voortekenen en lokroepen. Ik voorvoelde dat om mij heen iets wonderbaarlijks te gebeuren stond, iets waarvan ik buitengesloten was, een privé-oorlog tussen hen beiden, een gewelddadige wilsstrijd. Kamal streed in de achterhoede, loopgraven opwerpend, beschermd door eeuwenoude taboes, door het ontzag voor de wetten van de gastvrijheid en voor de banden des bloeds waarmee hij met Riad Halabi verbonden was. Begerig als een vleesetende plant bewoog Zulema haar geurige bloembladeren om hem in haar val te lokken. De lusteloze, slappe vrouw, die gewoonlijk de dag in bed doorbracht met koude kompressen op haar voorhoofd, was veranderd in een reusachtig, noodlottig wijfje, in een bleke spin die onvermoeibaar haar web spon. Ik wenste dat ik onzichtbaar was.

Zulema zat op de patio in de schaduw haar teennagels

te lakken, en liet haar dikke benen zien tot halverwege haar dijen. Zulema rookte en liet de punt van haar tong en haar vochtige lippen strelend rond het mondstuk van de sigaret draaien. Zulema maakte een beweging en haar japon viel open, waarbij een ronde schouder bloot kwam, die zo onmogelijk blank was, dat al het daglicht zich daarop concentreerde. Zulema at een rijpe vrucht en het gele sap droop op haar borst. Zulema speelde met haar blauwzwarte haren, zodat een deel van haar gezicht bedekt werd, en keek naar Kamal met de blik van een hoeri.

Gedurende tweeënzeventig uur bood de neef dapper weerstand. De spanning groeide zo dat ik het niet langer kon verdragen en bang werd dat de lucht uiteen zou barsten door een magnetische storm, die ons allemaal tot as zou doen vergaan. De derde dag was Kamal vanaf de vroege morgen aan het werk, hij liet zich geen moment in het huis zien en om de tijd zoek te brengen draaide hij doelloos rond in De Parel van het Oosten. Zulema vroeg of hij kwam eten, maar hij zei dat hij geen trek had en treuzelde nog een halfuur met het opmaken van de kas. Pas toen het hele dorp in diepe rust was en de hemel donker, sloot hij de winkel, en toen volgens hem het hoorspel op de radio was begonnen, sloop hij stilletjes naar de keuken om te kijken of er nog iets over was van het avondmaal. Maar voor het eerst sinds maanden had Zulema besloten de aflevering van die avond over te slaan. Om hem te misleiden liet ze de radio in haar kamer aanstaan, ze zette de deur op een kier en posteerde zich op de donkere galerij om hem op te wachten. Ze had een geborduurde tuniek aangetrokken, daaronder was ze naakt, en als ze haar arm ophief werd haar glanzende, melkwitte huid tot aan haar middel zichtbaar. Ze was de hele middag met zichzelf bezig geweest, met ontharen, met crèmes insmeren, haar haren borstelen en zichzelf opmaken, haar lichaam was geparfumeerd met patchoeli en haar adem rook naar zoethout, ze was op blote voeten en droeg geen sieraden, ze was gereed voor de liefde. Ik kon alles zien omdat ze mij niet naar mijn kamer had gestuurd, ze was mij volkomen vergeten. Voor Zulema telden alleen nog Kamal en het gevecht dat ze zou gaan winnen.

De vrouw greep haar prooi op de patio. De neef had een halve banaan in zijn hand en de andere helft in zijn mond, hij had een baard van twee dagen en hij zweette omdat het heet was en omdat het de nacht van zijn nederlaag was.

'Ik wacht op je,' zei Zulema, in het Spaans, omdat ze zich ervoor schaamde het in haar eigen taal te zeggen.

Met volle mond en met angst in zijn ogen bleef de jongeman staan. Langzaam liep ze op hem toe, even onontkoombaar als een spook, totdat ze hem op een paar centimeter genaderd was. Plotseling barstte het gezang los van de krekels, een schril, aanhoudend geluid dat in mijn oren drong als de eentonige klank van een oosters snaarinstrument. Het viel me op dat mijn bazin een half hoofd groter en tweemaal zo zwaar was als de neef van haar man, die ineengeschrompeld leek te zijn tot het formaat van een kind.

'Kamal... Kamal...' Daarop volgden in hun eigen idioom gefluisterde woorden, terwijl de vrouw met haar vinger de lippen van de man aanraakte en heel licht de omtrekken van zijn mond tekende.

Kamal slaakte een zucht en gaf zich gewonnen. Hij slikte wat hij nog in zijn mond had weg en de rest van de banaan liet hij op de grond vallen. Zulema nam zijn hoofd en trok het naar zich toe. Haar grote borsten slokten het op als een plas gloeiende lava. Daar liet ze het rusten en wiegde het heen en weer zoals een moeder met haar kind doet, totdat hij zich losmaakte, waarna ze elkaar hijgend en de gevaren afwegend, aankeken. De wellust was niet meer te stuiten en met de armen om elkaar heen verdwenen ze naar het bed van Riad Halabi. Tot daar volgde ik hen zonder dat ze mijn aanwezigheid opmerkten. Ik geloof dat ik echt onzichtbaar was geworden.

Dicht bij de deur dook ik weg, volkomen leeg. Ik voelde geen enkele emotie, ik was niet langer jaloers, voor mij was het alsof het zich allemaal afspeelde op het witte doek. Naast het bed staande sloot Zulema hem in haar armen en kuste hem totdat hij kans zag zijn armen op te heffen en om haar middel te slaan, de liefkozing beantwoordend met een lijdzame snik. Zij overdekte zijn oogleden, zijn hals en zijn voorhoofd met kleine kusjes, dringende likjes en kleine beten, ze knoopte zijn hemd open en rukte het van zijn lijf. Op zijn beurt probeerde hij haar tuniek uit te trekken, maar hij raakte verward in de plooien en koos er toen maar voor om via haar decolleté haar borsten te betasten. Zonder hem los te laten draaide Zulema hem om, ze drukte zich tegen zijn rug en ging door met het strelen van zijn hals en schouders, terwijl haar vingers met zijn gulp worstelden en zijn broek naar beneden deden. Een paar stappen bij mij vandaan zag ik zijn mannelijkheid onomwonden naar mij wijzen en ik stelde vast dat Kamal zonder kleren veel aantrekkelijker was, omdat hij zijn haast vrouwelijke teerheid had afgelegd. Zijn kleine gestalte maakte geen zwakke maar eerder een gedrongen indruk, en zomin als zijn vooruitstekende neus zijn gezicht ontsierde maar er juist vorm aan gaf, maakte zijn grote, donkere penis hem niet dierlijk. Geshockeerd vergat ik wel een halve minuut adem te halen en toen ik het deed bleef er een snik dwars in mijn keel steken. Hij bevond zich recht tegenover mij en onze blikken ontmoetten elkaar heel even, maar de zijne schoot langs mij heen, nietsziend. Buiten viel met donderend geraas een zomerse stortbui en het geluid van het water en de donderslagen voegden zich bij de zieltogende zang van de krekels. Ten slotte ontdeed Zulema zich van haar kleding en vertoonde ze zich in al haar schitterende overvloed, als een venus van gips. Het contrast tussen de mollige vrouw en het armetierige lichaam van de jonge man maakte op mij een obscene indruk. Kamal drukte haar op het bed en zij slaakte een diepe zucht, ze ving hem tussen haar dikke benen en sloeg haar nagels in zijn rug. Hij schokte een paar maal heen en weer en zeeg daarna met een diepe kreun ineen; zij had al die voorbereidingen echter niet getroffen om hem binnen een minuut weer te laten gaan, en ze schoof hem van zich af, vlijde hem op de kussens en deed haar best om hem weer tot leven te brengen, in het Arabisch fluisterend moedigde ze hem aan, met het gevolg dat hij er al spoedig weer zin in had. Met gesloten ogen liet hij zich gaan terwijl zij hem streelde tot hij zich niet meer kon inhouden en ten slotte bereed zij hem, hem overdekkend met haar overvloedige vlees en de weelde van haar haren, ze liet hem volkomen verdwijnen, hem opslorpend in haar drijfzand, hem opslokkend, hem tot op het merg uitzuigend en meevoerend naar de tuinen van Allah waar ze alle odalisken van de Profeet aanriepen. Daarna rustten ze in alle kalmte met de armen om elkaar heen als een paar zuigelingen, onder het geruis van de regen en de krekels, in de nacht die zo heet was geworden als was het midden op de dag.

Ik wachtte totdat het hoefgestamp van paarden in mijn borst bedaard was en ging daarna op de tast de kamer uit. Midden op de patio bleef ik staan, het water droop uit mijn haar en doorweekte mijn kleren en mijn gemoed, ik rilde koortsachtig bij het voorgevoel van een catastrofe. Ik dacht dat zolang we zouden kunnen zwijgen, het net zou zijn alsof er niets gebeurd was, dat wat niet wordt uitgesproken, bestaat eigenlijk niet, de stilte wist het uit totdat het geheel verdwenen is. De geur van de wellust had zich echter verspreid in het huis en was in de muren, in de kleren, in de meubelen gedrongen, hing in de vertrekken, filterde door de kieren, tastte bloemen en dieren aan, verhitte de ondergrondse rivieren, verzadigde de lucht van Agua Santa, was zichtbaar als een brand, en zou onmogelijk te verbergen zijn. Ik ging naast de fontein zitten, in de regen.

Eindelijk brak het licht door op de patio en begon het vocht van de dauw te verdampen, zodat het huis in een dichte nevel werd gehuld. Ik had die lange uren in het donker besteed aan het bestuderen van mijn eigen innerlijk. Ik huiverde, dat moest wel komen van die doordringende geur die sinds enige dagen in de lucht hing en die zich overal aan gehecht had. Het is tijd om de winkel te vegen, dacht ik toen ik in de verte de bel van de melkboer hoorde rinkelen, maar mijn lichaam was zo zwaar dat ik mijn handen moest bekijken om vast te stellen dat ze niet van steen waren geworden; ik sleepte me naar de fontein, ik stak mijn hoofd erin en toen ik weer overeind kwam, stroomde het koude water over mijn rug; het schudde de verlamming van de slapeloze nacht van me af en spoelde het beeld van de geliefden op het bed van Riad Halabi weg. Zonder naar de deur van Zulema's kamer te kijken, ging ik naar de winkel, laat het alsjeblieft een droom zijn, mama, maak dat het maar een droom is. De hele ochtend verstopte ik me achter de toonbank, zonder me op de galerij te wagen, mijn oren gespitst op de stilte van mijn bazin en Kamal. Om twaalf uur deed ik de winkeldeur op slot, maar ik had niet de moed de drie met koopwaren volgestouwde vertrekken te verlaten, ik nestelde me tussen een paar zakken graan om de hitte van de siësta te laten passeren. Ik was bang. Het huis was veranderd in een schaamteloos dier dat in mijn nek hijgde.

Kamal had die ochtend stoeiend met Zulema doorgebracht, ze lunchten met fruit en zoetigheid, en in het uur van de siësta, toen zij uitgeput lag te slapen, zocht hij zijn spullen bij elkaar, stopte ze in zijn kartonnen koffer en verdween stilletjes door de achterdeur, als een bandiet. Toen ik hem zag vertrekken, wist ik zeker dat hij niet zou terugkeren.

Zulema ontwaakte midden op de middag van het rumoer van de krekels. Ze verscheen in De Parel van het Oosten in een ochtendjas, met verwarde haren, wallen onder haar ogen en gezwollen lippen, maar ze zag er schitterend, rijp en bevredigd uit.

'Sluit de winkel en kom me helpen,' beval ze mij.

Terwijl we de kamer schoonmaakten en luchtten, schone lakens op het bed legden en verse bloemblaadjes in de kommen deden, zong Zulema in het Arabisch en ze bleef zingen toen ze in de keuken bezig was met het klaarmaken van yoghurtsoep, *kipe* en *tabule*. Daarna liet ik de badkuip vollopen en parfumeerde het water met citroenessence, en met een zucht van welbehagen liet Zulema zich in het bad glijden, met halfgesloten ogen, glimlachend, verloren in wie weet wat voor herinneringen. Toen het water begon af te koelen, verzocht ze me

226

haar schoonheidsmiddelen aan te geven, ze bekeek zichzelf peinzend in de spiegel en begon zich te poederen, ze
wreef rouge op haar wangen, stiftte haar lippen en bracht
een paarlemoerglans aan rond haar ogen. In handdoeken
gewikkeld kwam ze uit het bad en ging languit op het
bed liggen om zich door mij te laten masseren, daarna
borstelde ze haar haren die ze samenbond tot een staart
en deed een laag uitgesneden japon aan.

'Ben ik mooi?' wilde ze weten.

'Ja.'

'Zie ik er jong uit?'

'Ja.'

'Hoe oud lijk ik?'

'Zo oud als op de foto van uw trouwdag.'

'Waarom zeg je dat? Ik wil niet aan mijn huwelijk herinnerd worden! Ga uit mijn ogen, stomme meid, laat me
alleen...'

Ze ging op een rieten schommelstoel onder het over-
stekende dak op de patio zitten om naar de avond te kijken en de terugkeer van haar geliefde af te wachten. Ik
wachtte samen met haar, zonder te durven zeggen dat
Kamal verdwenen was. Zulema bleef uren heen en weer
schommelen en hem met al haar zintuigen aanroepen,
terwijl ik op mijn stoel zat te knikkebollen. In de keuken
verpieterde het eten en in de kamers vervloog het flauwe
aroma van de bloemen. Om elf uur 's avonds schrok ik
wakker van de stilte, de krekels waren verstomd en het
was bladstil op de patio. De geur van de wellust was verdwenen. Mijn bazin zat nog steeds onbeweeglijk op haar
plaats, haar jurk was gekreukt, haar handen verkrampt,
haar gezicht nat van tranen, haar make-up doorgelopen,
ze zag eruit als een masker dat onder de blote hemel was
achtergelaten.

'Gaat u naar bed, mevrouw, wacht u niet langer op hem. Misschien komt hij pas morgen terug...' smeekte ik haar, maar de vrouw verroerde zich niet.

Zo bleven we de hele nacht zitten. Ik klappertandde, het klamme zweet liep over mijn rug en ik weet die verschijnselen aan de rampspoed die dit huis betreden had. Toch was het niet het moment om me zorgen te maken over mijn eigen onlustgevoelens, ik besefte dat er in Zulema's gemoed iets gebroken was. Haar aanblik deed me griezelen, ze was niet langer de persoon die ik kende, ze was bezig in een soort reusachtig plantaardig wezen te veranderen. Ik zette koffie voor ons allebei en bracht haar die in de hoop haar haar vroegere identiteit terug te geven, maar ze weigerde het kopje aan te raken, ze was verstard, een kariatide met haar blik strak gevestigd op de deur van de patio. Ik dronk een paar slokjes maar de smaak was scherp en bitter. Ten slotte lukte het me mijn bazin uit haar stoel te krijgen en aan mijn hand mee te nemen naar haar kamer, ik kleedde haar uit, maakte haar gezicht schoon met een vochtige doek en legde haar in bed. Ik overtuigde mij ervan dat haar ademhaling rustig was, hoewel haar ogen vertroebeld waren door wanhoop en ze zachtjes en hardnekkig bleef doorhuilen. Als een slaapwandelaarster opende ik vervolgens de winkel. Ik had al in uren niets gegeten en ik moest denken aan de tijd voordat Riad Halabi mij had opgenomen, toen ik zelf zo ongelukkig was geweest dat mijn maag samenkneep en ik geen hap door mijn keel kon krijgen. Ik begon op een mispel te zuigen, zonder ergens aan te denken. Er kwamen drie meisjes in De Parel van het Oosten naar Kamal informeren en ik zei tegen hen dat hij er niet was, dat hij het zelfs niet verdiende in hun herinnering te blijven, omdat hij eigenlijk niet menselijk was, hij had nooit uit vlees en bloed bestaan, hij was een boze geest, een *efrit* die van de andere kant van de wereld gekomen was om hun bloed aan het koken te brengen en hun gemoedsrust te verstoren, en dat ze hem nooit meer te zien zouden krijgen, dat hij was weggevaagd door dezelfde fatale stormwind als waarmee hij uit de woestijn naar Agua Santa was gevoerd. De meisjes vertrokken naar het plein om het nieuws te bespreken en het duurde niet lang of een menigte nieuwsgierigen verscheen om zich van het gebeurde te vergewissen.

'Ik weet nergens van. Wacht maar tot de baas komt,' was het enige antwoord dat ik kon bedenken.

Rond het middaguur bracht ik Zulema wat soep en probeerde haar die te voeren, maar het zag zwart voor mijn ogen en mijn handen trilden zo dat de vloeistof op de grond droop. Plotseling begon de vrouw met gesloten ogen klaaglijk heen en weer te wiegen, eerst was het een monotoon gekreun en daarna werd het een scherp aiaiai, doordringend als het gehuil van een sirene.

'Zwijgt u! Kamal komt niet terug. Als u niet zonder hem kunt leven, kunt u beter opstaan en net zo lang zoeken tot u hem gevonden hebt. Iets anders is er niet aan te doen. Hoort u wat ik zeg, mevrouw?' en ik schudde haar door elkaar, de omvang van haar verdriet maakte me bang.

Maar Zulema reageerde niet, ze was plotseling al haar Spaans vergeten en niemand zou haar ooit nog een woord in die taal horen zeggen. Daarop bracht ik haar terug naar de slaapkamer en legde haar in bed. Ik ging naast haar liggen en luisterde naar haar gezucht, totdat we allebei uitgeput in slaap vielen. Zo trof Riad Halabi ons aan toen hij midden in de nacht thuiskwam. Hij had een vrachtauto vol nieuwe koopwaar bij zich en hij had niet vergeten cadeautjes mee te brengen voor zijn familie: een ring met een topaas voor zijn vrouw, een tafzijden jurk voor mij en twee overhemden voor zijn neef.

'Wat is hier aan de hand?' vroeg hij gealarmeerd door de reuk van tragedie die zijn huis doortrokken had.

'Kamal is weg,' bracht ik stamelend over mijn lippen.

'Hoezo, hij is weg? Waarheen?'

'Weet ik niet.'

'Hij is mijn gast, hij kan toch niet zomaar weggaan, zonder het me te laten weten, zonder afscheid te nemen...'

'Zulema heeft het behoorlijk te pakken.'

'Ik geloof dat jij het erger te pakken hebt, kind. Je hebt een flinke verhoging.'

In de daarop volgende dagen zweette ik de angst uit, mijn koorts zakte en ik kreeg mijn eetlust terug. Het was echter duidelijk dat Zulema niet aan een voorbijgaande verkoudheid leed. Ze was ziek van liefde en dat begreep iedereen, behalve haar echtgenoot die het niet wilde inzien en die weigerde de verdwijning van Kamal in verband te brengen met de lusteloosheid van zijn vrouw. Hij vroeg niet wat er gebeurd was omdat hij het antwoord wel kon raden en als hij zekerheid zou krijgen omtrent de waarheid zou hij gedwongen zijn zich te wreken. Hij had te veel medelijden om de ontrouwe echtgenote haar tepels af te snijden of om op zoek te gaan naar zijn neef om hem van zijn genitaliën te ontdoen en die in zijn mond te proppen, zoals de tradities van zijn voorvaderen wilden.

Zulema bleef zwijgzaam en stil, soms huilde ze een poosje. Ze toonde geen enkele belangstelling meer voor voedsel, voor de radio of voor de geschenken van haar man. Ze vermagerde zienderogen en na drie weken had haar huid een lichte sepiakleur aangenomen, als van een honderd jaar oude foto. Ze reageerde alleen als Riad Halabi probeerde haar te liefkozen, dan kromp ze ineen en wees hem met een haatdragende blik af. Voor mij was het enige tijd afgelopen met de lessen bij juffrouw Inés en het werk in de winkel, ook de wekelijkse bezoeken aan de rijdende bioscoop werden niet weer opgevat, omdat ik niet bij mijn bazin weg kon, ik was de hele dag en een groot deel van de nacht in de weer om haar te verzorgen. Riad Halabi nam een paar meisjes aan om schoon te maken en om in De Parel van het Oosten te helpen. Het enige lichtpuntje van die periode was dat hij weer, net als voordat Kamal verschenen was, aandacht had voor mij, dat hij me weer vroeg hem hardop voor te lezen of hem zelfbedachte verhalen te vertellen, dat ik weer domino met hem mocht spelen, waarbij hij mij liet winnen. Ondanks de drukkende atmosfeer in het huis vonden we zo nu en dan een aanleiding om samen te lachen.

Er verliepen een paar maanden zonder dat de toestand van de zieke zichtbaar verbeterde. De inwoners van Agua Santa en van de omliggende dorpen kwamen naar haar informeren en stuk voor stuk deden ze een of ander middeltje aan de hand: wijnruit om thee van te trekken, siroop om stomheid te genezen, vitaminepillen, bouillon van gevogelte. Ze deden dat niet omdat de laatdunkende, afstandelijke vreemdelinge hun aan het hart ging, maar uit genegenheid voor de Turk. Het zou goed zijn als een expert haar eens onderzocht, zeiden ze en op een dag kwamen ze aandragen met een ondoorgrondelijke tovenares, die een sigaar opstak, de rook over de patiënte blies en concludeerde dat ze niet leed aan een wetenschappelijk bekendstaande ziekte, dat het slechts een langdurige aanval van liefdesverdriet was.

'Ze mist haar familie, de stakker,' verklaarde de echtgenoot en bedankte de indiaanse voordat ze zou merken hoezeer hij zich schaamde.

Van Kamal vernamen we nooit meer iets. Riad Halabi sprak zijn naam nooit meer uit, gekwetst als hij was door de ondank die hij in ruil voor de betoonde gastvrijheid had ontvangen.

7

Rolf Carlé begon voor meneer Aravena te werken in dezelfde maand dat de Russen een hond in een capsule de ruimte in stuurden.

'Dat is weer echt iets voor die sovjets, die hebben zelfs voor dieren geen respect!' riep oom Rupert verontwaardigd uit toen hij het nieuws vernam.

'Maak je niet zo druk, man... Het is tenslotte maar een gewoon beest, niet eens met een stamboom,' luidde het commentaar van tante Burgel, die niet opkeek van de taart die ze aan het bakken was.

Deze ongelukkige opmerking ontketende de ergste ruzie die het echtpaar ooit gekend had. De hele vrijdag bleven ze elkaar lelijke dingen toewerpen en elkaar beledigen met verwijten die ze in dertig jaar samenleven hadden opgezouten. Afgezien van een heleboel andere beklagenswaardige uitspraken, hoorde oom Rupert zijn vrouw voor het eerst zeggen dat ze altijd een hekel had gehad aan honden, dat ze walgde van geld verdienen met fokken en verkopen en dat ze bad dat zijn krengen van politiehonden de pest mochten krijgen en naar de verdommenis zouden gaan. Van haar kant kreeg Burgel te horen dat hij op de hoogte was van een misstap die zij ooit in haar jeugd begaan had, maar waarover hij omwille van de lieve vrede nooit eerder iets gezegd had. Ze wierpen elkaar net zo lang onvoorstelbare dingen voor de voeten totdat ze uitgeput waren. Toen Rolf zaterdags in de Kolonie aankwam, vond hij het huis gesloten en hij meende dat de hele familie geveld was door de Aziatische griep, die in die dagen veel slachtoffers maakte. Burgel lag in bed met basilicumkompressen op haar voorhoofd, Rupert had zich met zijn opgekropte wrok opgesloten in de timmermanswerkplaats bij zijn fokdieren en veertien pasgeboren pups, en was bezig de koekoeksklokken voor de toeristen systematisch kapot te slaan. De nichtjes hadden rode ogen van het huilen. De twee gedienstige meisjes waren met de kaarsenfabrikanten getrouwd en hadden hun natuurlijke geur van kaneel, kruidnagel, vanille en citroen ingeruild voor het verrukkelijke aroma van bijenwas. Ze woonden in dezelfde straat als waarin hun ouderlijk huis stond en ze verdeelden hun tijd tussen hun eigen propere huishoudens en het werk bij hun ouders, in het hotel, met de kippen en in de hondenfokkerij. Niemand had aandacht voor Rolfs enthousiasme voor zijn nieuwe filmcamera en ook was niemand, zoals anders, benieuwd naar zijn minutieuze verslag over zijn eigen activiteiten of over de politieke strubbelingen aan de universiteit. Door de twist was de atmosfeer in het vreedzame huishouden zo aangetast, dat hij dat weekeinde niet de kans kreeg om een vinger uit te steken naar zijn nichtjes, die allebei met lange gezichten rondliepen en geen enkel enthousiasme toonden om de dekbedden in de leegstaande kamers op te schudden. Op zondagavond keerde Rolf terug naar de stad, door de onthouding op hete kolen, met dezelfde vuile kleren die hij de hele week gedragen had, zonder de voorraad koekjes en worst die zijn tante gewoonlijk in zijn koffer stopte, en met het onaangename gevoel dat een hond uit Moskou in de ogen van zijn familie belangrijker was dan hij. Op maandagmorgen had hij met meneer Aravena afgesproken in een cafetaria op de hoek bij de krant om samen te ontbijten.

'Vergeet dat beest en de ruzie tussen je oom en tante, jongen, er staan heel wat belangrijker dingen te gebeuren,' zei zijn beschermheer tegen hem toen hij achter de smakelijke schotel zat waarmee hij de dag placht te beginnen.

'Wat bedoelt u?'

'Binnen een paar maanden zal er een volksstemming plaatsvinden. Alles is al geregeld, de Generaal denkt nog vijf jaar aan de macht te blijven.'

'Dat is toch niets nieuws.'

'Ditmaal zal hij de kous op de kop krijgen, Rolf.'

Zoals voorzien werd het referendum kort voor Kerstmis gehouden, ondersteund door een reclamecampagne die het land op zijn grondvesten deed trillen, met affiches, militaire parades en onthullingen van patriottische monumenten. Rolf had besloten zijn werk voorzichtig aan te pakken, en als het enigszins kon op de onderste sport van de ladder te beginnen. Al lang van tevoren peilde hij de situatie; hij deed de ronde langs de verkiezingsbureaus, sprak met officieren van de Strijdkrachten, met boeren en met studenten. Op de aangewezen dag waren de straten vol militairen en gardisten, maar in de stemlokalen waren slechts weinig mensen te zien, het leek een zondag in de provincie. De Generaal kwam als overwinnaar uit de bus met de overweldigende meerderheid van tachtig procent, maar de fraude was zo schaamteloos dat de uitslag, in plaats van het gewenste effect te bereiken, belachelijk werd. Carlé had wekenlang gespioneerd en hij beschikte over veel informatie, die hij met de trots van een nieuwkomer, en onder het en passant te berde brengen van ingewikkelde politieke prognoses, aan Aravena overhandigde. De ander hoorde hem met een spottend lachje aan.

'Je hoeft je niet in zoveel bochten te wringen, Rolf. De waarheid is simpel: zolang de Generaal gevreesd en gehaat was kon hij de teugels van de regering in handen houden, maar op het moment dat hij het mikpunt wordt van spot, beginnen die hem uit de vingers te glippen. Binnen een maand is het met hem gedaan.'

Al die jaren van tirannie hadden geen eind kunnen maken aan de oppositie; sommige vakbonden functioneerden in het verborgene, politieke partijen hadden zich buiten de wet weten te handhaven en de studenten lieten geen dag voorbijgaan zonder hun misnoegen te demonstreren. Aravena betoogde dat het verloop van de gebeurtenissen in het land nooit bepaald was door de massa's maar door een handjevol vermetele leiders. Hij dacht dat de val van de dictatuur bewerkstelligd zou worden door eenstemmigheid van de elite, waarop het volk, gewend aan een systeem van leiders, de door hen aangegeven weg zou volgen. Hij beschouwde de rol van de katholieke Kerk als fundamenteel, want hoewel vrijwel niemand de Tien Geboden in acht nam en de mannen als een teken van machismo prat gingen op hun atheïsme, was de Kerk nog steeds oppermachtig.

'Je moet met de clerus spreken,' zei hij.

'Dat heb ik al gedaan. Een deel is bezig de arbeiders en de middenklasse op te ruien, men zegt dat de bisschoppen van plan zijn de regering aan te klagen wegens corruptie en onderdrukking. Mijn tante Burgel ging biechten, nadat ze dat verschil van mening met mijn oom had gehad, en toen sloeg de priester zijn soutane open en stopte haar een pak pamfletten toe om in de Kolonie te verspreiden.'

'Wat heb je nog meer gehoord?'

'De oppositiepartijen hebben een verdrag getekend,

ze hebben zich eindelijk allemaal verenigd.'

'Dan is dit het moment om een wig te drijven in de Strijdkrachten, om verdeeldheid te zaaien en aan te zetten tot opstand. Alles is in gereedheid, mijn neus bedriegt me niet,' zei Aravena en hij hield een lucifer bij zijn zware havanna.

Sinds die dag beperkte Rolf Carlé zich niet langer tot het registreren van gebeurtenissen, maar gebruikte hij zijn contacten om de zaak van de opstand te steunen, en al doende was hij in staat de morele kracht te meten van de oppositie, die erin slaagde zelfs onder de soldaten verwarring te zaaien. Studenten bezetten scholen en faculteitsgebouwen, gijzelden mensen, overmeesterden een radiostation en riepen het volk op de straat op te gaan. Het Leger rukte uit met het nadrukkelijke bevel dood en verderf te zaaien, doch binnen enkele dagen werden vele officieren aangestoken door het algemene onbehagen en ontvingen de troepen tegengestelde bevelen. Ook daar begon de wind van de samenzwering de kop op te steken. De Man met de Gardenia beantwoordde dit door zijn kelders vol te stoppen met nieuwe gevangenen, die hij persoonlijk onder handen nam, zonder zijn elegante haardos ooit in de war te maken. Maar zelfs hij slaagde er met zijn brutale methoden niet in het afkalven van de macht te verhinderen. In de daaropvolgende weken werd het land onbestuurbaar. Overal liepen mensen te praten, eindelijk bevrijd van de angst die hen jarenlang de mond had gesnoerd. De vrouwen smokkelden wapens onder hun rokken, scholieren trokken er 's nachts op uit om muren te beschilderen, en zelfs Rolf was tot zijn eigen verbazing op een ochtend met een tas vol dynamiet op weg naar de universiteit, waar hij werd opgewacht door een beeldschoon meisje. Hij werd op slag verliefd op haar, maar het was een hartstocht zonder toekomst want zij nam de tas in ontvangst zonder hem zelfs maar te bedanken, verdween met de explosieven op haar rug en hij hoorde of zag nooit meer iets van haar. Er werd een algemene staking afgekondigd, de winkels gingen dicht, de priesters sloten hun godshuizen, de artsen keken niet meer naar de zieken om en de doden werden niet begraven. Er was niemand op straat en 's avonds werd door niemand het licht aangedaan, alsof er plotseling een einde was gekomen aan de beschaving. Iedereen hield zijn adem in en wachtte af.

De Man met de Gardenia vertrok in een privé-vliegtuig naar Europa om luxueus in ballingschap te gaan, en daar is hij nu nog, weliswaar stokoud maar nog altijd even elegant, en schrijft er zijn memoires om de geschiedenis naar zijn smaak te modelleren. Op diezelfde dag maakte ook de minister van de bisschoppelijke kakstoel zich, met een flinke hoeveelheid goudstaven in zijn bagage, uit de voeten. Ze waren niet de enigen. In een paar uur tijd verdwenen veel mensen met een slecht geweten, hetzij door de lucht, hetzij over land of over zee. De staking duurde nog geen drie dagen. Vier legerkapiteins kwamen tot een akkoord met de politieke partijen van de oppositie, ze zetten hun ondergeschikten aan tot rebellie, waarna de overige regimenten, meegesleept door de samenzwering, zich al spoedig bij hen aansloten. De regering viel en de Generaal, wie het niet aan middelen ontbrak, verliet het land samen met zijn familieleden en zijn naaste medewerkers in een hem door de ambassade van de Verenigde Staten ter beschikking gesteld militair vliegtuig. Een horde mannen, vrouwen en kinderen, overdekt met het stof van de overwinning, drong de villa van de dictator binnen en stortte zich, op de tonen van de jazzmuziek die een neger ontlokte aan een witte vleugel op het terras, in het zwembad, zodat het water er al snel uitzag als dikke soep. Het volk viel het hoofdkwartier van de Geheime Politie aan. De gardisten losten mitrailleurschoten, maar de menigte slaagde erin de deuren in te rammen en het gebouw binnen te dringen, waarbij iedereen die in de weg liep werd omgebracht. Folteraars, die de dans ontsprongen omdat ze zich op dat moment toevallig niet in het gebouw bevonden, moesten zich maandenlang verstoppen om niet op straat gelyncht te worden. Winkels werden geplunderd, evenals woonhuizen van buitenlanders die ervan beschuldigd werden dat zij zich verrijkt hadden dankzij de immigratiepolitiek van de Generaal. Ruiten van drankwinkels werden ingeslagen en op straat gingen de flessen van mond tot mond om het einde van de dictatuur te vieren.

Rolf Carlé deed drie dagen geen oog dicht en filmde te midden van het lawaai van de opgewonden menigte, het getoeter van auto's, straatfeesten en ongebreidelde zuippartijen, de gebeurtenissen. Hij werkte als in een roes, hij was zich zo weinig bewust van zichzelf dat hij geen moment bang was, en hij was de enige die het waagde met een filmcamera het gebouw van de Geheime Politie binnen te gaan om vanaf de eerste rang de op elkaar gestapelde doden en gewonden, de in stukken gehakte geheime agenten en de uit de duivelse kelders van de Man met de Gardenia bevrijde gevangenen op film vast te leggen. Hij stapte ook de villa van de Generaal binnen en zag daar hoe de menigte het meubilair kapotsloeg, de schilderijencollectie met messen bewerkte en de pelsmantels en de met juwelen bezette gewaden van de First Lady op straat smeet. Hij was in het Paleis toen de voorlopige regeringsjunta werd geïnstalleerd, die bestond uit opstandige officieren en vooraanstaande burgers. Aravena feliciteerde hem met zijn werk en gaf hem het laatste zetje door hem aan te bevelen bij de televisie, waar hij door zijn vermetele reportages de gevierdste medewerker van de nieuwsdienst werd.

In conclaaf verenigd legden de gezamenlijke politieke partijen de grondslag voor een overeenkomst, omdat de ervaring hun had geleerd dat, als zij zich bleven gedragen als kannibalen, alleen de militairen er van zouden profiteren. De oppositieleiders hadden een paar dagen nodig om uit ballingschap terug te keren, zich te installeren en de warboel van de macht weer uit de knoop te halen, en intussen hadden rechtse economische kringen en de oligarchie, die zich op het laatste ogenblik bij de opstand hadden aangesloten, zich al met gezwinde spoed naar het Paleis begeven, en zich binnen een paar uur meester gemaakt van de vitale functies, die ze zo geraffineerd onder elkaar verdeeld hadden, dat de nieuwe president, toen hij zijn zetel innam, onmiddellijk begreep alleen te kunnen regeren door met hen tot een deal te komen.

Dat waren verwarrende ogenblikken, doch ten slotte zakte het stof, verstomde het lawaai en brak de eerste dag aan van de democratie.

In veel plaatsen vernamen de mensen niets over de omverwerping van de dictatuur, onder andere omdat ze ook niet geweten hadden dat de Generaal jarenlang aan de macht was geweest. Ze stonden geheel buiten de eigentijdse gebeurtenissen. In dit buitensporig grote land komen alle episoden van de geschiedenis tegelijkertijd voor. Terwijl in de hoofdstad magnaten de telefoon pakken om zaken te bespreken met hun compagnons in andere steden op de aardbol, zijn er in het Andesgebergte streken waar nog dezelfde menselijke gedragspatronen gelden die vijf eeuwen tevoren door de Spaanse veroveraars werden ingevoerd, en in sommige nederzettingen in het oerwoud zwerven de mensen naakt rond onder de bomen, net zoals hun voorouders in het stenen tijdperk. Het was een decennium van grote veranderingen en wonderbaarlijke uitvindingen, maar voor velen was er geen enkel verschil met voorafgaande jaren. Het volk is edelmoedig en vergeeft gemakkelijk; in het land bestond noch de doodstraf, noch levenslang, zodat zowel degenen die van de tirannie hadden geprofiteerd als de collaborateurs, de verraders en de agenten van de Geheime Dienst al snel in het vergeetboek raakten en opnieuw werden opgenomen in deze samenleving, waarin plaats is voor iedereen.

De bijzonderheden van de gebeurtenissen zou ik pas jaren later vernemen, toen ik uit nieuwsgierigheid een blik wierp in de kranten uit die tijd, want in Agua Santa nam niemand er notitie van. Daar vond op de dag van de machtswisseling een feest plaats, dat Riad Halabi had georganiseerd om fondsen bijeen te brengen om het schoolgebouw te repareren. Het begon al vroeg met het verstrekken van de zegen door de pastoor, die zich oorspronkelijk had verzet tegen dit soort tijdverdrijf, omdat het uitsluitend aanleiding gaf tot weddenschappen, dronkenschap en messentrekkerij; maar later liet hij het oogluikend toe omdat de school sinds de laatste orkaan in verval was geraakt. Daarna vond de verkiezing plaats van de schoonheidskoningin, die door de gemeentesecretaris een door juffrouw Inés gemaakte diadeem van bloemen en kralen op het hoofd gedrukt kreeg, en 's avonds waren er hanengevechten. Uit andere dorpen waren bezoekers toegestroomd en toen iemand met een draagbare radio er tussendoor schreeuwde dat de Generaal gevlucht was en dat de menigte bezig was de gevangenissen te bestormen en de agenten te vierendelen, werd hem de mond gesnoerd: de hanen mochten niet worden afgeleid. Alleen de gemeentesecretaris stond op om zich met tegenzin naar zijn kantoor te begeven, waar hij zich in verbinding stelde met zijn superieuren in de hoofdstad om te vragen wat hun orders waren. Een paar uur later kwam hij terug en zei dat er geen enkele reden was om zich op te winden over dat gedoe, de regering was inderdaad gevallen maar alles ging gewoon door en dus kon er nu begonnen worden met dansen en muziek maken, en geef mij eens een biertje dan klinken we op de democratie. Om middernacht telde Riad Halabi het binnengekomen geld, gaf het aan juffrouw Inés en keerde moe maar voldaan naar huis terug. Zijn initiatief had vruchten afgeworpen en het dak van de school kon worden gerepareerd.

'De dictatuur is gevallen,' zei ik zodra hij binnenstapte. Ik was de hele dag bezig geweest met Zulema verzorgen, die weer eens in een crisis verkeerde, en ik had op hem gewacht in de keuken.

'Ja, ik weet het, meisje.'

'Ze zeiden het op de radio. Wat wil dat zeggen?'

'Niets dat ons aangaat, dat is allemaal ver van ons bed.'

Er gingen twee jaren overheen voor de democratie zich had geconsolideerd. Na verloop van tijd waren de bond van taxichauffeurs en een handjevol militairen de enigen die terugverlangden naar de dictatuur. De aardolie bleef even overvloedig als tevoren opspuiten uit het binnenste van de aarde en geen mens maakte zich druk over het herinvesteren van de winst, omdat ze diep in hun hart geloofden dat de voorspoed eeuwig zou duren. Aan de universiteiten voelden de studenten, die hun leven op het spel hadden gezet om de Generaal omver te werpen, zich door de nieuwe regering bedrogen en ze beschuldigden de president ervan dat hij naar de pijpen danste van de Verenigde Staten. De triomf van de Cubaanse Revolutie had op het hele continent het vuur van de illusies hoog doen oplaaien. Daar waren mannen bezig de manier van leven te veranderen, en hun stemmen kwamen door de lucht en zaaiden prachtige woorden uit. Daar liep Che Guevara rond met een ster op zijn voorhoofd, bereid in iedere uithoek van Amerika te gaan strijden. Jonge mannen lieten hun baard staan en leerden grondbeginselen van Karl Marx en uitspraken van Fidel Castro uit hun hoofd. Indien de voorwaarden voor de revolutie niet aanwezig zijn, moet de echte revolutionair die scheppen, stond met niet te verwijderen verf op de muren van de universiteit geschreven. In de overtuiging dat het volk nooit zonder geweld de macht in handen zou krijgen, besloten enkelen dat het moment gekomen was om naar de wapens te grijpen. Dat was het begin van de guerrillabeweging.

'Ik wil ze filmen,' zei Rolf Carlé tegen Aravena. En zo vertrok hij naar de bergen, in het voetspoor van een donkere, gesloten, zwijgzame jongeman, die hem 's nachts langs geitenpaden naar de plek bracht waar zijn kameraden zich verborgen hielden. Zo werd hij de enige journalist die in directe verbinding stond met de guerrilla, de enige die hun kampementen kon filmen en de enige in wie de aanvoerders vertrouwen stelden. En zo leerde hij ook Huberto Naranjo kennen.

Naranjo was zijn puberteitsjaren doorgekomen met het onveilig maken van de wijken van de gegoede burgerij. Hij was aanvoerder geworden van een groepje randfiguren die in oorlog waren met groepen rijke jongens, die op glimmende motorfietsen door de stad reden, gekleed in leren jacks en bewapend met kettingen en messen, in navolging van hun helden van het witte doek. Hoewel de rijkeluiszoontjes zich in hun sector onledig hielden met katten ophangen, de zittingen van de stoelen in de bioscoop kapot snijden, handtastelijkheden plegen met kindermeisjes in parken, het klooster van de Aanbidsters binnendringen om de nonnen angst aan te jagen en verjaarspartijtjes van vijftienjarige meisjes verstoren door op de taart te pissen, bleef de zaak praktisch binnenskamers. Zo nu en dan verrichtte de politie een arrestatie, nam de jongens mee naar het bureau en belde de ouders om de kwestie als vrienden te regelen, waarop ze weer werden vrijgelaten zonder dat hun namen geregistreerd werden. Het zijn onschuldige kwajongensstreken, werd er vergoelijkend gezegd, over een paar jaar zijn ze daar overheen, dan verwisselen ze hun leren jacks voor een driedelig kostuum met das en dan gaan ze de ondernemingen van hun vaders besturen en bepalen ze de toekomst van het land. Toen ze zich echter naar de straten in het centrum verplaatsten, waar ze de geslachtsdelen van bedelaars met mosterd en scherpe rode peper besmeurden, de gezichten van prostituees met messen toetakelden en de homoseksuelen in de Republiekstraat grepen en aftuigden, vond Huberto Naranjo dat ze te ver gingen. Hij riep zijn makkers bij elkaar en ze organiseerden zich voor de afweer. Zo werd De Pest geboren, de meest gevreesde bende van de stad. In lijf aan lijf-gevechten boden ze de motorrijders het hoofd, en lieten een stroom van gewonden en bewustelozen achter. Als de politie tijdig verscheen in overvalwagens met honden en agenten van de mobiele eenheid, en bij toeval erin slaagde tussenbeide te komen, mochten de blanke jongens met de zwarte leren jacks, zonder dat hun een haar gekrenkt werd, naar huis terugkeren. De rest werd meegenomen naar het bureau en net zolang afgeranseld totdat het bloed in stralen over de tegels van de binnenplaats liep. Toch waren niet de stokslagen er de oorzaak van dat De Pest werd opgeheven. Huberto Naranjo had een veel sterkere reden om de hoofdstad te verlaten.

Op een avond werd hij door de Neger, zijn vriend uit de kroeg, uitgenodigd voor een geheimzinnige bijeenkomst. Nadat ze aan de deur het wachtwoord hadden gegeven, werden ze voorgegaan naar een gesloten vertrek, waarin zich enige studenten bevonden, die zich onder valse naam aan hen voorstelden. Huberto was bij de anderen op de grond gaan zitten. Hij voelde zich niet op zijn gemak omdat zowel de Neger als hijzelf niet tot de groep leek te horen, ze waren niet op de universiteit, ze waren zelfs niet op de middelbare school geweest. Het viel hem echter alras op dat ze met bijzonder respect benaderd werden, omdat de Neger zijn dienstplicht had vervuld en gespecialiseerd was in het gebruik van explosieven, wat hem een geweldig prestige verleende. Hij stelde Naranjo aan hen voor als de aanvoerder van De Pest en aangezien ze allemaal gehoord hadden hoe moedig hij was, werd hij met bewondering ontvangen. Ze luisterden naar een jonge man die in staat bleek de verwarring die Huberto al jaren beklemde, onder woorden te brengen. Voor hem was het een openbaring. In het begin kon hij het meeste van de vlammende betogen nauwelijks volgen en al helemaal niet herhalen, maar hij voelde intuïtief dat zijn persoonlijke strijd tegen de rijke-luiszoontjes van de Country Club en zijn gevechten met de autoriteiten kinderspelletjes waren vergeleken met deze voor het eerst gehoorde ideeën. Het contact met de guerrilla veranderde zijn leven. Vol verbazing ontdekte hij dat onrecht volgens deze jongens niet tot de natuurlijke orde der dingen behoorde, zoals hij altijd had gedacht, maar dat het een menselijke afwijking was. De enorme verschillen, waardoor de mens vanaf zijn geboorte bepaald wordt, werden hem duidelijk. Hij besloot al zijn tot op dat moment zinloze woede in dienst te stellen van deze zaak.

Zich aansluiten bij de guerrilla was voor hem ook het op de proef stellen van zijn mannelijkheid, want met kettingen tegen de zwarte jasjes knokken was één ding, het was iets heel anders om vuurwapens te hanteren tegen het leger. Hij had altijd op straat geleefd en hij dacht dat hij geen angst kende, in gevechten met andere bendes was hij nog nooit op de loop gegaan, op de binnenplaats van het hoofdbureau had hij nooit om medelijden gesmeekt, geweld was voor hem de gewoonste zaak van de wereld, maar hij had nooit kunnen voorzien tot hoever hij in de komende jaren nog zou moeten gaan.

In het begin moest hij opdrachten in de stad uitvoeren: muren beschilderen, pamfletten drukken, affiches plakken, slaapzakken maken, wapens bemachtigen, medicijnen stelen, sympathisanten werven, schuilplaatsen zoeken, aan militaire training deelnemen. Samen met zijn kameraden leerde hij de gebruiksmogelijkheden van een stuk plastic, bommen maken, hoogspanningskabels onklaar maken, rails opblazen en allerlei andere manieren om de indruk te wekken dat zij met velen en goed georganiseerd waren, want dat trok weifelaars aan, vijzelde het moreel van de strijders op en verzwakte de vijand. De kranten gaven ruchtbaarheid aan deze, wat zij noemden, criminele daden, maar dat had tot gevolg dat het vermelden van aanslagen verboden werd, zodat men er in het land alleen nog bij geruchte, door middel van een paar gestencilde blaadjes en via clandestiene radiozenders van vernam. De jongeren probeerden op allerlei manieren de massa te mobiliseren, maar hun revolutionaire vuur schampte af op de onbewogen gezichten of de grappen van het publiek. De illusie van de olierijkdom had alles bedekt met een deken van onverschilligheid. Huberto Naranjo werd ongeduldig. Op bijeenkomsten hoorde hij over de bergen spreken, daar waren de beste mannen, de wapens, daar was het zaad van de revolutie. Leve het volk, dood aan het imperialisme, schreeuwden ze, zeiden ze, fluisterden ze. Woorden, woorden, duizenden woorden, mooie en lelijke woorden, de guerrilla had meer woorden dan wapens ter beschikking. Naranjo was geen redenaar, hij was nog niet in staat al die vurige woorden te gebruiken, maar al vrij snel ontwikkelde hij een politiek inzicht en hoewel hij geen ideoloog was die zijn theorieën kon ontvouwen, maakte zijn moed zo'n diepe indruk op de mensen dat ze zich door hem lieten meeslepen. Hij had een paar harde vuisten en was befaamd om zijn dapperheid, en op grond daarvan kreeg hij het ten slotte gedaan om naar het front gestuurd te worden.

Hij vertrok op een avond, zonder van iemand afscheid te nemen en zonder iets te zeggen tegen zijn vrienden van De Pest, waarvan hij verwijderd was geraakt sinds hij zich om andere dingen druk was gaan maken. De enige die zijn verblijfplaats kende, was de Neger, maar die zou liever zijn tong afbijten dan iets te zeggen. Al na een paar dagen in de bergen had Huberto Naranjo begrepen dat alles wat hij tot nog toe had meegemaakt flauwekul was, dat het uur was aangebroken om zijn karakter te tonen. De guerrilla was geen schaduwleger, zoals hij altijd gemeend had, maar bestond uit enkele groepen van vijftien à twintig over de bergengten verspreide jongens, niet veel, nauwelijks voldoende om verwachtingen te wekken. Waar ben ik in terecht gekomen, dit zijn krankzinnigen, was zijn eerste gedachte, die hij echter ogenblikkelijk verwierp, omdat het doel hem duidelijk voor ogen stond: er moest gewonnen worden. Door het feit dat ze met zo weinigen waren, waren ze gedwongen zich nog meer opofferingen te getroosten. Allereerst was er de pijn. Verplichte mars met dertig kilo bepakking op hun nek en een wapen in de hand, een heilig wapen dat niet nat of beschadigd mocht worden, dat geen moment mocht worden losgelaten; lopen, kruipen, achter elkaar op en neer, zwijgend, zonder eten of drinken, net zo lang tot alle spieren in het hele lichaam één geweldig, absoluut gekreun waren geworden, totdat het vel van hun handen was opgezwollen tot grote met troebel vocht gevulde blaren, totdat ze door de insectenbeten hun ogen niet meer konden openen, totdat hun voeten bloedend aan flarden lagen in hun laarzen. Klimmen, hoger klimmen, pijn, nog meer pijn. Daarna de stilte. In dit groene, ondoordringbare landschap leerde hij de zin van stilte, leerde hij zich bewegen als een zachte bries. Een zucht, het schuren van een ransel of een wapen, klonken hier als klokgelui en konden iemand het leven kosten. De vijand was nabij. Geduld om urenlang roerloos te wachten. Verberg je angst, Naranjo, steek de anderen niet aan, bedwing je honger, we hebben allemaal honger, verdraag je dorst, we hebben allemaal dorst. Altijd drijfnat, ongemakkelijk, vuil, pijnlijk, geplaagd door de nachtelijke koude en de ondraaglijke hitte van het middaguur, door de modder, door de regen, door de langpootmuggen en teken, door de etterende wonden, door de schrammen en blaren. In het begin voelde hij zich verloren, hij had geen idee waar hij liep of waar hij met zijn hakmes sloeg, onder hem gras, kreupelhout, takken, stenen, stoppels, boven hem de kruinen van de bomen die zo dicht waren dat het zonlicht er niet doorheen kon dringen; maar nadat hij alles gezien had, kreeg de woede hem te pakken en leerde hij zich te oriënteren. Hij lachte niet meer, zijn gezicht werd hard, zijn huid kreeg de kleur van aarde, zijn blik werd droog. De eenzaamheid was erger dan de honger. Hij snakte naar menselijk contact, naar een liefkozing, naar samenzijn met een vrouw, maar er waren hier alleen mannen, ze raakten elkaar nooit aan, elk voor zich opgesloten in zijn eigen lichaam, in zijn eigen verleden, in zijn eigen angsten en illusies. Soms kwam er wel eens een vrouwelijke kameraad en dan snakten ze er allemaal naar om hun hoofd in haar schoot te leggen, maar ook dat was niet mogelijk.

Langzamerhand veranderde Huberto Naranjo in een dier dat tussen het kreupelhout leeft, louter instinct, reflexen, driften, een en al zenuwen, botten, spieren, huid, gefronste wenkbrauwen, kaken op elkaar, buik ingetrokken. Het hakmes en het geweer waren een geworden met zijn handen, natuurlijke verlengstukken van zijn armen. Zijn gehoor werd gespitst en zijn gezichtsvermogen gescherpt, hij was altijd waakzaam, ook als hij sliep. Hij ontwikkelde een grenzeloze hardnekkigheid, strijden tot de dood, tot de overwinning, er is geen alternatief, laten we gaan slapen en onze dromen vervullen, dromen of sterven, voorwaarts. Hij vergat zichzelf. Uiterlijk was hij van steen, maar in zijn innerlijk verzachtte en groeide in de loop der maanden iets fundamenteels, en binnen in hem ontsproot een nieuwe vrucht. Het eerste symptoom was mededogen, iets onbekends voor hem, die dit nooit van iemand ontvangen had noch ooit de gelegenheid had gehad het zelf te voelen. Achter de hardheid en het zwijgen groeide iets warms, iets als een onbegrensde genegenheid voor de medemens, iets wat hem meer verwonderde dan de tot dan toe ondergane veranderingen. Hij begon zijn kameraden lief te hebben, hij wilde zijn leven voor hen geven, hij voelde een machtig verlangen om hen te omarmen en te zeggen broeder, ik houd van je. Later breidde dat gevoel zich uit tot het de gehele anonieme massa van het volk omvatte. En toen pas begreep hij dat zijn woede gesublimeerd was.

In die periode leerde Rolf Carlé hem kennen, die aan drie zinnen genoeg had om te begrijpen dat hij een buitengewoon mens voor zich had. Hij had er een voorgevoel van dat hun levenspaden elkaar nog vele malen zouden kruisen, een gedachte die hij echter ogenblikkelijk verwierp. Hij paste wel op om in de vallen van de intuïtie te trappen.

8

Een paar jaar na het vertrek van Kamal had Zulema's toestand zich gestabiliseerd in melancholie, ze had weer eetlust en ze sliep net zoals vroeger, maar ze had nergens ook
maar de geringste belangstelling voor, de uren vergleden
terwijl ze roerloos op de rieten schommelstoel op de patio voor zich uit staarde, volkomen afwezig. Alleen mijn
verhalen en de hoorspelen op de radio brachten wel eens
een flonkering in haar ogen, hoewel ik niet eens weet of
ze er iets van begreep, want ze scheen zich geen woord
Spaans meer te herinneren. Riad Halabi liet een televisietoestel plaatsen, maar aangezien zij het negeerde en de
beelden bovendien zo gestoord werden dat het wel be-
richten van andere planeten leken, besloot hij het toestel
in de winkel te zetten. Daar konden buren en klanten er
tenminste plezier van hebben. Mijn bazin dacht niet
meer aan Kamal en klaagde niet meer over haar verloren
liefde, ze had zich eenvoudig teruggetrokken in haar in-
dolentie, waarvoor ze altijd al aanleg had gehad. Haar
ziekte diende haar als voorwendsel om zich te onttrekken
aan vervelend huishoudelijk werk, aan haar huwelijk,
aan zichzelf. Treurnis en verveling bleken voor haar
draaglijker dan de inspanning van een normaal bestaan.
Het kan zijn dat ze toen al begon te spelen met de gedachte aan de dood, de dood als een superieure trap van
luiheid, waarin het niet nodig zou zijn het bloed in haar
aderen voort te stuwen of lucht in haar longen te zuigen,

een toestand van volkomen rust, niet denken, niet voelen, niet bestaan. Haar man bracht haar met zijn vrachtauto naar het streekziekenhuis, drie uur verwijderd van Agua Santa. Daar onderzochten ze haar, gaven haar pillen tegen melancholie en zeiden dat men haar in de hoofdstad zou kunnen genezen door middel van een elektroshock, doch dat was een methode die hij niet kon accepteren.

'Keek ze maar weer eens in de spiegel, dan zou ze zo genezen,' zei ik en ik zette een grote spiegel voor mijn bazin om haar koketterie weer op te wekken. 'Weet u nog hoe blank uw huid vroeger was, Zulema? Zal ik uw ogen opmaken?' Maar het spiegelglas weerkaatste slechts de vage omtrek van een zeekwal.

We raakten gewend aan het idee dat Zulema een soort reusachtige, tere plant was, we hervatten de dagelijkse routine van het huishouden en van De Parel van het Oosten, ik ging weer naar de lessen bij juffrouw Inés. Toen ik begon was ik nauwelijks in staat twee lettergrepen achter elkaar te lezen en ik had het moeizame handschrift van een kleuter, hoewel mijn onwetendheid niet uitzonderlijk was, de meeste inwoners van het dorp waren analfabeet. Je moet goed leren, dan kan je later voor jezelf zorgen, meisje, het is niet goed om afhankelijk te zijn van een echtgenoot, bedenk wel, wie betaalt is de baas, zei Riad Halabi tegen me. Ik was bezeten van leren; geschiedenis, taal en aardrijkskunde boeiden me. Juffrouw Inés was nog nooit buiten Agua Santa geweest maar aan de wanden van haar woning had ze grote kaarten uitgevouwen en 's avonds besprak ze met mij de nieuwsberichten van de radio en wees ze me de onbekende punten aan waar iets gebeurde. Op de vleugels van een encyclopedie en de kennis van mijn onderwijzeres reisde ik de wereld rond. In rekenen bleek ik daarentegen een nul te zijn. 'Hoe kan ik jou ooit de winkel overlaten als je niet kunt vermenigvuldigen?' spoorde de Turk me aan. Daar trok ik me niets van aan, ik was er alleen op uit om de woorden zo goed mogelijk te leren beheersen. Hartstochtelijk las ik in het woordenboek en ik kon me uren bezighouden met het zoeken van rijmwoorden en antoniemen of het oplossen van kruiswoordpuzzels. Omstreeks mijn zeventiende jaar was mijn lichaam volgroeid en had mijn gezicht de trekken gekregen die het nu nog steeds heeft. Vanaf die tijd keek ik nooit meer in de spiegel om mezelf te vergelijken met volmaakte filmsterren of fotomodellen, ik had besloten dat ik mooi was, om de simpele reden dat ik het wilde zijn. Ik dacht er nooit meer een seconde over na. Ik droeg mijn lange haar tot een staart samengebonden op mijn rug, ik droeg katoenen jurken die ik zelf maakte en linnen schoenen. Jongens uit het dorp of vrachtwagenchauffeurs, die een glas bier kwamen drinken, zeiden wel eens dingen tegen me, maar ze werden door Riad Halabi, als een jaloerse vader, weggejaagd.

'Geen van die boerenpummels deugt voor jou, mijn kind. Voor jou zullen we een echtgenoot met een goede positie zoeken, iemand die je respecteert en van je houdt.'

'Zulema heeft me nodig en ik ben hier gelukkig. Waarom zou ik trouwen?'

'Vrouwen moeten trouwen, anders zijn ze niet compleet, dan drogen ze vanbinnen uit, dan schift hun bloed. Maar je bent nog jong, je kunt best nog een poosje wachten. Je moet je voorbereiden op de toekomst. Waarom ga je niet voor secretaresse leren? Zolang ik leef zal het jou aan niets ontbreken, maar je kunt nooit weten, het zou beter zijn als je een beroep had. Als het moment is aangebroken om een verloofde voor je te zoeken, zal ik mooie kleren voor je kopen en dan moet je ook naar de kapper gaan en je haar volgens de mode laten kappen.'

Ik verslond alle boeken die ik te pakken kon krijgen, ik verzorgde het huis en de zieke, ik hielp de baas met de winkel. Ik had het altijd zo druk dat er geen tijd overbleef om aan mezelf te denken, maar in mijn verhalen kwamen verlangens en vragen te voorschijn, waarvan ik niet wist dat ze in mijn hart leefden. Juffrouw Inés bracht me op het idee ze in een schrift op te schrijven. Een groot deel van de nacht bracht ik door met schrijven en daar had ik zoveel plezier in dat de uren omvlogen en ik 's morgens regelmatig met rode ogen uit mijn bed kwam. Voor mij waren dat de mooiste uren. Ik vermoedde dat er niets echt bestond, de werkelijkheid was een glibberige, onduidelijke materie die mijn zintuigen maar half opvingen. Het was niet te bewijzen dat iedereen haar op dezelfde manier waarnam. Het was mogelijk dat Zulema, Riad Halabi en alle anderen een hele andere indruk van de dingen hadden, misschien zagen ze niet dezelfde kleuren en hoorden ze niet dezelfde geluiden als ik. Als dat waar was betekende dat dat iedereen in absolute eenzaamheid leefde. Die gedachte beangstigde me. Ik putte troost uit het idee dat ik die glibberige massa kon beetpakken en omvormen tot wat ik wilde, niet tot een parodie op de werkelijkheid, zoals de musketiers en sfinxen van mijn vroegere Joegoslavische bazin, maar tot een eigen wereld, bevolkt door levende mensen, die ik mijn wetten zou opleggen en die ik naar believen zou kunnen veranderen. Van mij hing het bestaan af van alles wat geboren werd, stierf of voorviel op de roerloze stranden waar mijn verhalen ontkiemden. Alles wat ik wilde, kon ik daarin tot stand brengen, ik hoefde het juiste woord maar uit te spreken om het tot leven te wekken. Soms had ik het gevoel dat de contouren van dit door de macht der verbeelding geschapen universum steviger en duurzamer waren dan het vage gebied waarin de wezens van vlees en bloed die mij omringden, ronddoolden.

Riad Halabi leidde hetzelfde leven als altijd. Hij bekommerde zich om andermans problemen, begeleidde, gaf raad, organiseerde, altijd ten behoeve van de medemens. Hij was voorzitter van de sportclub en de stuwende kracht achter vrijwel alle plannen van de kleine gemeenschap. Twee avonden per week was hij zonder nadere uitleg afwezig en kwam hij pas laat thuis. Als ik hem over de patio hoorde binnensluipen, deed ik het licht uit en hield me slapende, zodat hij zich niet behoefde te generen. Afgezien van die escapades deelden we onze levens als een vader en een dochter. We bezochten samen de mis, omdat de dorpsbewoners, zoals ik dikwijls van juffrouw Inés te horen kreeg, mijn gebrek aan devotie met lede ogen aanzagen, en omdat Riad Halabi besloten had dat het, hoewel hij islamiet was, geen kwaad kon om Allah te aanbidden in een christelijke kerk, zeker niet omdat het niet nodig was de riten op de voet te volgen. Hij gedroeg zich net zoals de andere mannen, die staande in het achterstuk van de kerk samengroepten, en een wat onverschillige houding aannamen omdat knielen als niet erg mannelijk werd beschouwd. Daar kon hij zonder de aandacht te trekken zijn islamitische gebeden opzeggen. We misten geen enkele film in de nieuwe bioscoop van Agua Santa. Als er een romantische film of een musical op het programma stond, namen we Zulema tussen ons in mee, haar als een invalide bij haar armen vasthoudend.

Toen de regentijd voorbij was en de weg, die door het buiten de oevers treden van de rivier was weggeslagen, gerepareerd was, kondigde Riad Halabi aan dat hij nodig op reis moest naar de stad, omdat de voorraden van De Parel van het Oosten dringend aangevuld moesten worden. Ik vond het niet prettig om met Zulema alleen te blijven. Het is mijn werk, meisje, ik moet wel gaan, anders verloopt de zaak, maar ik beloof je dat ik gauw terugkom en dat ik mooie cadeautjes voor je zal meebrengen, zei de baas zoals gewoonlijk, om mij gerust te stellen voor hij vertrok. Hoewel ik er nooit over sprak, was ik nog steeds bang voor het huis, ik voelde dat de muren nog steeds in de ban van Kamal waren. Soms droomde ik van hem en in de schaduwen werd ik zijn geur, zijn vuur gewaar, zijn naakte lichaam dat met opgericht lid naar me wees. Dan riep ik mijn moeder aan om hem voor me weg te jagen, maar niet altijd hoorde ze mijn roepen. Om de waarheid te zeggen was Kamals afwezigheid zo merkbaar dat ik niet begreep hoe we zijn aanwezigheid ooit hadden kunnen verdragen. 's Nachts vulde de leegte, die de neef had achtergelaten, de stille vertrekken, maakte zich meester van de dingen en verzadigde de uren.

Riad Halabi vertrok op donderdagochtend maar pas vrijdags aan het ontbijt viel het Zulema op dat haar man er niet was en ze mompelde zijn naam. Het was het eerste blijk van belangstelling in lange tijd en ik vreesde al dat het het begin was van een nieuwe crisis, maar ze scheen juist opgelucht toen ze hoorde dat hij op reis was. Om haar wat afleiding te bezorgen zette ik haar 's middags op de patio en ging ik de juwelen opgraven. Die waren al maanden niet meer in de zon gelegd en ik kon me niet meer herinneren waar ze precies verstopt waren. Ik moest meer dan een uur zoeken voor ik het kistje ten slotte vond. Ik nam het mee, veegde de aarde eraf en zette het voor Zulema op de grond. Een voor een haalde ik de juwelen eruit en wreef ze op met een doek om het goud weer te laten glanzen en de edelstenen hun kleur terug te geven. Ik deed oorbellen in haar oren en ringen aan iedere vinger van haar handen, ik hing kettingen en snoeren om haar hals, ik overdekte haar armen met armbanden en toen ik haar zo had uitgedost, ging ik een spiegel halen.

'Kijk toch eens hoe prachtig, u ziet eruit als een idool...'

'Zoek een andere plaats om ze te verstoppen,' beval Zulema me in het Arabisch en ze ontdeed zich van de versierselen alvorens opnieuw te verzinken in haar apathie.

Ik vond het een goed idee om een andere schuilplaats te zoeken. Ik stopte alles terug in het kistje, deed er ter bescherming tegen het vocht een plastic zak omheen en ging ermee naar een hellend, met onkruid overdekt stuk land achter het huis. Daar groef ik naast een boom een gat, stopte het pak erin en stampte de aarde goed aan. Met een puntige steen kerfde ik een teken in de stronk om te onthouden waar de plek was. Ik had wel eens gehoord dat boeren dat doen met hun geld. In deze buurt kwam die manier van sparen zo vaak voor, dat het jaren later, toen de autoweg werd aangelegd, herhaaldelijk gebeurde dat aarden potten met munten en door de inflatie al lang uit de roulatie genomen bankbiljetten werden blootgewoeld door tractoren.

Tegen het vallen van de avond maakte ik het eten klaar voor Zulema en bracht ik haar naar bed, en daarna bleef ik nog een hele tijd in de eetkamer zitten naaien. Ik miste Riad Halabi, in het in duister gehulde huis was vrijwel geen natuurlijk geluid te horen, de krekels zwegen, het waaide niet. Om twaalf uur besloot ik naar bed te gaan. Ik deed alle lampen aan en sloot de luiken van de kamers zodat er geen padden naar binnen zouden komen. De achterdeur liet ik op een kier staan om te kunnen vluchten voor het geval dat de geest van Kamal of een andere figuur uit mijn nachtmerries zou komen opdagen. Voor ik in bed stapte wierp ik nog een laatste blik op Zulema en overtuigde me ervan dat ze rustig lag te slapen, slechts bedekt door een laken.

Zoals gewoonlijk werd ik met het eerste ochtendlicht wakker, ik ging naar de keuken om koffie te zetten, schonk die in een kopje en stak de patio over om het aan de zieke te brengen. In het voorbijgaan deed ik alle lichten uit die ik de vorige avond had laten branden en het viel me op dat de gloeilampen vol verschroeide vuurvliegjes zaten. Ik kwam bij de kamer van de vrouw aan, duwde de deur zachtjes open en ging naar binnen.

Zulema lag half op het bed, half op de grond, met gespreide armen en benen, haar gezicht naar de muur, haar blauwzwarte haren uitgespreid over de kussens; de lakens en haar nachthemd waren kletsnat van een rood vocht. Een geur die sterker was dan de bloembladeren in de kommen drong in mijn neus. Ik liep langzaam op het bed toe, zette het kopje op het nachtkastje, boog me over Zulema heen en draaide haar om. Pas toen zag ik dat ze een pistool in haar mond gestoken had en dat het schot haar verhemelte had verwoest.

Ik pakte het wapen op, maakte het schoon en legde het terug in de lade van de commode, tussen het ondergoed van Riad Halabi, waar hij het altijd bewaarde. Daarna duwde ik het lichaam helemaal op de grond en verschoonde de lakens. Ik haalde een bak water, een spons en een handdoek, trok mijn bazin haar nachthemd uit en begon haar te wassen. Ik wilde niet dat iemand haar zo onverzorgd zou zien. Ik drukte haar ogen dicht en maakte haar oogleden zorgvuldig op met kohl, ik kamde haar haren en deed haar haar mooiste nachthemd aan. Het kostte me de grootste moeite om haar weer op het bed te krijgen, want de dood had haar veranderd in een steen. Toen ik de kamer weer op orde had gebracht, ging ik naast Zulema zitten om haar voor het laatst een liefdesverhaal te vertellen, terwijl buiten intussen de ochtend losbarstte in de geluiden van de indianen, die met hun kinderen, hun bejaarden en hun honden naar het dorp gekomen waren om te bedelen, zoals iedere zaterdag.

Het stamhoofd, een man van onbestemde leeftijd met een witte broek en een strooien hoed, kwam als eerste bij het huis van Riad Halabi aan. Hij kwam voor de sigaretten die de Turk hem elke week gaf, en toen hij zag dat de winkel gesloten was, liep hij om het huis heen en kwam binnen door de achterdeur, die ik de vorige avond open had laten staan. Hij liep door naar de patio, waar het om die tijd nog koel was, stak de galerij over en keek om de deur van Zulema's kamer. Vanaf de drempel zag hij mij en hij herkende me meteen want ik hielp hem altijd aan de toonbank in De Parel van het Oosten. Zijn ogen gleden langs de schone lakens, langs het donkere, glimmende hout van de meubels, de kaptafel met de spiegel en de bewerkte zilveren borstels, het lijk van mijn bazin dat er in haar met kant versierde hemd uitzag als een heiligenbeeld. Hij zag ook de stapel bebloede lappen bij het raam. Hij kwam op me toe en zonder een woord te zeggen, legde hij zijn handen op mijn schouders. Ik voelde dat ik van heel ver terugkeerde, met een eindeloos lang in mijn binnenste opgekropte kreet.

Een hele tijd later kwam de politie binnenstormen, het leek wel een invasie, ze trapten deuren in en blaften allerlei bevelen; ik zat nog steeds op mijn plaats en ook de indiaan stond nog naast me met zijn armen over zijn borst gekruist. De overige stamleden hadden zich intussen als een in lompen gekleed leger op de patio verzameld. Daarachter kwamen de inwoners van Agua Santa, fluisterend en elkaar aanstotend keken ze spiedend rond in het woonhuis van de Turk, waar ze sinds het welkomstfeest voor de neef geen voet over de drempel hadden gezet. Bij het zien van de situatie in Zulema's kamer nam de commissaris de touwtjes onmiddellijk in handen. Om te beginnen joeg hij de nieuwsgierigen weg en bracht hij het geroezemoes met een schot in de lucht tot zwijgen, vervolgens liet hij iedereen de kamer verlaten, zoals hij zei omdat de vingerafdrukken niet mochten worden uitgewist, en ten slotte deed hij mij, tot verbazing van iedereen en zelfs van zijn ondergeschikten, de handboeien aan. Sinds de tijd dat er, alweer jaren geleden, gevangenen uit de strafinrichting Santa Maria werden aangevoerd om wegen aan te leggen, had men in Agua Santa nooit meer iemand met handboeien gezien.

'Je blijft hier staan,' beval hij me. Intussen doorzochten zijn mannen de kamer op zoek naar het wapen, ze ontdekten de waskom en de lakens, ze namen het geld uit de winkel en de zilveren borstels in beslag en ze stompten de indiaan, die hardnekkig in de kamer was gebleven en hen steeds als ze bij mij in de buurt kwamen, voor de voeten liep. Daarop kwam juffrouw Inés aanrennen, nog in haar ochtendjas, want het was haar schoonmaakdag. Ze wilde met mij praten, maar dat stond de commissaris niet toe.

'De Turk moet gewaarschuwd worden,' riep de onderwijzeres uit, maar volgens mij wist niemand waar ze hem konden vinden.

Het drukke geschreeuw, het heen en weer geloop en de bevelen hadden de ziel van het huis volkomen veranderd. Ik bedacht dat ik minstens twee dagen nodig zou hebben om de vloeren te boenen en alles weer op zijn plaats te zetten. Zonder me te realiseren dat Riad Halabi op reis was, vroeg ik me af hoe hij zoveel gebrek aan respect kon tolereren, en ook toen het lichaam van Zulema slechts in een laken gewikkeld werd weggedragen, kon ik daar met mijn verstand niet bij. Nog steeds beklemde een langgerekte kreet, als een winterwind, mijn borst, maar ik was niet in staat hem naar buiten te brengen. Het laatste dat ik zag voordat ik in de politiejeep gesleurd werd, was het gezicht van de indiaan die zich naar mij overboog om iets in mijn oor te fluisteren dat ik niet begreep.

Ze sloten me op in een cel op het politiebureau, een klein, heet hokje. Ik had dorst en ik probeerde te roepen dat ik water wilde hebben. De woorden groeiden binnen in mij, ze werden groter, klommen omhoog, weergalmden in mijn hoofd en krulden op mijn lippen, maar ik slaagde er niet in ze naar buiten te brengen, ze bleven vastzitten aan mijn verhemelte. Ik deed een verwoede poging om gelukkige beelden op te roepen: mijn moeder die mijn haar vlocht terwijl ze een liedje zong, een meisje dat op de geduldige rug van een opgezette poema galoppeert, de aanrollende golven in de eetkamer van de ongetrouwde broer en zuster, de nachtelijke lachbuien met Elvira, mijn onverschrokken grootje. Ik sloot mijn ogen en wachtte. Uren later werd ik gehaald door een sergeant, die ik de dag tevoren in De Parel van het Oosten nog een glas rum had geschonken. Ik moest blijven staan tegenover het bureau van de officier van dienst, terwijl hij daarnaast aan een lessenaar ging zitten om langzaam en moeizaam mijn verklaring op te schrijven. Het vertrek was grijsgroen geschilderd en langs de wanden stonden ijzeren banken opgesteld. Om het gewenste ontzag af te dwingen stond de tafel van de chef op een verhoging. De bladen van een ventilator aan het plafond brachten de lucht in beweging en verjoegen de muskieten, maar de drukkende, vochtige hitte werd er niet minder door. Ik dacht aan de Arabische fontein op de patio, aan het heldere geluid van water dat over de stenen van de patio kletterde, aan de grote kan ananassap die juffrouw Inés klaarzette als ze me les gaf. De commissaris trad binnen en nam tegenover me plaats.

'Je naam,' blafte hij me toe en ik probeerde het hem te zeggen, maar weer bleven de woorden ergens steken en het lukte me niet ze los te maken.

'Dat is Eva Luna, de Turk heeft haar ooit eens opgepikt op een van zijn reizen. Ze was toen nog een kind, weet u niet meer dat ik het u verteld heb, commissaris?' zei de sergeant.

'Hou je bek jij, er wordt je niets gevraagd.'

Dreigend kalm kwam hij op me af en mij van top tot teen opnemend liep hij met een grijns op zijn gezicht om me heen. Hij was een vrolijke, goed uitziende donkere man, die spanningen opriep tussen de jonge dochters van Agua Santa. Twee jaar geleden was hij in het dorp gearriveerd, op de wind van de laatste verkiezingen, waarbij verscheidene ambtenaren, waaronder ook van de politie, vervangen waren door mensen van de regeringspartij. Ik kende hem wel, hij kwam regelmatig op dezelfde plaatsen als Riad Halabi en soms speelden ze samen domino.

'Waarom heb je haar gedood? Om haar te bestelen? Men zegt dat de Turkse vrouw rijk is en op de patio een schat begraven heeft. Geef antwoord, hoer! Waar heb je de juwelen verstopt die je gestolen hebt?'

Het duurde een eeuwigheid voordat ik me het pistool, het verstijfde lichaam van Zulema en alles wat ik met haar gedaan had voor de komst van de indiaan, kon herinneren. Ten slotte berustte ik in de omvang van het onheil, ik slikte mijn tong in en deed geen enkele poging meer om te antwoorden. De officier hief zijn hand op, zwaaide zijn arm naar achteren en gaf me een klap. Dat is alles wat ik me herinner. Ik kwam bij in dezelfde kamer, aan de stoel gebonden, alleen, mijn jurk was me uitgetrokken. Het ergste was de dorst, o, ananassap, water uit de fontein... Het daglicht was verdwenen en het vertrek werd verlicht door een lamp die naast de ventilator aan het plafond hing. Ik probeerde me te bewegen, maar mijn hele lijf deed me pijn, vooral de brandwonden van sigaretten op mijn benen. Even later kwam de sergeant binnen, hij had het jasje van zijn uniform uitgedaan, zijn hemd was doornat van het zweet en hij had een stoppelbaard. Hij veegde het bloed van mijn mond en streek de haren uit mijn gezicht.

'Je kunt maar beter bekennen. Je denkt toch niet dat de commissaris al met je klaar is? Hij begint pas... Wil je weten wat hij soms doet met vrouwen?'

Ik probeerde met mijn blik te zeggen wat er in Zulema's kamer gebeurd was, maar opnieuw vervaagde de werkelijkheid en zag ik mezelf op de grond zitten met mijn hoofd tussen mijn knieën en een vlecht om mijn hals gewonden, mama, riep ik geluidloos.

'Je bent nog koppiger dan een ezel,' mompelde de sergeant en zijn gezicht drukte oprecht medelijden uit.

Hij ging water halen en hield mijn hoofd vast om me te laten drinken, daarna bevochtigde hij een doek en streek daarmee voorzichtig over de verwondingen op mijn gezicht en mijn hals. Zijn ogen ontmoetten de mijne en hij glimlachte tegen me als een vader.

'Ik zou je graag helpen, Eva, ik wil niet dat je nog meer mishandeld wordt, maar ik heb het hier niet voor het zeggen. Als je mij vertelt hoe je de Turkse vrouw gedood hebt en waar je verborgen hebt wat je gestolen hebt, zal ik zorgen dat de commissaris je vandaag nog laat overbrengen naar de kinderrechter. Vooruit, vertel het me... wat is er met je, ben je je tong verloren? Ik zal je nog wat water geven, misschien kom je dan weer tot je positieven en kunnen we elkaar beter gaan begrijpen.'

Achter elkaar dronk ik drie glazen leeg en het genot van de koude vloeistof die door mijn keel gleed was zo groot, dat ook ik glimlachte. Daarop bevrijdde de sergeant me van de handboeien, gaf me mijn jurk terug en streelde me over mijn wang.

'Arm kindje... De commissaris blijft nog wel een paar uur weg, hij is naar de bioscoop en daarna gaat hij een biertje drinken, maar hij komt terug, dat is zeker. Als hij terugkomt zal ik je een klap geven zodat je weer flauwvalt, misschien laat hij je dan tot morgen met rust... Wil je een slokje koffie?'

Riad Halabi hoorde het nieuws lang voordat het in de kranten stond. Het bericht was van mond tot mond gegaan en langs allerlei achterafweggetjes naar de hoofdstad gereisd, waar het via straten, tweederangshotels en Turkse warenhuizen ten slotte in het enige Arabische restaurant van het land terechtkwam, dat niet alleen gerechten uit de oosterse keuken, oosterse muziek en een stoombad op de eerste verdieping had, maar waar ook nog een als haremvrouw verklede creoolse optrad, die een merkwaardige, zelfbedachte dans der zeven sluiers uitvoerde. Een van de kelners ging naar de tafel waaraan Riad Halabi zich te goed deed aan een schaal vol heerlijkheden uit zijn geboorteland, om hem een boodschap over te brengen van de indiaanse hulpkok, die afkomstig was uit de stam, die zich in de buurt van Agua Santa ophield. Dat was op zaterdagavond. Riad Halabi reed in één ruk met zijn vrachtauto terug naar Agua Santa, waar hij de volgende ochtend net op tijd aankwam om de commissaris te beletten mij opnieuw te verhoren.

'Geef me onmiddellijk mijn meisje terug,' eiste hij dringend.

Ik zat weer naakt en aan de stoel gebonden in de groene kamer toen ik de stem van mijn baas hoorde, die ik niet meteen herkende omdat ik hem nog nooit zo'n autoritaire toon had horen aanslaan.

'Ik kan de verdachte niet laten gaan, Turk, u moet begrip hebben voor mijn positie,' zei de commissaris.

'Wat kost het?'

'Kom, dan gaan we naar mijn kantoor om de zaak onder vier ogen te bespreken.'

Het was echter al te laat om mij buiten het schandaal te houden. De kranten in de hoofdstad hadden al foto's van me afgedrukt, van voren en van opzij, met een zwarte strook over mijn ogen omdat ik minderjarig was, en niet lang daarna verschenen ze ook in de misdaadrubrieken onder de merkwaardige kop 'Vermoord door eigen bloed' waarin ik ervan beschuldigd werd de vrouw te hebben gedood, die mij uit de goot had gehaald. Ik heb nog een stuk krant, vergeeld en verpulverd als een dor blad, waarin het verzonnen verhaal van deze afgrijselijke misdaad in geuren en kleuren wordt verteld, en ik heb het zo dikwijls gelezen dat er momenten in mijn leven zijn geweest, waarop ik begon te geloven dat het waar was.

'Fatsoeneer haar een beetje, dan dragen we haar over aan de Turk,' beval de commissaris na afloop van het gesprek met Riad Halabi.

De sergeant waste me zo goed hij kon. Mijn jurk wilde hij me niet laten aantrekken, omdat die onder het bloed zat van Zulema en van mezelf. Ik zweette zo dat het me ook liever was een vochtige deken om te slaan om mijn naaktheid te bedekken en tegelijk wat af te koelen. Hij streek mijn haar een beetje weg maar ik bleef er beklagenswaardig uitzien. Riad Halabi slaakte een kreet toen hij me zag. 'Wat hebben jullie met mijn kindje gedaan?'

'Maak geen problemen, Turk, dat maakt het voor haar alleen maar erger,' waarschuwde de commissaris. 'Denk eraan dat ik je een gunst bewijs, het is mijn plicht haar gevangen te houden tot de zaak is opgehelderd. Wie zegt je dat zij je vrouw niet vermoord heeft?'

'U weet heel goed dat Zulema gek was en zelfmoord heeft gepleegd!'

'Ik weet helemaal niets. Er is geen enkel bewijs. Neem dat meisje mee en val me niet lastig, ik kan nog steeds van idee veranderen.'

Riad Halabi sloeg zijn armen om me heen en langzaam liepen we naar de uitgang. Toen we over de drempel kwamen en op straat verschenen, zagen we dat alle buren voor het hoofdbureau waren samengestroomd, en ook enkele indianen, die Agua Santa nog niet verlaten hadden en die aan de overkant van het plein roerloos stonden te kijken. Toen wij het gebouw hadden verlaten en twee stappen in de richting van de vrachtwagen hadden gedaan, begon het stamhoofd met zijn voeten op de grond te stampen in een vreemde dans, die een dof geluid produceerde als van een trom.

'Lopen jullie allemaal naar de hel of ik schiet!' schreeuwde de commissaris razend.

Juffrouw Inés kon zichzelf niet langer beheersen en gebruikmakend van de autoriteit die ze had verworven door zich jarenlang te hebben laten gehoorzamen in het schoollokaal, kwam ze naar voren en terwijl ze hem recht in de ogen keek spuugde ze voor zijn voeten. 'De hemel zal je straffen, ellendeling,' zei ze luid en duidelijk zodat iedereen het kon horen. De sergeant deed een stap achteruit, hij vreesde het ergste, maar zijn meerdere glimlachte smalend en gaf geen antwoord. Niemand verroerde zich nog totdat Riad Halabi mij in de auto had laten plaatsnemen en de motor had gestart. Daarop begaven de indianen zich op de terugweg naar het oerwoud en verspreidden de inwoners van Agua Santa zich onder het mompelen van verwensingen aan het adres van de politie. Dat komt ervan als je mensen van buiten aantrekt, niet één van die schurken is hier geboren, anders zouden ze zich niet zo'n air aanmeten, brieste mijn baas onderweg in de vrachtwagen.

We gingen het huis binnen. Ramen en deuren stonden wagenwijd open, maar in alle vertrekken was het onheil nog duidelijk aanwezig. Het huis was leeggeroofd – door de gardisten, zeiden de buren, door de indianen, zeiden de gardisten – het leek wel een slagveld, de radio en het televisietoestel waren verdwenen, de helft van het serviesgoed was kapot, in de kelders was het een bende, de koopwaar lag overal verspreid en de zakken met zaden, meel, koffie en suiker waren opengesneden. Met zijn arm nog steeds om mijn middel stapte Riad Halabi over de door de wervelwind nagelaten sporen, hij bleef niet staan om de schade op te nemen en hij bracht me naar het bed waarop een dag tevoren zijn vrouw nog had gelegen.

'Wat hebben die honden je toegetakeld...' zei hij en hij dekte me toe.

Daarop kwamen de woorden eindelijk weer los, als een niet te stuiten brij en over elkaar heen buitelend, kwamen ze de een na de ander naar buiten, een enorme neus die naar me wees zonder me te zien en zij witter dan ooit likkend en zuigend, de krekels in de tuin en de nachtelijke hitte, allemaal zwetend, zij beiden zwetend en ik zwetend, ik heb niets gezegd zodat we het zouden kunnen vergeten, in ieder geval is hij vertrokken, hij is vervlogen als een luchtspiegeling, zij besteeg hem en slokte hem op, laat ons huilen, Zulema, omdat het voor ons uit is met de liefde, slank en sterk, donkere neus die in haar binnendringt, niet in mij, alleen in haar, ik dacht dat ze weer zou gaan eten, dat ze me weer verhalen zou vragen, dat ze haar goud weer in de zon zou leggen, daarom heb ik niets tegen u gezegd, meneer Riad, een schot en haar mond was net zo gespleten als die van u, Zulema helemaal bebloed, bebloede haren, bebloed hemd, het huis onder het bloed, en het oorverdovende gezang van de krekels, zij besteeg hem en slokte hem op, hij ontsnapte, allemaal zwetend, de indianen weten wat er gebeurd is en de commissaris weet het ook, zeg dat hij me niet aanraakt, dat hij me niet slaat, ik zweer het, ik heb het schot niet gehoord, het is door haar mond naar binnen gegaan en heeft haar verhemelte verwoest, ik heb haar niet gedood, ik heb haar aangekleed zodat u haar niet zo te zien zou krijgen, ik heb haar gewassen, er zit nog koffie in het kopje, ik heb haar niet gedood, zij heeft het gedaan, zij alleen, zeg tegen ze dat ze me moeten loslaten, dat ik het niet was, ik was het niet, ik was het niet...'

'Dat weet ik toch, meisje van me. Hou alsjeblieft je mond.' En Riad Halabi wiegde me heen en weer, huilend van verbittering en verdriet.

Juffrouw Inés en mijn baas legden ijskompressen op mijn gekneusde plekken en verfden vervolgens mijn beste jurk zwart, voor de begrafenis. De volgende dag had ik nog steeds koorts en mijn gezicht was gezwollen, maar de onderwijzeres stond erop dat ik me van top tot teen in de rouw stak, met zwarte kousen en een sluier op mijn hoofd, zoals de gewoonte was, om de begrafenis van Zulema bij te wonen, die meer dan vierentwintig uur was uitgesteld omdat er geen lijkschouwer gevonden kon worden om autopsie te verrichten. Je moet roddelpraatjes meteen de kop indrukken, zei juffrouw Inés. De pastoor liet zich niet zien om er geen twijfel over te laten bestaan dat het een geval van zelfmoord was en niet van moord, zoals de gardisten bleven rondvertellen. Uit eerbied voor de Turk en om de commissaris te pesten defileerde heel Agua Santa langs het graf en stuk voor stuk omhelsden en condoleerden ze mij alsof ik de dochter van Zulema was, en ik er niet van werd verdacht haar te hebben vermoord.

Twee dagen later voelde ik me een stuk beter en kon ik Riad Halabi gaan helpen met het weer op orde brengen van het woonhuis en de winkel. Het leven hernam zijn loop zonder dat we over het gebeurde spraken of de namen van Zulema en Kamal noemden, maar toch verschenen die allebei in de schaduwen in de tuin, in de hoeken van de kamers, in het schemerdonker van de keuken, hij naakt met vurige ogen en zij ongeschonden, mollig en blank, zonder sporen van bloed of sperma, alsof ze een natuurlijke dood gestorven was.

Ondanks de voorzorgsmaatregelen van juffrouw Inés groeide en rees de kwaadsprekerij als gist; dezelfde mensen die drie maanden tevoren nog bereid waren geweest met de hand op het hart te verklaren dat ik onschuldig was, begonnen nu kletspraatjes rond te strooien omdat ik met Riad Halabi alleen onder één dak woonde, zonder dat er een aantoonbare familierelatie tussen ons bestond. Toen het geroddel de vensters binnengleptе en het huis binnendrong, had het al schrikbarende afmetingen aangenomen: de Turk en die uitgekookte meid zijn minnaars, ze hebben neef Kamal vermoord en zijn lijk in de rivier gegooid om het te laten meevoeren door de stroom en opeten door de piranha's, daardoor heeft die arme vrouw haar verstand verloren en haar hebben ze ook vermoord om het huis voor hen alleen te hebben en nu houden ze zowel overdag als 's nachts seksuele en ketterse islamitische bacchanalen, de arme man, zijn schuld is het niet, die duivelse meid heeft hem het hoofd op hol gebracht.

'Ik geloof die achterbakse praatjes van de mensen niet, Turk, maar waar rook is, is vuur. Ik zal opnieuw een onderzoek moeten instellen, zo gaat het niet langer,' dreigde de commissaris.

'Hoeveel moet u ditmaal hebben?'

'Komt u maar langs op mijn kantoor, dan bespreken we de zaak.'

Riad Halabi besefte dat de chantage nooit een eind zou nemen en dat de situatie een punt bereikt had vanwaar terugkeer onmogelijk was. Niets zou ooit meer worden zoals vroeger, het dorp zou ons het leven onmogelijk maken, het was tijd voor ons om uit elkaar te gaan. Zorgvuldig zijn woorden kiezend, zei hij het me die avond, terwijl hij in zijn smetteloos witte tropenhemd bij de Arabische fontein op de patio zat. De hemel was helder, ik kon zijn grote, bedroefde ogen onderscheiden, twee vochtige olijven, en ik dacht aan al het mooie dat ik met deze man gedeeld had, aan de kaart- en dominospelletjes, aan het 's avonds lezen in de encyclopedie, aan de films, aan de uren dat we samen kokkerelden... Ik kwam tot de conclusie dat ik een innige, dankbare liefde voor hem voelde. Een wee gevoel trok door mijn benen, bedrukte mijn hart en bezorgde me brandende ogen. Ik ging achter de stoel staan waar hij op zat en voor het eerst in al die tijd dat we onder één dak woonden, had ik de moed hem aan te raken. Ik legde mijn handen op zijn schouders en mijn kin op zijn hoofd. Gedurende een niet meer te schatten tijd zat hij roerloos, misschien voorvoelde hij wat er zou gebeuren en verlangde hij daarnaar, want hij haalde zijn zakdoek te voorschijn en bedekte daarmee zijn mond. Nee, dat niet, zei ik en ik nam hem de doek af en gooide die op de grond. Daarna liep ik om de stoel heen en ging op zijn schoot zitten, en met mijn armen om zijn hals en mijn gezicht vlak bij het zijne keek ik hem aan, zonder met mijn ogen te knipperen. Hij rook fris, naar een pas gestreken overhemd en naar lavendel. Ik kuste zijn gladgeschoren wang, zijn voorhoofd, zijn sterke, donkere handen. Aiaiai, meisje van me, zuchtte Riad Halabi, en ik voelde zijn warme adem langs mijn hals in mijn bloesje glijden. Het genot bezorgde me kippenvel en mijn tepels werden hard. Met een schok besefte ik dat ik nog nooit zo dicht bij iemand was geweest en dat het eeuwen geleden was dat iemand me had geliefkoosd. Ik pakte zijn gezicht, trok het langzaam naar me toe en kuste hem lang op zijn lippen, en terwijl ik de eigenaardige vorm van zijn mond leerde kennen schoot mij een vuur door merg en been en kreeg ik vlinders in mijn buik. Heel even scheen hij zich te verzetten tegen zijn eigen verlangen, maar meteen daarna liet hij zich gaan en volgde hij mij in het spel, hij streelde me, totdat de spanning ondraaglijk werd en we elkaar, snakkend naar adem, loslieten.

'Nog nooit heeft iemand me op mijn mond gekust,' fluisterde hij.

'Mij ook niet,' zei ik en ik pakte zijn hand om hem mee te trekken naar de slaapkamer.

'Wacht even, kind, ik wil je niet in de problemen brengen...'

'Sinds de dood van Zulema heb ik niet meer gemenstrueerd. Van de schrik, zegt juffrouw Inés... ze denkt dat ik nooit zwanger zal worden,' zei ik met een rood hoofd.

De hele nacht bleven we samen. Riad Halabi had in de loop van zijn lange leven allerlei manieren bedacht om te vrijen met een zakdoek voor zijn gezicht. Hij was een vriendelijke, voorkomende man, die er altijd op uit was om genegenheid te wekken en geaccepteerd te worden, en daarom had hij alle mogelijkheden beproefd om de liefde te bedrijven zonder dat zijn lippen eraan te pas kwamen. Hij had zijn handen en de rest van zijn zware lichaam omgevormd tot een gevoelig instrument, waarmee hij een willige vrouw in verrukking kon brengen en volkomen bevredigen. Dit samenzijn was voor ons beiden zo definitief dat het een hele plechtige ceremonie had kunnen worden, maar het werd daarentegen een vrolijke, lacherige aangelegenheid. Samen betraden we een eigen universum waarin de natuurlijke tijd niet bestond en gedurende die uren konden we in volkomen intimiteit leven, zonder aan iets anders te denken dan aan onzelf, twee speelse kameraden zonder schaamte, gevend en ontvangend. Riad Halabi was een wijs en teder man, en hij bezorgde me die nacht zoveel genot dat er heel wat jaren overheen zouden gaan en er heel wat mannen in mijn leven moesten komen voordat ik me ooit weer zo volmaakt zou voelen. Hij leerde me de talloze mogelijkheden van het vrouwelijk geslacht en met minder zou ik nooit meer genoegen nemen. Dankbaar aanvaardde ik het schitterende geschenk van mijn eigen gevoeligheid, ik leerde mijn lichaam kennen, ik wist dat ik voor dit genot geboren was en ik wenste me het leven zonder Riad Halabi niet voor te stellen.

'Laat me bij je blijven,' smeekte ik hem bij het ochtendgloren.

'Meisje, ik ben veel te oud voor je, als jij dertig bent, ben ik een kindse oude man.'

'Wat doet dat ertoe! Laten we profiteren zolang we samen zijn...'

'Het geroddel zal ons nooit met rust laten. Ik heb mijn leven al gehad, maar het jouwe is nog niet eens begonnen. Je moet weg uit dit dorp, je moet je naam veranderen, je ontwikkelen, alles vergeten wat ons is overkomen. Ik zal je altijd blijven helpen, jij bent voor mij meer dan een dochter...'

'Ik wil niet weg, ik wil hier blijven, bij jou, trek je toch niets aan van wat de mensen zeggen.'

'Je moet mij gehoorzamen, ik weet waarom ik het doe, je weet toch wel dat ik de wereld beter ken dan jij? Ze zullen ons net zolang blijven achtervolgen tot ze ons gek gemaakt hebben, we kunnen niet opgesloten blijven leven, dat zou niet eerlijk zijn tegenover jou, jij bent nog maar een kind.' En na een lang stilzwijgen vervolgde

Riad Halabi: 'Er is iets wat ik je al dagen wil vragen, weet jij waar Zulema haar juwelen heeft verstopt?'

'Ja.'

'Goed, je hoeft het mij niet te zeggen. Ze zijn nu van jou, maar laat ze liggen waar ze zijn, je hebt ze nu nog niet nodig. Ik zal je geld geven om in de hoofdstad van te leven, naar school te gaan en een beroep te leren, dan ben je van niemand afhankelijk, zelfs niet meer van mij. Het zal je aan niets ontbreken, mijn kind. Zulema's juwelen zullen op je wachten, en ze worden je bruidsschat als je trouwt.'

'Ik trouw met niemand, alleen met jou, alsjeblieft, stuur me niet weg.'

'Ik doe het omdat ik zoveel van je hou, Eva, ooit zul je dat begrijpen.'

'Nooit zal ik het begrijpen, nooit!'

'Sstt...laten we het daar nu niet over hebben, kom hier, we hebben nog een paar uur.'

's Morgens wandelden we samen naar het plein. Riad Halabi droeg de koffer vol nieuwe kleren die hij voor me had ingepakt, ik liep zwijgend naast hem met geheven hoofd en een uitdagende blik, zodat niemand zou merken dat ik op het punt stond te gaan huilen. Het was een dag als alle andere, kinderen speelden op straat en de oude vrouwen van Agua Santa hadden hun stoelen op de stoep gezet en zaten met teilen op schoot maïs te pellen. De ogen van het dorp volgden ons meedogenloos tot de bushalte. Niemand zwaaide me vaarwel, zelfs de commissaris, die toevallig langs kwam in zijn jeep, draaide zijn hoofd af en deed of hij niets gezien had, dat was zijn deel van de afspraak.

'Ik wil niet weg,' smeekte ik voor het laatst.

'Maak het niet nog moeilijker voor me, Eva.'

274

'Kom je me opzoeken in de stad? Beloof me dat je gauw komt, dan gaan we weer vrijen.'

'Het leven is lang, m'n kind, en het is vol verrassingen, er kan van alles gebeuren.'

'Kus me.'

'Dat kan ik niet, de mensen kijken. Ga de bus in en stap er onder geen voorwaarde uit voor je in de hoofdstad bent. Daar neem je een taxi en je gaat naar het adres dat ik voor je heb opgeschreven. Het is een kostschool voor jongedames, juffrouw Inés heeft met de directrice getelefoneerd, en daar ben je in goede handen.'

Vanachter het raampje zag ik hem staan met de zakdoek voor zijn mond.

Ik legde dezelfde weg af die ik jaren tevoren slapend gereden had in de vrachtwagen van Riad Halabi. Voor mijn ogen ontvouwde zich het verrassende landschap van de streek, maar ik zag het niet, mijn blik was naar binnen gekeerd, nog steeds overweldigd door de ontdekking van de liefde. Ik had er een voorgevoel van dat ik de rest van mijn leven steeds als ik aan Riad Halabi terugdacht opnieuw die overweldigende dankbaarheid zou voelen, en dat is ook zo. Gedurende de urenlange reis probeerde ik me te bevrijden van smachtende herinneringen, de nodige afstand te nemen tot het verleden en de inventaris op te maken van mijn mogelijkheden. Tot dan toe had ik altijd gedaan wat anderen mij opdroegen, hunkerend naar genegenheid, zonder andere toekomst dan de dag van morgen en zonder ander vermogen dan mijn verhalen. Ik had voortdurend alle zeilen van mijn verbeeldingskracht moeten bijzetten om datgene wat mij ontbrak aan te vullen. Zelfs mijn moeder was een vluchtige schaduw die ik iedere dag opnieuw moest tekenen om haar niet in de doolhof van mijn herinneringen te verliezen. Ik woog ieder woord dat de afgelopen nacht gezegd was en ik begreep dat de man van wie ik vijf jaar had gehouden als van een vader en naar wie ik nu verlangde als naar een minnaar, een onmogelijk toekomstbeeld was. Ik bekeek mijn handen, die ruw waren van het huishoudelijke werk, ik streek ermee langs mijn jukbeenderen, ik stopte mijn vingers in mijn haren en zei zuchtend, afgelopen. Hardop herhaalde ik, afgelopen, afgelopen. Daarna haalde ik het papiertje met het adres van de kostschool voor jongedames uit mijn tas, maakte er een prop van en gooide het uit het raam.

Ik arriveerde in de hoofdstad op een moment dat daar grote consternatie heerste. Nadat ik met mijn koffer uit de bus was gestapt, keek ik om me heen en ik merkte dat er iets alarmerends aan de gang was, politieagenten renden dicht langs de muren of bewogen zich zigzaggend tussen de geparkeerde auto's door, dichtbij hoorde ik schieten. Als antwoord op zijn vragen werd de chauffeur toegeschreeuwd dat we moesten maken dat we daar wegkwamen, iemand was vanaf het gebouw op de hoek met een geweer aan het schieten. De passagiers grepen hun bagage en verspreidden zich overhaast in alle richtingen. Verdwaasd liep ik achter hen aan, ik wist niet welke kant ik op moest, ik herkende de stad niet.

Bij het verlaten van het busstation merkte ik dat er iets in de lucht hing, de atmosfeer was verzadigd van spanning, de mensen sloten ramen en deuren, de winkeliers lieten hun rolluiken neer, de straten begonnen leeg te lopen. Ik wilde een taxi nemen om zo snel mogelijk daar weg te komen, maar er was er niet één die stopte, en omdat er ook geen ander openbaar vervoer reed bleef me niets anders over dan door te lopen op mijn nieuwe schoenen, die aan mijn voeten knelden. Ik hoorde een hels lawaai en toen ik omhoog keek, zag ik een helikopter als een verdwaalde bromvlieg door de lucht cirkelen. Mensen renden me voorbij en ik probeerde erachter te komen wat er aan de hand was, maar niemand wist het precies. Staatsgreep, was het enige dat ik uit hun uitroepen kon opvangen. Ik wist toen nog niet wat dat woord betekende, maar ik begreep wel dat ik in beweging moest blijven en doelloos liep ik door; de koffer die ik in mijn hand had werd steeds zwaarder. Een halfuur later stond ik voor een hotel dat er redelijk uitzag en ik ging naar binnen. Ik rekende uit dat ik voldoende geld had om het daar een poosje uit te zingen. De volgende dag ging ik op zoek naar werk.

Iedere ochtend vertrok ik vol verwachting en iedere avond kwam ik bekaf terug. Ik las alle personeelsadvertenties in de krant en meldde me overal waar iemand gevraagd werd, maar al na een paar dagen begreep ik dat ik, tenzij ik bereid was naaktdanseres of barjuffrouw te worden, alleen werk zou kunnen vinden als dienstbode en daar had ik mijn buik van vol. Een paar maal was ik zo wanhopig dat ik op het punt stond Riad Halabi op te bellen, maar ik deed het niet. Ten slotte kreeg de hoteleigenaar, die altijd in de portiersloge zat en mij zag weggaan en weer thuiskomen, in de gaten in wat voor toestand ik verkeerde en hij bood aan me te helpen. Hij legde me uit dat het, vooral gezien de politieke strubbelingen in die dagen, heel moeilijk zou zijn om werk te vinden zonder een aanbeveling, en hij gaf me een brief voor een vriendin van hem. Toen ik in de buurt van het opgegeven adres kwam, herkende ik de omgeving van de Republiekstraat en mijn eerste opwelling was maken dat ik daar wegkwam, maar toen ik er nog eens over nadacht vond ik dat vragen geen kwaad kon. Ik slaagde er echter niet in het gezochte gebouw te bereiken doordat ik in een straatoproer terechtkwam. Een aantal jongelui rende langs me heen en sleepte me mee naar het pleintje tegenover de kerk van de seminaristen. De studenten zwaaiden met hun vuisten, schreeuwden en brulden leuzen en ik stond ertussen en begreep verdomme niet wat er aan de hand was. Krijsend beschuldigde een jongen de regering ervan dat ze zich verkocht had aan het imperialisme en het volk had verraden, twee anderen klommen tegen de gevel van de kerk en hingen er een spandoek aan, terwijl alle overigen in koor schreeuwden: 'Ze komen er niet door, ze komen er niet door!' Daarop verscheen een groep militairen die begon te schieten en te slaan. Ik rende weg om een plekje te zoeken waar ik kon wachten tot de rust op het plein was weergekeerd en ikzelf weer op adem gekomen was. Op dat moment zag ik dat de zijdeur van de kerk op een kier stond en zonder me te bedenken glipte ik naar binnen. De geluiden van buiten drongen er wel door, maar gedempt, alsof de gebeurtenissen zich in een andere tijd voltrokken. Ik ging in de dichtstbijzijnde bank zitten en terwijl ik dat deed, werd ik overmand door de vermoeidheid van de afgelopen dagen, ik zette mijn voeten op de richel en liet mijn hoofd op de leuning rusten. In de vredige rust van de omsloten ruimte kalmeerde ik langzamerhand, ik voelde me prettig in de halfduistere wijkplaats, omringd door pilaren en roerloze heiligen, gehuld in zwijgen en koelte. Ik dacht aan Riad Halabi en wenste dat ik bij hem was, net als alle avonden van de afgelopen jaren, samen op de patio op het uur dat de zon onderging. Ik huiverde bij de gedachte aan de liefde, maar meteen verwierp ik de gedachte daaraan. Later, toen ik merkte dat de weergalm van de straat verflauwd was en dat er minder licht door de vensters naar binnen viel, maakte ik de rekening op van alles wat ik in lange tijd had meegemaakt en keek ik om me heen. In een van de andere banken zag ik een vrouw zitten, die zo mooi was dat ik haar even voor een goddelijke verschijning hield. Ze draaide haar hoofd om en wenkte me vriendelijk.

'Ben je ook overvallen door het tumult?' vroeg de schitterende onbekende met een bovenaards stemgeluid, en ze kwam naast me zitten. 'Er zijn overal relletjes, ik heb gehoord dat de studenten zich verschanst hebben in de universiteit, en dat er een paar regimenten zijn opgeroepen, dit land is een janboel, op deze manier zal onze democratie geen lang leven beschoren zijn.'

Vol verbazing keek ik haar aan, mijn ogen gingen langs haar trekken als bij een renpaard, de lange, smalle handen, de dramatische oogopslag, de klassieke lijn van neus en kin. Ik had het gevoel dat ik haar al eens eerder had gezien of in ieder geval in mijn dromen had ontmoet. Zij keek mij ook aan en om haar roodgeverfde mond speelde een glimlach.

'Ik heb je al eens ergens ontmoet...'

'Dat geloof ik ook.'

'Ben jij niet dat meisje dat verhalen vertelde... Eva Luna?'

'Ja...'

'Ken je me niet meer? Ik ben het, Melecio.'

'Hoe kan dat? Wat is er met je gebeurd?'

'Heb je wel eens van reïncarnatie gehoord? Dat is net zoiets als opnieuw geboren worden. Laten we zeggen dat ik gereïncarneerd ben.'

Ik betastte haar naakte armen, haar ivoren armbanden, een lok van haar haar. Ik raakte geëmotioneerd alsof ik een uit mijn eigen verbeelding ontsproten personage

279

voor me zag. Alle mooie herinneringen die ik sinds de tijd bij Madame aan dit schepsel bewaard had en die ik sindsdien had gekoesterd, schoten me te binnen en ik uitte ze in de naam: Melecio, Melecio. Tranen, zwart van de oogmake-up, zag ik langzaam over het volmaakte gezicht lopen, dat ik naar me toe trok om het te kussen, eerst verlegen en daarna vol onomwonden blijdschap, Melecio, Eva, Melecio...

'Zo moet je me niet noemen, ik heet nu Mimi.'

'Een leuke naam, hij past goed bij je.'

'Wat zijn we allebei veranderd! Kijk niet zo naar me, ik ben geen homo, ik ben een transseksueel.'

'Een wat?'

'Ik ben per vergissing als man geboren, maar nu ben ik een vrouw.'

'Hoe heb je dat voor elkaar gekregen?'

'Door veel pijn. Ik heb altijd al geweten dat ik niet zo was als alle anderen. Maar pas in de gevangenis heb ik besloten de natuur een loer te draaien. Het lijkt wel een wonder dat wij elkaar tegen het lijf gelopen zijn, en dan ook nog in een kerk. Ik ben zeker in geen twintig jaar in een kerk geweest,' zei Mimi en veegde de laatste tranen uit haar ogen.

Melecio was gearresteerd tijdens het Hoerenoproer, die gedenkwaardige volksopstand, die hijzelf ontketend had met zijn ongelukkige brief aan de minister van Binnenlandse Zaken over de steekpenningen van de politie. De nachtclub waar hij werkte was toen overvallen en zonder dat ze hem de tijd hadden gegund om zijn gewone kleren aan te trekken, was hij in zijn bikini van valse parels en diamanten, met zijn roze struisvogelstaart, zijn blonde pruik en op zijn zilveren sandalen meegenomen. In de gevangenis had zijn verschijning een stortvloed van scheldwoorden en gejoel ontketend, ze hadden hem afgetuigd en veertig uur opgesloten in een cel bij de zwaarste criminelen. Daarna hadden ze hem overgedragen aan een psychiater, die proeven deed om homoseksualiteit te genezen door bij de persoon in kwestie walging op te wekken. Zes dagen en zes nachten kreeg hij allerlei drugs toegediend tot hij er haast dood bij neerviel en intussen moest hij foto's bekijken van atleten, dansers en mannelijke fotomodellen, met het doel een geconditioneerde reflex van afkeer tegen zijn eigen seksegenoten bij hem op te wekken. Op de zesde dag had Melecio, die onder normale omstandigheden de vredelievendheid zelve was, zijn geduld verloren. Hij vloog de arts naar de keel, zette als een hyena zijn tanden in diens vlees en als ze hem niet op tijd hadden weggetrokken, zou hij de dokter met zijn blote handen gewurgd hebben. Men concludeerde daaruit dat hij een afkeer van de psychiater had ontwikkeld, hij werd ongeneeslijk verklaard en vervolgens overgeplaatst naar de Santa Maria-gevangenis, waar men misdadigers opborg, die geen uitzicht op een proces hadden, en politieke gevangenen, die het verhoor hadden overleefd. De strafgevangenis, die was opgericht ten tijde van de Weldoener en die onder het bewind van de Generaal was voorzien van nieuwe tralies en cellen, was berekend op driehonderd gedetineerden, maar er werden er meer dan vijftienhonderd in geperst. Per militair vliegtuig was Melecio overgebracht naar een spookdorp, dat welvarend was geweest tijdens de goudkoorts, maar sinds de opkomst van de aardolie in desolate toestand verkeerde. Daarvandaan werd hij, vastgebonden als een dier, eerst per vrachtwagen en daarna in een boot, meegenomen naar de hel waar hij gedoemd was de rest van zijn leven te slijten. In een oogopslag had hij de omvang van zijn ongeluk overzien. Een iets meer dan anderhalve meter hoge muur, daarboven louter tralies, daarachter de gevangenen die uitkeken op het ondoordringbare groen van de vegetatie en het gele water van de rivier. Vrijheid, vrijheid, schreeuwden ze smekend in koor toen ze het voertuig zagen aankomen van luitenant Rodriguez, die de nieuwe lichting gevangenen begeleidde om zijn driemaandelijkse inspectie uit te voeren. De zware ijzeren deuren zwaaiden open en ze reden door naar de achterste luchtplaats, waar ze werden ontvangen door een krijsende menigte. Melecio werd meteen doorgetransporteerd naar de afdeling van de homoseksuelen, waar de bewakers hem overdroegen aan de hoogste bieder onder de oudgedienden. Alles bij elkaar had hij nog geluk, want hij kwam terecht in de Harem, waar vijftig geprivilegieerden de beschikking hadden over een onafhankelijke afdeling en waar ze zich hadden georganiseerd om te overleven.

'Ik had toen nog nooit van de Maharadja gehoord en ik had geen enkele geestelijke bijstand,' zei Mimi, bevend bij de herinnering, en ze haalde uit haar tas een kleurendruk van een in een profetentuniek geklede man met een baard en daaromheen de sterrenbeelden. 'Dat ik niet gek geworden ben, kwam omdat ik zeker wist dat Madame me niet in de steek zou laten. Je herinnert je haar toch wel? Die trouwe vriendin, ze rustte niet voor ze me vrij had, maandenlang heeft ze de zakken van de rechters moeten spekken en al haar contacten met de regering in het geweer moeten brengen, ze heeft zelfs een persoonlijk gesprek met de Generaal gehad om mij daar uit te krijgen.'

Toen hij een jaar later de Santa Maria-gevangenis verliet, was Melecio een schim van wat hij geweest was.

Door de malaria en de honger was hij twintig kilo afgevallen, door een endeldarmontsteking liep hij gebogen als een oude man, en door de aanraking met het geweld had hij zijn gevoelens niet meer in de hand, hij verviel zonder enige overgang van een huilbui in hysterisch gelach. Ze hadden hem in vrijheid gesteld zonder dat hij begreep wat hem overkwam, hij was ervan overtuigd dat het een truc was om hem te kunnen beschuldigen van een vluchtpoging, en dat ze hem in de rug zouden schieten, maar hij was zo verzwakt dat hij in zijn lot berustte. Per boot zetten ze hem de rivier over en brachten hem vervolgens per auto naar het spookdorp. Uitstappen, flikker, ze duwden hem uit de auto, hij viel op zijn knieën in het barnsteenstof en wachtte op het genadeschot, maar dat kwam niet. Hij hoorde het geluid van de zich verwijderende auto en toen hij opkeek zag hij Madame voor zich, die hem eerst niet herkende. Ze had hem opgewacht met een gehuurd vliegtuigje en ze bracht hem rechtstreeks naar een kliniek in de hoofdstad. In de loop van dat jaar had zij geld bij elkaar gebracht door van overzee hoeren in te voeren en dat had ze gebruikt om Melecio te helpen.

'Dankzij haar leef ik nog,' vertelde Mimi mij. 'Zij heeft het land moeten verlaten. En als het niet om mijn *mamma* was, zou ik zorgen dat ik een paspoort kreeg op mijn nieuwe vrouwennaam om ook te vertrekken en bij haar te gaan wonen.'

Madame was niet uit vrije wil geëmigreerd, maar om justitie te ontlopen, vanwege het schandaal van de vijfentwintig dode meisjes, die waren aangetroffen op een schip met bestemming Curaçao. Ik had daar een paar jaar tevoren iets over gehoord op de radio, in het huis van Riad Halabi, en de zaak stond me nog helder voor de geest, maar het was nooit in me opgekomen dat het ging om de fantasierijke dame bij wie Huberto Naranjo mij had afgeleverd. Het waren de lijken van uit de Dominicaanse Republiek en Trinidad afkomstige meisjes die als smokkelwaar vervoerd werden in een hermetisch gesloten container, waarin voor hoogstens twaalf uur lucht was. Als gevolg van bureaucratische rompslomp hadden ze twee dagen opgesloten gezeten in het ruim van het schip. Het was Madames taak geweest om vrouwen te ronselen, die voor hun vertrek in dollars werden betaald en die goed werk in het vooruitzicht werd gesteld. En van die taak had ze zich altijd naar eer en geweten gekweten. Zodra ze echter in de haven van bestemming waren aangekomen, werden de papieren van de vrouwen in beslag genomen en kwamen ze terecht in bordelen van het laagste allooi, waar ze volkomen gevangen zaten in een web van schulden en bedreigingen. Het had maar een haartje gescheeld of na die affaire was Madame in de gevangenis geëindigd, beschuldigd van aan het hoofd te staan van het netwerk van de handel in slavinnen op de Caribische eilanden, maar gelukkig waren machtige vrienden haar ook nu weer te hulp geschoten, zodat ze, voorzien van valse papieren, op tijd de dans had kunnen ontspringen. Gedurende een paar jaar leefde ze van haar rente en deed ze haar best om niet op te vallen. Haar creatieve geest had echter een uitlaatklep nodig en zo had ze uiteindelijk een handel opgezet in sadomasochistische hulpmiddelen, die zo succesvol was dat ze uit alle windstreken bestellingen kreeg voor haar kuisheidsgordels voor mannen, haar zwepen met zeven staarten, haar hondenhalsbanden voor menselijk gebruik en nog veel meer hulpmiddelen om te vernederen.

'Het wordt zo meteen donker, we kunnen beter gaan,' zei Mimi. 'Waar woon je?'

'Tijdelijk in een hotel. Ik ben pas aangekomen, ik heb al die jaren in Agua Santa gewoond, in een afgelegen dorp.'

'Kom bij mij wonen, ik ben alleen.'

'Ik geloof dat ik mijn eigen weg moet zoeken.'

'Eenzaamheid is voor niemand goed. Laten we naar mijn huis gaan en als de zaak weer tot rust gekomen is, kijk je maar wat je het beste uitkomt,' zei Mimi, en met behulp van een zakspiegeltje werkte ze haar make-up wat bij, die door de wederwaardigheden van die dag een beetje door elkaar gelopen was.

Mimi's woning lag dicht bij de Republiekstraat, op een steenworp afstand van de gele straatlantaarns en de rode lichtjes. Dat wat eerst tweehonderd meter simpele ondeugd was geweest, was nu veranderd in een doolhof van plastic en neon, een centrum van hotels, bars, cafetaria's en bordelen in alle soorten en maten. Daar stonden ook het Operatheater, het beste Franse restaurant van de stad, het Seminarie en enkele luxe flatgebouwen, want net als in de rest van het land, was ook hier alles op zijn kop gezet. In deze wijk stonden herenhuizen schouder aan schouder met armzalige hutten en zodra de nieuwe rijken een poging deden om zich in een exclusieve stadsuitbreiding te vestigen, keken ze binnen een jaar aan alle kanten uit op de krotten van de nieuwe armen. Die urbanistische democratie breidde zich uit naar andere sectoren van het nationale leven en zo was het soms niet eenvoudig om vast te stellen wie de minister was en wie zijn chauffeur, omdat ze allebei uit dezelfde sociale laag leken te stammen, zich hetzelfde kleedden en elkaar behandelden met een vrijmoedigheid die op het eerste gezicht voor brutaliteit gehouden kon worden maar in feite een uiting was van ieders sterke gevoel van eigenwaarde.

'Dit land bevalt me,' zei Riad Halabi eens toen hij bij juffrouw Inés in de keuken zat. 'Arm en rijk, blank en zwart, één klasse, één volk. Iedereen heeft het gevoel dat de grond die hij betreedt van hem is, geen hiërarchie, geen protocol, niemand is meer dan een ander, niet door geboorte en niet door rijkdom. Waar ik vandaan kom is het heel anders, in mijn land wemelt het van de kasten en regels en de mens wordt er geboren en sterft er altijd op dezelfde plaats.'

'Laat u niet bedriegen door de schijn, Riad,' waarschuwde juffrouw Inés. 'Dit land is net een taart van bladerdeeg.'

'Dat kan wel zijn, maar iedereen kan er opklimmen of in de goot belanden, iedereen kan hier miljonair, president of bedelaar worden, dat hangt alleen af van zijn eigen inspanning, zijn geluk of wat Allah met hem voorheeft.'

'Hebt u ooit een rijke indiaan gezien, of een neger die generaal is of bankier?'

Juffrouw Inés had gelijk, maar niemand wilde toegeven dat ras er iets mee te maken had, iedereen beroemde zich erop tot de grauwe massa te behoren. Ook de immigranten, die uit alle delen van de wereld afkomstig waren, pasten zich aan en vermengden zich en na enkele generaties konden zelfs de Chinezen niet meer staande houden dat ze zuivere Aziaten waren. Alleen de oude oligarchie, voortgekomen uit de tijden van voor de Onafhankelijkheid, onderscheidde zich door type en kleur, maar daar werd onderling nooit over gesproken, dat zou een onvergeeflijke tactische fout zijn geweest in een samenleving die prat ging op haar gemengde bloed. Ondanks zijn geschiedenis van kolonisatie, strenge heersers en tirannen, was het beloofde land het land van de vrijheid, zoals Riad Halabi zei.

'Hier gaan alle deuren open voor geld, schoonheid of talent,' legde Mimi me uit.

'Die eerste twee ontbreken mij, maar ik geloof dat mijn aanleg voor het vertellen van verhalen een godsgeschenk is.' Om de waarheid te zeggen betwijfelde ik of ik daar in de praktijk iets aan zou hebben. Tot dan toe had ik er alleen plezier van gehad om een beetje kleur aan mijn leven te geven en om mijn toevlucht te zoeken in een andere wereld als de werkelijke wereld me te benauwd werd. Verhalen vertellen leek me een door de vooruitgang van radio, televisie en film achterhaald beroep, ik dacht dat alles wat via de ether werd uitgezonden of op het witte doek werd geprojecteerd, in overeenstemming was met de waarheid, terwijl mijn verhalen vrijwel altijd bestonden uit een opeenhoping van verzinsels, waarvan ik zelf niet eens wist hoe ik eraan gekomen was.

'Als je dat graag wilt, moet je geen ander werk gaan doen.'

'Niemand betaalt om verhalen te horen, Mimi, en ik zal mijn brood moeten verdienen.'

'Misschien vind je iemand die er wel voor betaalt. Zolang je bij mij bent, zal het je aan niets ontbreken.'

'Ik wil je niet tot last zijn. Riad Halabi heeft tegen me gezegd dat vrijheid begint bij economische onafhankelijkheid.'

'Het zal niet lang duren of je zult merken dat ik de last ben. Ik heb jou veel meer nodig dan jij mij, ik ben een erg eenzame vrouw.'

Die avond bleef ik bij haar en ook de volgende en de daarop volgende, en dat ging zo nog vele jaren door; jaren waarin ik me bevrijdde van de onmogelijke liefde voor Riad Halabi. Ik was een vrouw geworden, ik had het roer in handen genomen en geleerd mijn eigen leven te besturen. Niet altijd op de meest elegante manier, dat moet gezegd worden, maar dan moet men wel bedenken dat ik dikwijls woelige wateren heb moeten bevaren.

Er was mij zo vaak gezegd dat het een ongeluk was om als vrouw geboren te zijn, dat het me moeite kostte te begrijpen dat Melecio zoveel moeite had gedaan om er een te worden. Volgens mij had het geen enkel voordeel, maar hij had er vurig naar verlangd een vrouw te zijn en was bereid geweest daar allerlei moeilijkheden voor te trotseren. Onder toezicht van een in dergelijke metamorfoses gespecialiseerde arts slikte hij hormonen die een olifant in een trekvogel hadden kunnen veranderen, hij liet zijn beharing elektrisch verwijderen, hij liet borsten en billen van silicone aanbrengen, en liet zich paraffine inspuiten op de plaatsen waar hij dat nodig achtte. Het resultaat was op zijn minst gezegd verwarrend. Naakt is hij een amazone met schitterende borsten en met de huid van een knaap, van wie de buik uitmondt in mannelijke attributen die weliswaar tot een minimum zijn verschrompeld maar nog altijd onmiskenbaar.

'Ik zou nog één operatie moeten ondergaan. Madame heeft me verzekerd dat ze in Los Angeles wonderen verrichten, dat ze daar een echte vrouw van me kunnen maken, maar die behandeling verkeert nog in een experimenteel stadium en kost bovendien een vermogen,' vertelde Mimi me.

Voor haar is de seks de minst interessante kant van het vrouwzijn, ze wordt meer aangetrokken door andere dingen: kleren, parfums, stoffen, sieraden, cosmetica. Ze geniet van de kousen als die langs elkaar schuren wanneer ze haar benen over elkaar slaat, van het nauwelijks waarneembare geluid van haar ondergoed, van een haarlok die haar schouder beroert. In die tijd verlangde ze hevig naar een kameraad die ze kon verzorgen en dienen, iemand die haar zou beschermen en haar duurzame genegenheid zou bieden, maar ze had geen geluk. Ze was gedwongen in een tweestromenland te leven. Soms zocht iemand toenadering tot haar in de veronderstelling dat ze een travestiet was, maar zij voelde niets voor een dergelijke dubbelzinnige relatie, ze beschouwde zichzelf als een vrouw en was op zoek naar viriele mannen. Maar hoewel die gefascineerd werden door haar schoonheid durfden ze niet met haar in zee te gaan omdat ze voor geen goud voor homo's aangezien wilden worden. Menigeen maakte haar het hof en knoopte een amoureuze betrekking met haar aan om erachter te komen hoe ze naakt was en hoe ze de liefde bedreef, ze vonden het opwindend om dit aanbiddelijke monster te omhelzen. Zodra er een minnaar in haar leven verscheen, draaide het hele huis om hem en veranderde zij in een slavin, die bereid was hem tot in de vreemdste fantasieën tegemoet te komen, om vergiffenis te krijgen voor het onomstotelijke feit dat ze niet in alle opzichten een vrouw was. Onder zulke omstandigheden, als ze zichzelf volkomen wegcijferde en zich geheel onderwierp, probeerde ik haar tegen haar eigen waanzin te verdedigen en haar tot rede te brengen, spoorde ik haar aan tot verzet tegen die gevaarlijke hartstocht. Je bent jaloers, laat me met rust, zei Mimi dan geërgerd. De uitverkorene was vrijwel altijd van het type stoere rokkenjager. Een paar weken profiteerde hij van haar, hij zette het hele huishouden op zijn kop, liet overal zijn sporen na en verstoorde alles zodanig dat ik een humeur kreeg om op te schieten en regelmatig dreigde dat ik ergens anders ging wonen. Maar ten slotte kwam Mimi's gezonde verstand in opstand en kreeg ze zichzelf weer in de hand, waarop de profiteur werd verstoten. Dikwijls moest de breuk hardhandig tot stand worden gebracht, maar het gebeurde ook wel eens dat de man, nadat hij zijn nieuwsgierigheid had bevredigd, er genoeg van kreeg en vertrok. Dan kroop zij ziek van verbittering in bed. Gedurende enige tijd leefden wij ons gewone leven, totdat Mimi opnieuw verliefd werd. Ik waakte over haar hormonen, slaappillen en vitamines, zij zorgde voor mijn opvoeding, Engelse les, autorijles, boeken, en als cadeautjes bracht ze de verhalen voor me mee die ze op straat opving. Ontbering, vernedering, angst en ziekte hadden diepe sporen in haar achtergelaten en de illusie stukgeslagen van de wereld van kristal, waarin ze graag had willen leven. Ze was niet naïef meer, hoewel dat ogenschijnlijk deel uitmaakte van haar verleidingskunsten. Toch heeft geen enkel verdriet, geen enkel geweld kans gezien haar allerinnerlijkste wezen te vernietigen.

Zelf was ik geloof ik ook niet erg gelukkig in de liefde, hoewel het mij nooit heeft ontbroken aan mannen. Zo nu en dan bezweek ik voor een volmaakte hartstocht, die me tot op het merg deed sidderen. In zo'n geval wachtte ik niet totdat de ander de eerste zet deed, ik nam zelf het initiatief en in iedere omhelzing probeerde ik de met Riad Halabi gedeelde verrukking op te roepen, maar zonder succes. De meeste mannen vluchtten, waarschijnlijk schrokken ze van mijn onverbloemde gedrag, en later spraken ze denigrerend over me met hun vrienden. Ik voelde me volkomen vrij, ik was ervan overtuigd dat ik niet zwanger kon worden.

'Ga toch eens naar de dokter,' drong Mimi aan.

'Je hoeft je geen zorgen te maken, ik ben volmaakt gezond. Het komt allemaal wel in orde als ik niet meer van Zulema droom.'

Mimi verzamelde porseleinen bakjes, pluchen dieren en poppen, en in ledige uurtjes borduurde ze kussens. Haar keuken leek wel een etalage van een winkel in huishoudelijke apparaten, die ze allemaal gebruikte, want hoewel ze zelf vegetarisch was en at als een konijn, was ze dol op koken. Vlees was volgens haar een dodelijk vergif, ook dat was een uitspraak van de Maharadja, wiens portret een ereplaats in de salon had en door wiens filosofie ze haar leven liet leiden. Het was een vriendelijke grootvader met waterige oogjes, een geleerde die het goddelijke licht gezien had door middel van wiskunde. Zijn berekeningen hadden hem bewezen dat het universum – en dus zeker de schepselen – geregeerd werd door de macht van de cijfers, kosmogonische kennisbegrippen, sinds Pythagoras tot in onze dagen. Hij was de eerste die de cijferwetenschap toepaste in de futurologie. Bij een bepaalde gelegenheid was hij door de regering uitgenodigd om advies te geven in staatszaken en Mimi bevond zich tussen de menigte die hem op het vliegveld welkom heette. Ze had kans gezien de zoom van zijn kleed aan te raken voordat hij in een staatslimousine uit het zicht was verdwenen.

'Man en vrouw – dat maakt in dit geval geen verschil – zijn schaalmodellen van het universum, dat wil zeggen dat elk gebeuren op astraal vlak gepaard gaat met manifestaties op menselijk niveau en dat elk mens een relatie ondergaat met een bepaalde planetaire orde, die overeenkomt met de basisconfiguratie die hij binnen in zich met zich meedraagt sinds de dag dat hij de eerste levenslucht inademde, begrijp je wel?' spoot Mimi in een adem op.

'Zeker,' antwoordde ik en vanaf dat moment hebben we nooit meer problemen gehad, want als al het andere ons in de steek liet, verstonden we elkaar met behulp van de taal van de hemellichamen.

9

De dochters van Burgel en Rupert werden ongeveer tegelijkertijd zwanger, doorstonden samen de onaange-
naamheden van de zwangerschap, werden dik als een stel
renaissancenimfen, en lieten met slechts enkele dagen
verschil hun nakomelingen het levenslicht aanschouwen. De grootouders slaakten een zucht van verlichting
omdat de baby's geen zichtbare gebreken hadden, en
vierden de blijde gebeurtenis met een luisterrijke dubbele doopplechtigheid, waaraan ze een goed deel van hun
spaargeld opofferden. De moeders konden het vader-
schap van hun kinderen niet aan Rolf Carlé toewijzen,
zoals ze wellicht heimelijk gewild hadden, omdat de
jonggeborenen naar bijenwas roken en omdat ze al meer
dan een jaar niet het genoegen hadden mogen smaken
om zich met hem te amuseren. Niet omdat ze er geen zin
in hadden gehad, maar omdat hun echtgenoten veel
meer op hun hoede bleken te zijn dan voorzien en hun
niet veel kans gaven hem te ontmoeten. Bij zijn sporadi-
sche bezoeken aan de Kolonie werd Rolf door zijn oom
en tante en de beide matrones vertroeteld, en luidruchtig
overstelpt met attenties door de kaarsenfabrikanten, die
hem echter geen moment uit het oog verloren, zodat de
erotische acrobatiek noodgedwongen naar het tweede
plan verhuisde. Toch zagen neef en nichten soms kans
ertussenuit te knijpen naar een dennenbosje of naar een
leegstaande kamer in het pension, om een poosje la-

chend herinneringen op te halen aan de goede oude tijd.

In de loop der jaren kregen de beide vrouwen nog meer kinderen en pasten ze zich aan bij hun rol van echtgenotes, al behielden ze de spontaniteit waarop Rolf Carlé al de eerste keer dat hij ze zag verliefd was geworden. De oudste was nog steeds even vrolijk en speels, gebruikte zeeroverstaal en kon vijf pullen bier drinken zonder van de kaart te raken. De jongste behield de verfijnde koketterie die haar zo verleidelijk maakte, hoewel ze de sappige schoonheid uit haar puberteit had verloren. Allebei roken ze nog steeds naar kaneel, kruidnagel, vanille en citroen, en alleen al de gedachte aan die geur was in staat om Rolfs hart in vuur en vlam te zetten. Het overkwam hem wel eens dat hij op honderden kilometers afstand midden in de nacht wakker werd met het gevoel dat zij van hem droomden.

Rupert en Burgel waren intussen oud geworden. Ze fokten honden en ontregelden met hun culinaire hoogstandjes de spijsvertering van de toeristen, ze maakten nog steeds ruzie over niets en hielden blijmoedig van elkaar, van dag tot dag meer aangedaan. In de loop van de lange jaren van samenzijn waren de verschillen tussen hen steeds minder geworden, en met de tijd waren ze uiterlijk en innerlijk zo op elkaar gaan lijken dat men hen voor een tweeling kon houden. Om de kleinkinderen te vermaken plakte Burgel soms een wollen snor op en deed de kleren van haar man aan, terwijl Rupert een met lappen gevulde bustehouder en een rok van zijn vrouw aantrok, wat bij de kinderen een vrolijke verwarring teweegbracht. De regels van het pension werden minder streng en veel geheime paartjes maakten de reis naar de Kolonie om een nacht door te brengen in dat huis. Oom en tante waren ervan overtuigd dat liefde alle dingen instandhoudt. Hoewel ze enorme hoeveelheden aten van hun eigen smakelijke stoofgerechten, waren ze op een leeftijd gekomen dat ze niet meer over hetzelfde vuur beschikten als voorheen. Ze bereidden verliefde paartjes een warm welkom, vroegen hun niet naar trouwboekjes, ze bedeelden hen met de mooiste kamers en met overvloedige ontbijten, en dat alles deden ze uit dankbaarheid, omdat die verboden escapades bijdroegen aan het instandhouden van het handwerk en van de meubels.

Intussen had de politieke toestand in het land zich gestabiliseerd, nadat de regering een poging tot een staatsgreep had verhinderd en de chronische neiging tot opstand van enkele militairen onder controle had gekregen. De olie borrelde nog steeds uit de aarde op als een onuitputtelijke bron van rijkdom die het geweten in slaap suste en alle problemen opschoof naar een hypothetisch morgen.

Rolf Carlé was inmiddels een beroemdheid geworden. Hij had een aantal documentaires gemaakt waardoor zijn naam tot ver buiten de landsgrenzen bekend was geworden. Hij had alle werelddelen bezocht en sprak inmiddels vier talen. Meneer Aravena was na de val van de dictatuur bevorderd tot directeur van de Nationale Televisie en omdat hij een voorstander was van dynamische, gedurfde programma's stuurde hij Rolf eropuit om het nieuws te halen bij de bron. Hij beschouwde hem als de beste cineast van zijn ploeg en in zijn hart was Rolf het daarmee eens. Persagentschappen verdraaien de waarheid in hun telexen, jongen, je kunt maar het beste met je eigen ogen zien wat er gebeurt, zei hij. En zo filmde Carlé rampen, oorlogen, gijzelingen, rechtszittingen, kroningen van vorsten, vergaderingen van hoogwaardigheidsbekleders en andere gebeurtenissen waarvoor hij buitenslands moest verblijven. Zo nu en dan, wanneer hij tot zijn knieën was weggezakt in de modder in Vietnam of dagenlang in een loopgraaf in de woestijn, snakkend naar water, zat te wachten met zijn camera op zijn schouder en de dood op zijn hielen, moest hij lachen als hij aan de Kolonie terugdacht. Voor hem was dat sprookjesdorp, ergens op een afgelegen bergrug in Amerika, een veilig toevluchtsoord, waar zijn geest altijd rust zou kunnen vinden. Wanneer de afgrijselijkheden van de wereld hem bedrukten keerde hij daar terug om languit onder de bomen naar de hemel te staren, om over de grond te rollebollen met zijn neefjes en nichtjes en de honden, om 's avonds op een keukenstoel te kijken hoe zijn tante in de pannen roerde en hoe zijn oom het uurwerk van een klok repareerde. Daar liet hij zijn ijdelheid de vrije loop en deed hij zijn familie versteld staan van zijn avonturen. Alleen daar durfde hij zich onschuldige snoeverijen te permitteren, want hij wist dat ze hem alles op voorhand vergaven.

De aard van zijn werk had hem belet een gezin te stichten, wat hem door tante Burgel steeds nadrukkelijker werd verweten. Hij werd niet meer zo gemakkelijk verliefd als toen hij twintig was en langzamerhand legde hij zich neer bij het idee dat hij alleen zou blijven. Hij was ervan overtuigd dat het buitengewoon moeilijk zou zijn om de ideale vrouw te vinden, al vroeg hij zich nooit af of hij, in het onwaarschijnlijke geval dat dit volmaakte schepsel ooit in zijn leven zou verschijnen, zelf wel de door haar gewenste eigenschappen bezat. Hij beleefde een paar liefdes die op teleurstellingen uitliepen, in verschillende steden had hij een paar trouwe vriendinnen die hem met open armen ontvingen als hij eens een keer langskwam, en hij maakte voldoende veroveringen om zijn eigenwaarde te voeden, maar hij liep niet meer warm voor vluchtige avontuurtjes en al na de eerste kus begon hij afscheid te nemen. Hij was een pezige kerel geworden met een strakke huid en strakke spieren, opmerkzame ogen omringd door fijne rimpeltjes, gebruind en sproetig. Door het uit de eerste hand meemaken van zoveel gewelddadige gebeurtenissen was hij niet hard geworden, hij was nog steeds even kwetsbaar als in zijn jeugd, hij zwichtte nog steeds voor tederheid en hij werd nog steeds vervolgd door dezelfde nachtmerries, al maakten die gelukkig zo nu en dan plaats voor zoete dromen over roze dijen en jonge hondjes. Hij was vasthoudend, rusteloos en onvermoeibaar. Hij lachte veel en deed dat zo van harte dat hij overal vrienden maakte. Als hij achter zijn camera stond, vergat hij alles en was hij er alleen op uit om het beeld vast te leggen, zelfs ten koste van gevaar.

Op een septemberavond liep ik Huberto Naranjo tegen het lijf. Hij stond op een hoek, vanwaar hij van een afstand een confectieatelier voor militaire uniformen observeerde. Hij was naar de hoofdstad gereisd om wapens en laarzen in handen te krijgen – wat begint een man zonder laarzen in de bergen? – en hij wilde zijn leiders ervan overtuigen dat ze van strategie moesten veranderen, omdat de guerrilla door het Leger werd gedecimeerd. Zijn gezicht was glad geschoren en zijn haar kort geknipt, hij droeg een kostuum en in zijn hand had hij een diplomatenkoffertje. Hij leek in de verste verte niet op de man met de baard en de zwarte baret, die afgebeeld stond op de plakkaten waarop een beloning werd uitgeloofd voor zijn aanhouding, en die de voorbijgangers vanaf de muren uitdagend aanstaarde. De meest elementaire voorzichtigheid schreef voor dat hij, zelfs als hij zijn eigen moeder hier zou tegenkomen, gewoon moest doorlopen alsof hij haar niet gezien had, maar ik stond volkomen onverwacht voor zijn neus en misschien was hij op dat moment niet erg op zijn hoede. Hij zegt dat hij me zag oversteken en dat hij me onmiddellijk herkende aan mijn oogopslag, hoewel er vrijwel niets meer over was van het kind dat hij jaren geleden bij Madame had achtergelaten om het te laten opvoeden alsof het zijn eigen zuster was. Hij stak zijn hand uit en pakte me bij de arm. Ik draaide me geschrokken om en hij fluisterde mijn naam. Ik probeerde me te herinneren waar ik hem ooit eerder had gezien, maar deze man, die er ondanks zijn door weer en wind getaande huid uitzag als een ambtenaar, leek in geen enkel opzicht op de puber met het geplakte haar en de cowboylaarzen met hoge hakken en zilverbeslag die de held was geweest van mijn kinderjaren en de hoofdpersoon in mijn eerste liefdesfantasieën. Daarop beging hij zijn tweede fout: 'Ik ben Huberto Naranjo...'

Ik drukte zijn hand want een andere manier om hem te begroeten kwam niet zo gauw in me op. We lachten elkaar toe. Op de hoek van de straat bleven we elkaar zonder een woord te zeggen aankijken, we hadden elkaar meer dan zeven jaar te vertellen maar we wisten niet waar we moesten beginnen. Een trage gloed kroop langs mijn benen omhoog en mijn hart klopte als een bezetene, op slag was de hartstocht teruggekeerd die ik al die jaren verdrongen had, ik realiseerde me dat ik aan een stuk door van hem gehouden had en binnen dertig seconden was ik weer verliefd op hem. Huberto Naranjo was lang niet met een vrouw samen geweest. Eerst veel later zou ik te weten komen dat het ontberen van genegenheid en seks in de bergen voor hem het moeilijkst te verdragen was geweest. Bij elk bezoek aan de stad snelde hij naar het eerste het beste bordeel dat op zijn weg lag, om zich gedurende enkele, altijd te korte ogenblikken te laten gaan in een dringende, woedende en uiteindelijk droevige sensualiteit, die zijn opgekropte honger ternauwernood bevredigde en waarin hij geen enkel werkelijk geluk vond. Wanneer hij zich de luxe kon veroorloven eens aan zichzelf te denken, werd hij bestormd door het verlangen een meisje in zijn armen te houden dat van hem alleen was, dat hij volledig bezat, dat op hem wachtte, dat naar hem verlangde en dat hem trouw was. En alle voorschriften overboord zettend die hij zijn medestrijders altijd inprentte, nodigde hij mij uit voor een kop koffie.

Die dag kwam ik heel laat, als een slaapwandelaarster, thuis.

'Wat is er met jou? Je ogen schitteren als nooit tevoren,' zei Mimi, die mij net zo goed kende als zichzelf en van verre mijn vreugde en verdriet kon raden.

'Ik ben verliefd.'

'Alweer?'

'Deze keer is het serieus. Op deze man heb ik jaren gewacht.'

'Ik snap het, de ontmoeting van twee verwante zielen. Wie is het?'

'Dat kan ik je niet vertellen, dat is een geheim.'

'Wat krijgen we nu? Kan je het mij niet vertellen! Je kent hem net en meteen komt hij tussen ons?' Geschokt pakte ze me bij de schouders.

'Je hoeft niet kwaad te worden. Het is Huberto Naranjo, maar je mag zijn naam nooit uitspreken.'

'Naranjo? Dat is toch die jongen uit de Republiekstraat? En waarom al die geheimzinnigheid?'

'Ik weet het niet. Hij heeft tegen me gezegd dat elke

ondoordachte opmerking hem zijn kop kan kosten.'

'Ik heb altijd wel gezegd dat het nog eens slecht met hem zou aflopen! Toen ik Huberto Naranjo leerde kennen was hij nog een knaapje, ik heb zijn hand gelezen en ik heb gezien wat de kaarten voor hem in petto hadden, dat is niks voor jou. Let op mijn woorden, die jongen is geboren om bandiet of magnaat te worden, hij zal wel iets te maken hebben met smokkel, handel in marihuana of een ander smerig zaakje.'

'Ik verbied je zo over hem te spreken.'

In die tijd woonden wij dicht bij de Country Club, in de chicste wijk van de stad, waar we een klein, oud huis gevonden hadden dat binnen onze financiële mogelijkheden lag. Mimi was beroemder geworden dan ze ooit had kunnen dromen en ze was zo beeldschoon dat ze bovenmenselijk scheen. Dezelfde taaie wilskracht die ze gebruikt had om van geslacht te veranderen, besteedde ze nu om fijnere manieren te leren en een echte actrice te worden. Alles wat maar zweemde naar vulgariteit wees ze van de hand, met haar haute couture japonnen en de keuze van haar make-up gaf ze de toon aan voor de mode, ze polijstte haar taal, hoewel ze een aantal scheldwoorden reserveerde voor noodgevallen, studeerde twee jaar lang toneel bij een theaterwerkgroep en leerde manieren bij een instituut dat gespecialiseerd was in het opleiden van schoonheidskoninginnen. Daar bracht men haar bij om met de benen bij elkaar in een auto te stappen, artisjokblaadjes te eten zonder haar fraai gestifte lippen te beschadigen en een trap af te dalen met een onzichtbare hermelijnen stola achter zich aan. Ze maakte geen geheim van haar geslachtsverandering maar sprak er ook nooit over. De schandaalpers maakte driftig gebruik van dit waas van geheimzinnigheid, en stookte het

vuur van sensatie en roddel op. Haar positie was dramatisch veranderd. Op straat bleven de mensen stilstaan om
naar haar te kijken, schoolkinderen klampten haar aan
voor een handtekening, ze werd gecontracteerd voor te-
levisiespelen en theaterproducties, waarin ze een acteer-
talent aan de dag legde zoals in dit land niet meer vertoond was sinds 1917, toen de Weldoener Sarah Bern-
hardt uit Parijs had meegebracht, die toen al stokoud was
maar nog altijd schitterde, ondanks het feit dat ze zich op
één been staande moest houden. Wanneer Mimi op het
toneel verscheen was de zaal gegarandeerd uitverkocht,
want de mensen kwamen helemaal vanuit de provincie
naar de hoofdstad om dit mythologische wezen te aanschouwen, waarvan gezegd werd dat het vrouwenborsten
had en de penis van een knaap. Ze ontving uitnodigin-
gen voor modeshows en liefdadigheidsfeesten, ze werd
gevraagd als jurylid bij schoonheidswedstrijden. Op het
carnavalsbal maakte ze een triomfale entree in de hoogste
kringen, toen leden van de oudste families haar ter ver-
welkoming omarmden in de salon van de Country Club.
Die avond stak Mimi de gehele concurrentie de loef af
door als man gekleed te verschijnen. Ze droeg het oogverblindende, met valse smaragden overdekte gewaad
van de koning van Thailand, met mij, uitgedost als koningin, aan haar arm. Sommige heren herinnerden zich
dat ze jaren geleden voor haar geapplaudisseerd hadden
in een tweederangs nachtclub voor nikkers, maar dat
schaadde haar prestige niet, integendeel, het wakkerde
de nieuwsgierigheid aan. Mimi wist dat ze nooit echt zou
worden geaccepteerd door deze oligarchie, die nu haar
gezelschap zocht, dat ze niet meer was dan een exotische
nar die glans moest verlenen aan hun feesten, maar ze
was ervan bezeten toegang te krijgen tot dit milieu en ter

rechtvaardiging voerde ze aan dat het nuttig was voor haar loopbaan als artieste. Hier zijn goede relaties het belangrijkste van alles, zei ze, als ik de draak stak met dit soort grillen.

Door het succes van Mimi ging het ons economisch voor de wind. Ons huis keek uit op een park waar kindermeisjes met de kinderen van hun patroons wandelden en chauffeurs nuffige hondjes uitlieten. Voor we verhuisden had Mimi haar hele verzameling pluchen dieren en geborduurde kussens aan de buurvrouwen cadeau gedaan en alle eigenhandig gemaakte figuren van koud porselein in kisten gepakt. Ik was ooit op het slechte idee gekomen om haar dat handwerk te leren en ze had lang al haar vrije tijd besteed aan het maken van de pasta om er allerlei merkwaardige figuren van te vormen. Ze had een binnenhuisarchitect aangetrokken om haar nieuwe onderkomen in te richten en de man had bijna een hartverlamming gekregen toen hij al die uit Universele Materie gewrochte voorwerpen zag. Hij verzocht haar dringend die ergens op te bergen waar ze zijn ontwerpen geen geweld aandeden, en dat had Mimi hem beloofd, want hij was een buitengewoon aardige man van middelbare leeftijd, met grijs haar en gitzwarte ogen. Er bloeide tussen hen zo'n innige vriendschap op dat zij zichzelf aanpraatte dat ze eindelijk de door de sterren voor haar bestemde partner gevonden had. De astrologie vergist zich niet, Eva, in mijn sterren staat geschreven dat ik een grote liefde zal beleven in de tweede helft van mijn bestaan...

Gedurende een lange periode kwam de architect regelmatig bij ons over huis en drukte zijn stempel voorgoed op de kwaliteit van ons leven. Door hem leerden we een raffinement kennen dat ons tot dan toe onbekend was geweest. Hij bracht ons het kiezen van wijnen bij, want wij hadden nooit anders geweten dan dat men overdag witte wijn dronk en 's avonds rode. Door hem kregen we waardering voor kunst en belangstelling voor wat er in de wereld gebeurde. 's Zondags bezochten we galeries, musea, theaters en cinematheken. Met hem woonde ik voor het eerst een concert bij. Het maakte zo'n overweldigende indruk op me dat ik drie nachten geen oog dichtdeed, omdat de muziek binnen in mij bleef resoneren, en toen ik toch in slaap viel, droomde ik dat ik een snaarinstrument was van blank hout, ingelegd met paarlemoer en met ivoren schroeven. Een hele tijd sloeg ik geen enkele uitvoering van het orkest over, ik ging in de loge op het eerste balkon zitten en zodra de dirigent zijn stokje had geheven en de zaal vol geluiden stroomde, liepen de tranen mij over de wangen, ik kon het geluk niet aan. Het huis werd door hem helemaal wit ingericht, met moderne meubels en een enkel antiek stuk. Het was zo anders dan wij gewend waren, dat we wekenlang verdwaasd door de kamers rondliepen, we verplaatsten niets uit angst dat we niet meer zouden weten waar het gestaan had, huiverig dat de veren zouden indeuken als we op een poef gingen zitten. Maar, zoals hij ons in het begin al verzekerd had: goede smaak wordt een verslaving, en ten slotte raakten wij eraan gewend en moesten we soms lachen om onze wansmaak van vroeger. Op een dag kondigde de allerliefste man aan dat hij naar New York vertrok, waar hij geëngageerd was door een tijdschrift. Hij pakte zijn koffers en nam met oprechte spijt afscheid van ons, Mimi aan wanhoop ten prooi achterlatend.

'Trek het je niet aan, Mimi. Als hij weg is gegaan, wil dat zeggen dat hij niet de voor jou bestemde man was. De ware Jacob zal wel gauw verschijnen,' zei ik tegen haar, en uit de onweerlegbare logica van die bewering putte zij enige troost.

Op den duur werden er enkele wijzigingen aangebracht in de volmaakte harmonie van de inrichting, maar het huis werd daar alleen maar gezelliger door. Eerst kwam het zeegezicht. Ik had Mimi verteld hoeveel het schilderij in het huis van de ongetrouwde broer en zuster voor mij betekend had en daaruit concludeerde zij dat mijn fascinatie een genetische oorsprong moest hebben, en ongetwijfeld afkomstig was van een zeevarende voorouder die het onbedwingbare heimwee naar de zee op mij had overgedragen. Aangezien die gedachtegang aansloot bij de legende van de Hollandse grootvader gingen we op speurtocht langs antiquairs en veilingen tot we op een olieverfschilderij stootten met rotsen, golven, meeuwen en wolken. Zonder een moment te aarzelen kochten we het en hingen het op een ereplaats, waarmee we in een klap het effect van de Japanse prenten tenietdeden, die onze vriend zo zorgvuldig had uitgezocht. Daarna schafte ik langzamerhand een hele familie aan om aan de wand te hangen, oude, door de tijd aangevreten daguerreotypen: een met onderscheidingen behangen ambassadeur, een ontdekkingsreiziger met een grote snor en een tweeloopsjachtgeweer, een laatdunkend naar de toekomst kijkende opa met houten klompen en een stenen pijp. Toen ik een hele rij verwanten had, gingen we naarstig op zoek naar een afbeelding van Consuelo. Ik wees ze allemaal van de hand totdat we na lang speuren ten slotte iets vonden: een glimlachend meisje met fijne trekken, gekleed in kant, beschermd door een parasol in een tuin vol klimrozen. Zij was mooi genoeg om mijn moeder te belichamen. In mijn kindertijd had ik Consuelo nooit anders gezien dan met een schort voor en op touwschoenen, bezig met alledaags huishoudelijk werk, maar ik had altijd geweten dat ze in het geheim was zoals het fijne dametje met de parasol, want zo vertoonde ze zich als we alleen waren in de dienstbodekamer en zo wenste ik haar in mijn herinneringen te bewaren.

In die jaren probeerde ik de verloren tijd in te halen. Ik volgde een cursus aan een avondschool en behaalde het baccalaureaat, waar ik later nooit iets aan gehad heb maar dat mij toen noodzakelijk scheen. Overdag werkte ik als secretaresse bij de confectiefabriek voor militaire uniformen en 's nachts vulde ik mijn schriften met verhalen. Mimi had me gesmeekt die ellendige baan op te geven en me uitsluitend aan de schrijverij te wijden. Sinds ze voor een boekwinkel mensen in de rij had zien staan om hun boeken te laten signeren door een besnorde Colombiaanse schrijver die een triomfale tournee maakte, bedolf ze mij onder de schriften, pennen en woordenboeken. Dat is een goed beroep, Eva, je zou niet zo vroeg op moeten staan en je door niemand moeten laten commanderen... Ze droomde ervan dat ik me aan de literatuur zou wijden, maar ik moest mijn eigen brood verdienen en wat dat betreft is schrijven een glibberig terrein.

Kort nadat ik Agua Santa had verlaten en in de hoofdstad was komen wonen, was ik op zoek gegaan naar mijn peettante. Het laatste wat ik van haar gehoord had, was dat ze ziek was. Ze woonde bij een familie in de oude stad, in een kamertje, dat die goede zielen haar uit medelijden hadden afgestaan. Ze bezat niet veel. Behalve de opgezette poema, die de invloeden van tijd en armoede wonderbaarlijk goed had doorstaan, had ze alleen haar heiligen, want zoals ze altijd zei, een mens moet een huisaltaar hebben, dat kost alleen een paar kaarsen en geen geld voor pastoors. Ze miste een paar tanden, waaronder ook haar gouden, die ze had moeten verkopen, en van haar overvloedige vlees was nog maar een schijntje over, hoewel ze nog altijd erg schoon was en zich iedere avond waste in een teil. Haar geest functioneerde zo slecht dat ik inzag dat het onmogelijk was haar te redden uit het persoonlijke labyrint waarin ze zich had afgezonderd. Ik kon niet veel meer doen dan haar regelmatig opzoeken om haar vitamines te geven, haar kamer schoon te maken, lekkere dingen voor haar mee te brengen, en rozenwater, zodat ze zich net als vroeger kon parfumeren. Ik wilde haar laten opnemen in een tehuis, maar niemand wilde haar hebben, ze zeiden dat ze niet ernstig ziek was en dat andere gevallen voor gingen, medische instellingen hielden zich niet bezig met iemand als zij. Op een ochtend werd ik in paniek opgebeld door het gezin waar ze onderdak had: mijn peettante leed aan een aanval van droefheid en huilde al twaalf dagen zonder ophouden.

'We gaan er samen heen, ik ga met je mee,' zei Mimi. We kwamen er aan op het moment waarop ze, niet langer in staat zich tegen de melancholie te verzetten, een mes op haar keel zette. Vanaf de straat hoorden we de kreet waar de hele buurt op afkwam; we stormden de woning binnen waar we haar aantroffen in een stroom van bloed die als een meer aanzwol tussen de poten van de opgezette poema. De snee liep van oor tot oor, maar ze leefde nog en staarde ons verlamd van schrik aan. Het mes had haar kaakspieren geraakt, haar wangen hingen naar beneden en ze vertoonde een angstaanjagende tandeloze glimlach. Mijn benen bibberden en ik moest me aan de muur vastgrijpen om niet te vallen, maar Mimi knielde naast haar neer en drukte met haar lange mandarijnennagels de wond dicht en stopte zo de stroom die het leven uit haar deed vloeien, totdat de ziekenauto er was. Terwijl ik zat te beven, bleef zij gedurende de hele rit de wond dichtklemmen met haar nagels. Mimi is een wonderbaarlijke vrouw. In het ziekenhuis opereerden de artsen mijn peettante en naaiden haar weer dicht als een kous. Als door een wonder wisten ze haar te redden.

Ik ging haar bezittingen ophalen uit de kamer waar ze gewoond had en daar vond ik in een zak de vlecht van mijn moeder, glanzend rood als de huid van de *sucurucú*-slang. Al die jaren had de vlecht daar vergeten in een hoekje gelegen, en was gespaard gebleven voor het lot om tot pruik verwerkt te worden. Ik nam de vlecht en de poema mee. De zelfmoordpoging had in ieder geval tot gevolg dat men zich om de zieke bekommerde en zodra ze uit de eerste hulp ontslagen werd, werd ze opgenomen in een psychiatrische inrichting. Na een maand mochten we bij haar op bezoek.

'Dit is nog erger dan de Santa Maria-gevangenis,' zei Mimi. 'We halen haar hier weg.'

Met een touw vastgemaakt aan een betonnen pilaar in het midden van een patio, samen met andere demente vrouwen, huilde mijn peettante niet langer, ze zat roerloos te zwijgen, met het opvallende litteken in haar hals. Ze had gesmeekt of ze haar heiligen kon terugkrijgen, want zonder hen voelde ze zich verloren, duivels belaagden haar omdat ze zich had ontdaan van haar kind, het tweekoppige monster. Mimi probeerde haar te genezen met behulp van positieve kracht, zoals in het handboek van de Maharadja stond, maar de zieke bleek ontoegankelijk voor de esoterische geneeswijzen. In die tijd ontwikkelde ze haar obsessie voor de paus, ze wilde hem ontmoeten om hem absolutie te vragen voor haar zonden,

en om haar te kalmeren beloofde ik dat ik haar zou meenemen naar Rome, zonder te kunnen dromen dat we op
een dag te zien zouden krijgen hoe Zijne Hoogheid de
Paus in hoogsteigen persoon de zegen uitdeelde in de
tropen.

We haalden haar uit de inrichting, wasten haar, fat-
soeneerden het schaarse haar dat ze nog op haar hoofd
had, trokken haar nieuwe kleren aan en verhuisden haar
met al haar heiligen naar een particuliere kliniek aan de
kust, gelegen tussen palmbomen, watervallen en grote
kooien met ara's. Het was een oord voor rijke mensen,
maar ondanks haar uiterlijk werd ze geaccepteerd omdat
Mimi bevriend was met de directeur, een Argentijnse
psychiater. Daar kreeg ze een roze geschilderde kamer
met uitzicht op zee en zachte achtergrondmuziek. Het
was een tamelijk kostbare aangelegenheid, maar het was
de moeite waard, want voorzover ik mij kon herinneren
was mijn peettante voor het eerst gelukkig. Mimi had de
eerste maandelijkse termijn betaald, maar ik vond dat
het mijn verantwoordelijkheid was. Ik ging bij de confectiefabriek werken.

'Dat is niks voor jou. Jij moet voor schrijfster leren,'
betoogde Mimi.

'Dat is nergens te leren.'

Huberto Naranjo was plotseling in mijn leven verschenen om er enkele uren later even plotseling uit te verdwijnen, zonder te zeggen waarom, mij achterlatend in een
spoor van oerwoud, modder en stof. Ik begon een leven
van op hem wachten, en in de lange tijd dat ik geduld
moest hebben, beleefde ik dikwijls opnieuw die avond
van onze eerste omarming, toen we, nadat we haast zwijgend koffie hadden gedronken, elkaar met hartstochtelij-

ke vastberadenheid hadden aangekeken en hand in hand naar een hotel waren gegaan en samen over het bed hadden gerold, en hij me had bekend dat hij me nooit als zuster had gewild en dat ik al die jaren niet uit zijn gedachten was geweest.

'Kus me, ik mag niemand liefhebben, maar ik kan je ook niet laten gaan, kus me nog eens,' fluisterde hij mij omhelzend en daarna verhardde zijn blik, hij baadde in het zweet en rilde.

'Waar woon je? Waar kan ik je bereiken?'

'Zoek me niet, ik kom terug zodra ik kan.' En opnieuw drukte hij me als een krankzinnige, onbeheerst en onhandig tegen zich aan.

Een hele tijd hoorde ik niets van hem en volgens Mimi kwam dat omdat ik de eerste keer meteen was gezwicht, je moet je laten smeken, hoe vaak heb ik je dat nu al gezegd? Mannen stellen alles in het werk om een vrouw in bed te krijgen en als hun dat gelukt is, halen ze ons naar beneden. Hij denkt nu dat je te gemakkelijk bent, je kunt wachten tot je een ons weegt, die komt niet meer terug. Maar Huberto Naranjo kwam wel terug, hij ving me op op straat en weer gingen we naar het hotel om elkaar op dezelfde manier te beminnen. Vanaf dat moment had ik er een voorgevoel van dat hij altijd zou terugkomen, hoewel hij er steeds op zinspeelde dat het de laatste keer was. Hij had zijn intrede gedaan in mijn bestaan, gehuld in een waas van geheimzinnigheid en iets heroïsch en verschrikkelijks met zich meedragend. Hij gaf mijn verbeelding vleugels en ik geloof dat dat de reden was waarom ik erin berustte om hem onder dergelijke benarde omstandigheden te beminnen.

'Je weet niets van hem. Hij is vast getrouwd en vader van zes bloedjes van kinderen,' mopperde Mimi.

'Jouw hersens zijn aangetast door die vervolgverhalen. Ze zijn niet allemaal zo als die onverlaten op de televisie.'

'Ik weet waar ik over praat. Ik ben als man grootgebracht, ik ben op een jongensschool geweest, ik heb met ze gespeeld en ik heb geprobeerd met ze mee te gaan naar het stadion en naar de kroeg. Ik weet van dat onderwerp veel meer dan jij. Ik weet niet hoe het elders in de wereld toegaat, maar hier kun je van niemand op aan.'

In Huberto's bezoeken zat geen enkel patroon, soms bleef hij een paar weken weg en soms zelfs maanden. Hij belde me niet, hij schreef me niet, hij stuurde me geen bericht en plotseling, wanneer ik er het minst op bedacht was, liep hij me op straat tegen het lijf, alsof hij precies wist wat ik deed en me ergens in het donker gadesloeg. Hij zag er altijd weer volkomen anders uit, nu eens met een snor, dan weer met een baard of zijn haar op een andere manier geknipt, alsof hij zich vermomd had. Dat maakte me aan de ene kant bang, maar aan de andere kant trok het me ook aan, het was alsof ik verschillende mannen tegelijk beminde. Ik droomde van een plekje voor ons beiden, ik wilde eten voor hem koken, zijn kleren wassen, iedere nacht met hem slapen, doelloos samen door de straten slenteren, gearmd als een echtpaar. Ik wist dat hij hunkerde naar liefde, tederheid, rechtvaardigheid, vreugde, alles. Hij wrong me uit alsof hij een dorst van eeuwen wilde verzadigen, hij fluisterde mijn naam en plotseling stonden hem de tranen in de ogen. We spraken over het verleden, over hoe we elkaar ontmoet hadden toen we nog kinderen waren, maar we hadden het nooit over het heden of over de toekomst. Soms bleven we nog geen uur samen en leek het of hij op de vlucht was, hij had me nog niet omhelsd of hij was alweer verdwenen. Wanneer hij niet zo'n haast had, onderzocht ik zijn lichaam vol overgave, ik verkende het, ik telde zijn littekens en verwondingen, ik stelde vast dat hij magerder was geworden, dat zijn handen nog ruwer waren en zijn huid nog droger, wat heb je daar, het lijkt wel een zweer, dat is niets, kom. Na ieder afscheid hield ik een bittere smaak in mijn mond, een mengeling van hartstocht, verbittering en iets als medelijden. Om hem niet te verontrusten wendde ik soms een bevrediging voor die ik bij lange na niet voelde. Mijn behoefte om hem vast te houden en lief te hebben was zo sterk dat het mij beter leek Mimi's raad te volgen. Ik bracht geen van de kunstgrepen in praktijk die ik geleerd had uit de boeken van Madame, en evenmin bracht ik hem de door Riad Halabi ontwikkelde liefkozingen bij, ik sprak niet over mijn fantasieën, ik wees hem niet op de juiste snaren die Riad Halabi had bespeeld, omdat ik van tevoren wist dat hij me met vragen zou bestoken: waar, met wie, wanneer ik dat gedaan had. Ondanks de rokkenjagerspraatjes, die ik hem altijd had horen verkondigen toen hij jong was, of misschien wel juist daarom, gedroeg hij zich tegenover mij altijd preuts. Voor jou heb ik respect, zei hij, jij bent niet zoals die anderen. Zoals wie? wilde ik weten en dan lachte hij ironisch en afstandelijk. Ik was zo wijs tegen hem mijn mond te houden over mijn kalverliefde voor Kamal, mijn zinloze liefde voor Riad of over mijn kortstondige ontmoetingen met andere minnaars. Toen hij me ondervroeg over mijn maagdelijkheid, antwoordde ik hem wat kan jou mijn maagdelijkheid schelen, jij kunt me de jouwe toch ook niet aanbieden, maar daarop reageerde Huberto zo heftig dat het me beter leek mijn schitterende nacht met Riad Halabi te verzwijgen, en ik diste hem een verhaal op over de politieagenten van Agua Santa die me verkracht hadden nadat ze me hadden gearresteerd voor de moord op Zulema. Er ontstond een belachelijke discussie en ten slotte zei hij dat het hem speet, ik ben een ezel, neem me niet kwalijk, het is niet jouw schuld, Eva, ik zal het die schoften betaald zetten, dat zweer ik je, ze zullen boeten.

'Als we eerst maar de kans krijgen om tot rust te komen, dan zal alles wel veel beter gaan,' beweerde ik in mijn gesprekken met Mimi.

'Als hij je nu niet gelukkig maakt, doet hij dat nooit. Ik begrijp niet waarom je met hem doorgaat, het is een rare snuiter.'

De relatie met Huberto Naranjo bracht mijn leven in de war en een hele tijd liep ik vertwijfeld en ongedurig rond, bezeten van het verlangen om hem te veroveren en bij me te houden. Ik sliep slecht, ik werd geplaagd door nachtmerries, ik begreep mezelf niet meer, ik kon me niet concentreren op mijn werk of op mijn verhalen. Om te kalmeren pakte ik tranquillizers uit het medicijnkastje en slikte die stiekem. Maar de tijd verstreek en ten slotte kromp de schim van Huberto Naranjo ineen; ze werd minder alomtegenwoordig, werd gereduceerd tot een beter hanteerbare afmeting en daarna begon ik weer oog te krijgen voor andere dingen en leefde ik niet meer alleen om naar hem te verlangen. Ik was nog steeds verslaafd aan zijn bezoeken, want ik hield van hem en ik voelde me de hoofdpersoon in een tragedie, de heldin van een roman, maar ik was in staat een rustig leven te leiden en 's nachts weer te schrijven. Ik herinnerde me het besluit dat ik genomen had toen ik verliefd was op Kamal, om nooit meer te lijden aan de ondraaglijke smart van jaloezie, en met koppige, geslepen vasthoudendheid hield ik me aan dat besluit. Ik stond mezelf niet toe ook maar te veronderstellen dat hij in de tijd dat we elkaar niet zagen op zoek was naar andere vrouwen of te denken dat hij een bandiet was, zoals Mimi zei. Ik stelde me liever voor dat er een verhevener verklaring was voor zijn gedrag, een avontuurlijke dimensie waartoe ik geen toegang had, een mannenwereld geregeerd door onverbiddelijke wetten. Huberto Naranjo was betrokken bij een zaak die voor hem belangrijker moest zijn dan onze liefde. Ik nam me voor daar begrip voor te hebben en me erbij neer te leggen. Ik ontwikkelde een romantisch gevoel voor die man, die iedere keer droger, sterker en zwijgzamer werd, maar ik hield op met het maken van toekomstplannen.

Op de dag dat er twee politieagenten werden vermoord dicht bij de confectiefabriek waar ik werkte, werden mijn vermoedens bevestigd dat Huberto's geheim iets te maken had met de guerrilla. Vanuit een rijdende auto waren ze met een mitrailleur neergeschoten. Meteen stroomde de straat vol mensen. Patrouillewagens en ziekenauto's brachten de hele buurt in rep en roer. In de fabriek werden de machines tot stilstand gebracht, de arbeiders werden op de binnenplaats op een rij gezet en alle lokalen werden van onder tot boven doorzocht. Ten slotte stuurden ze ons weg met de boodschap dat we naar huis moesten gaan, omdat de hele stad in beroering was. Ik liep naar de bushalte en daar stond Huberto Naranjo op me te wachten. Ik had hem twee maanden niet gezien en ik herkende hem haast niet omdat hij er ineens veel ouder uitzag. Ditmaal beleefde ik geen enkel genot in zijn armen en ik deed ook niet alsof, ik was met mijn gedachten elders. Later, toen we naakt op de grove lakens van het bed zaten, kwam het gevoel bij me op dat we elke dag verder van elkaar verwijderd raakten en dat speet me voor ons allebei.

'Neem me niet kwalijk, ik voel me niet erg lekker. Het

is een vreselijke dag geweest, er zijn twee politieagenten vermoord, ik kende ze goed, ze stonden altijd daar op wacht en groetten me. De ene heette Socrates, moet je je voorstellen, wat een naam voor een politieagent, het was een goeie kerel. Ze zijn door kogels vermoord.'

'Terechtgesteld,' verbeterde Huberto Naranjo. 'Ze zijn terechtgesteld door het volk. Dit is geen moord. Je moet op je woorden letten. De moordenaars zijn de politieagenten.'

'Wat mankeert je? Je wilt toch niet beweren dat jij een voorstander bent van terrorisme?'

Hij pakte me stevig beet en terwijl hij me strak in de ogen keek legde hij me uit dat het de regering was die geweld uitoefende. Waren werkloosheid, armoede, corruptie en sociaal onrecht soms geen vormen van geweld? De Staat misbruikte en onderdrukte op alle mogelijke manieren, die politieagenten waren de handlangers van het regime en verdedigden de belangen van de vijanden van hun eigen klasse, en dus was hun terechtstelling een wettige daad. Het volk vocht voor zijn bevrijding. Een hele tijd gaf ik geen antwoord. Ineens begreep ik zijn afwezigheid, zijn littekens en zijn zwijgzaamheid, zijn gehaastheid, zijn fatalistische houding en het geweldige magnetisme dat hij uitstraalde en waarmee hij de hem omringende lucht elektriseerde en waardoor ik – als een door het licht verblind insect – werd aangetrokken.

'Waarom heb je het mij niet eerder verteld?'

'Het was beter als je van niets wist.'

'Vertrouw je me niet?'

'Probeer het te begrijpen, dit is oorlog.'

'Als ik het wel geweten had, waren deze jaren gemakkelijker voor me geweest.'

'Het feit alleen al dat ik je ontmoet is waanzin. Denk

je eens in wat er zou gebeuren als ze jou zouden verden-
ken en je zouden verhoren.'

'Ik zou nooit iets zeggen!'

'Ze kunnen een stomme tot praten brengen. Ik heb je
nodig, ik kan niet zonder je, en toch voel ik me schuldig
elke keer dat ik bij je ben, omdat ik de organisatie en het
leven van mijn kameraden op het spel zet.'

'Neem me mee.'

'Dat kan ik niet, Eva.'

'Zijn er geen vrouwen in de bergen?'

'Nee, dit is een harde strijd, maar er zullen betere tijden komen en dan zullen we elkaar op een andere manier
kunnen beminnen.'

'Je kunt niet jouw leven en het mijne opofferen.'

'Het is geen opoffering. Wij zijn bezig een andere samenleving op te bouwen, op een dag zullen we allemaal
gelijk zijn en vrij...'

Ik dacht terug aan die avond, lang geleden, dat we elkaar hadden leren kennen, twee kinderen verloren op
een plein. Ook toen al vond hij zichzelf een goed ge-
bouwde macho die in staat was zijn eigen lot te bepalen,
en beweerde hij dat ik in het nadeel was omdat ik als
vrouw geboren was en allerlei betuttelingen en beperkingen zou moeten accepteren. In zijn ogen zou ik altijd een
afhankelijk schepsel zijn. Zo had Huberto erover gedacht vanaf dat hij de jaren des onderscheids had bereikt
en het was onwaarschijnlijk dat de revolutie aan die opvattingen iets zou veranderen. Ik begreep dat onze problemen niets te maken hadden met de wisselvalligheden
van de guerrilla. Ook als hij erin zou slagen zijn droom te
verwerkelijken, zou de gelijkheid voor mij niet haalbaar
zijn. Voor Naranjo en anderen zoals hij, scheen het volk
uitsluitend uit mannen te bestaan; wij vrouwen mochten

wel bijdragen aan de strijd maar we waren uitgesloten van de beslissingen en van de macht. Hun revolutie zou mijn lot niet wezenlijk veranderen, in wat voor omstandigheden ook zou ik tot mijn laatste snik op mezelf aangewezen zijn om me een weg te banen. Misschien besefte ik op dat moment dat mijn oorlog er een is waarvan het eind nog niet in zicht is. Dat ik me er maar beter meteen vrolijk in kon storten om niet het risico te lopen mijn hele leven te moeten wachten op een mogelijke overwinning en me pas daarna prettig te gaan voelen. Ik kwam tot de conclusie dat Elvira gelijk had, men moet altijd onverschrokken zijn en men moet altijd vechten.

Die dag gingen we kwaad uit elkaar, maar twee weken later kwam Huberto Naranjo terug en ik verwachtte hem, net zoals altijd.

10

De verhoogde activiteit van de guerrillabeweging bracht Rolf Carlé terug in het land.

'Voorlopig is het afgelopen met dat gereis door de wereld, jongen,' zei Aravena tegen hem vanachter zijn deftige bureau. Aravena was dik geworden, hij had een hartkwaal en zijn zintuigen kon hij alleen nog vergasten op goed tafelen, een goede sigaar en, als hij in de Kolonie logeerde, een heimelijke blik op de verrukkelijke en nu onaantastbaar geworden billen van de dochters van oom Rupert. Zijn fysieke beperkingen hadden zijn beroepsnieuwsgierigheid echter niet doen afnemen. 'De guerrilla zaait veel verwarring en het wordt tijd dat iemand eens poolshoogte gaat nemen. Alle informatie die wij binnen krijgen is gecensureerd, de regering liegt en de clandestiene radio ook. Ik wil weten hoeveel mannen er in de bergen zijn, wat voor soort wapens ze hebben, van wie ze steun krijgen, wat ze van plan zijn, enfin, alles.'

'Dat kan niet op de televisie vertoond worden.'

'We moeten weten wat er gebeurt, Rolf. Volgens mij is het een stelletje gekken, maar het zou kunnen dat we een tweede Sierra Maestra onder onze neus hebben en het niet zien.'

'En als dat zo is, wat doen we dan?'

'Niets. Het is niet onze taak de geschiedenis een andere wending te geven, maar wel om de feiten vast te leggen.'

'In de tijd van de Generaal dacht u er anders over.'

'Ik heb intussen wel iets bijgeleerd. Ga erheen, kijk, film als je kunt en vertel mij alles.'

'Dat zal niet zo eenvoudig zijn. Ik denk niet dat ze me toestemming geven om in hun kampementen rond te snuffelen.'

'Daarom vraag ik het aan jou en niet aan iemand anders van de ploeg. Jij bent een paar jaar geleden al eens bij hen geweest, hoe heette die vent ook weer van wie jij zo onder de indruk was?'

'Huberto Naranjo.'

'Denk je dat je weer met hem in contact kunt komen?'

'Ik weet het niet, hij kan wel dood zijn, men beweert dat er veel van hun manschappen gedood zijn door het leger en ook dat er veel deserteurs zijn. Hoe dan ook, het onderwerp interesseert me en ik zal zien wat ik kan doen.'

Huberto Naranjo was noch dood, noch gedeserteerd, maar niemand sprak hem nog met deze naam aan. Hij was nu Commandant Rogelio. Hij had jarenlang oorlog gevoerd, met laarzen aan zijn voeten, zijn wapen in de hand en zijn ogen altijd wijdopen om verder te kijken dan de schaduwen. Zijn leven was een aaneenschakeling van geweld, hoewel er ook ogenblikken van euforie waren geweest, sublieme ogenblikken. Elke keer dat hij een groep nieuwe strijders verwelkomde, kreeg hij hartkloppingen alsof hij tegenover zijn bruid stond. Hij ging hen tegemoet tot aan de buitenste post van het kampement en daar stonden ze, nog smetteloos, optimistisch, in het gelid, zoals ze van hun patrouillecommandant geleerd hadden, nog met hun stadsuiterlijk, met verse blaren in hun handen, zonder het eelt van de veteranen, met zachte ogen, moe maar lachend. Het waren zijn jongere broers, zijn zonen, ze kwamen om te vechten en vanaf dat moment was hij verantwoordelijk voor hun leven, voor het hooghouden van hun moreel, was het zijn taak hun te leren overleven, hard te worden als graniet, dapperder te worden dan een leeuwin, zo listig, vlug en weerbaar te worden dat ieder van hen honderd soldaten kon evenaren. Het was goed om hen hier te hebben, hij kreeg er een brok van in zijn keel. Hij stopte zijn handen diep in zijn zakken en begroette de nieuwelingen met vier afgebeten zinnen. Hij wilde zijn emoties niet verraden.

Hij hield er ook van om met zijn kameraden rond een kampvuur te zitten, als dat eens een enkele keer mogelijk was. Ze bleven nooit lang op dezelfde plaats, het was noodzakelijk om het gebergte te kennen. Zoals in hun handboek stond, moesten ze zich in hun gebied kunnen bewegen als een vis in het water. Er waren echter ook wel eens dagen dat ze het wat kalmer aan konden doen, dan zongen ze, kaartten ze en luisterden ze naar de radio, als gewone mensen. Zo nu en dan moest hij naar de stad afdalen om zich met zijn contactpersonen in verbinding te stellen. Dan wandelde hij over straat en verbeeldde zich dat hij net zo was als iedereen, snoof hij de bijna vergeten geuren op van eten, uitlaatgassen en vuilnis. Met nieuwe ogen keek hij naar de kinderen, naar de bezige vrouwen, naar de straathonden, alsof hij gewoon iemand uit de massa was en door niemand werd opgejaagd. Plotseling viel zijn oog dan op een muur waarop met zwarte letters geschreven stond 'Commandant Rogelio', en als hij zichzelf zo aan de wand genageld wist, herinnerde hij zich met een mengeling van trots en angst dat hij daar niet hoorde, dat zijn leven niet was als dat van anderen, hij was een strijder.

Het merendeel van de guerrilleros was afkomstig van

de universiteit, maar Rolf Carlé deed zelfs geen poging om via de studenten verbinding te krijgen met de mannen in de bergen. Zijn gezicht was regelmatig te zien in het televisiejournaal, iedereen kende hem. Hij herinnerde zich hoe hij een paar jaar geleden, toen hij in het prille begin van de strijd een interview had willen maken met Huberto Naranjo, met hem in contact gekomen was. Hij begaf zich naar de kroeg van de Neger, die hij aantrof in de keuken, weliswaar een dagje ouder maar nog steeds opgewekt. Wantrouwend gaven ze elkaar een hand. De tijden waren veranderd en de onderdrukking was nu het werk van specialisten, de guerrilla was niet meer alleen een ideaal van jongens die vol verwachting de wereld wilden veranderen, maar een nietsontziende confrontatie en een verbeten strijd. Rolf Carlé kwam zonder omwegen ter zake.

'Ik heb daar niets mee te maken,' antwoordde de Neger.

'Ik ben geen verklikker, dat ben ik nooit geweest. In al deze jaren heb ik je nooit verraden, waarom zou ik dat nu dan wel doen? Bespreek het met je chefs en zeg tegen ze dat ze me een kans moeten geven, dat ze me ten minste moeten laten uitleggen wat ik van plan ben...'

De man keek hem lang en onderzoekend aan, hij nam ieder detail van zijn gezicht in zich op en waarschijnlijk kon wat hij zag zijn goedkeuring wegdragen, want Rolf Carlé merkte dat zijn houding veranderde.

'Ik zie je morgen, Neger,' zei hij.

Hij ging de volgende dag terug en vervolgens gedurende een maand vrijwel iedere dag, net zolang totdat hij een afspraak kon maken om zijn bedoelingen uiteen te zetten. De Partij had overwogen dat Rolf Carlé een nuttig instrument kon zijn, zijn reportages waren goed, hij maakte een eerlijke indruk, hij had toegang tot de televisie en hij was een vriend van Aravena. Het had voordelen om op iemand zoals hij te kunnen rekenen en het risico was niet erg groot, mits de zaak met de nodige omzichtigheid werd aangepakt.

'Het volk moet weten wat er gaande is, een overwinning levert medestanders op,' redeneerden de leiders.

'De publieke opinie mag niet gealarmeerd worden, ik wens geen woord te horen over de guerrilla, die moet worden doodgezwegen. Ze staan buiten de wet en als zodanig moeten ze ook behandeld worden,' luidde het bevel van de President van de Republiek.

Deze reis van Rolf Carlé naar het kampement was heel anders dan de vorige. Het was geen excursie en hij was geen scholier met een rugzak op. Een groot deel van het traject was hij geblinddoekt, half stikkend en zwetend van de hitte werd hij vervoerd in de kofferbak van een auto, een ander stuk ging 's nachts dwars door akkers, zonder dat hij er een flauw idee van had waar hij zich bevond, zijn gidsen wisselden elkaar af en niet één was bereid met hem te praten, twee dagen was hij opgesloten in schuren en op graanzolders, hij werd van hot naar haar gesleept en het was hem verboden iets te vragen. Op speciale scholen opgeleide legereenheden dreven de guerrilla in het nauw, installeerden mobiele controleposten op de wegen, hielden auto's aan en doorzochten alles. Het was niet eenvoudig de demarcatielijn te passeren. In de over het hele land verspreide operationele centra waren speciale troepen geconcentreerd. Het gerucht ging dat daar ook de gevangenkampen en de martelkamers waren. De soldaten bestookten de bergen met zware wapens en trokken een spoor van vernielingen. Denken jullie aan de revolutionaire erecode, prentte Commandant

Rogelio zijn jongens in, daar waar wij voorbijtrekken wordt niemand slecht behandeld, toon respect en betaal voor alles wat we consumeren, zodat het volk leert begrijpen wat het verschil is tussen ons en het Leger en weet hoe het zal toegaan in de door de revolutie bevrijde gebieden. Rolf Carlé kon met eigen ogen zien dat op korte afstand van de steden, waar het leven ogenschijnlijk vredig verliep, een oorlog woedde, doch dat was een door de autoriteiten verboden onderwerp. Van de strijd werd uitsluitend melding gemaakt door de clandestiene radio, die bekend maakte wat de guerrilla gedaan had: een pijpleiding opgeblazen, een wachtpost overvallen, het Leger in een hinderlaag gelokt.

Na vijf dagen als een baal heen en weer gesleept te zijn, was hij bezig een berg te beklimmen en zich met een hakmes een weg te banen door de dichte begroeiing; hij had honger, hij zat onder de modder en onder de muggenbeten. De gidsen lieten hem achter op een open plek in het bos met de opdracht zich onder geen enkele voorwaarde te bewegen en geen vuur of geluid te maken. Daar bleef hij wachten met als enig gezelschap de krijsende apen. Toen het licht begon te worden en hij net op het punt stond zijn geduld te verliezen, verschenen er twee haveloze, bebaarde jonge mannen met geweren in hun hand.

'Welkom, kameraad,' begroetten ze hem breed glimlachend.

'Het werd tijd,' antwoordde hij mat.

Rolf Carlé was de maker van de enige documentaire die er bestaat over de guerrilla in die periode, voordat de revolutionaire droom in rook opging door een vernietigende nederlaag en de overlevenden de wapens neerlegden en hun normale leven weer opvatten, de een als bureaucraat en de ander als afgevaardigde of ondernemer.

Hij trok geruime tijd op met de groep van Commandant Rogelio. 's Nachts trokken ze van de ene plaats naar de andere door woeste gebieden; soms rustten ze overdag. Honger, vermoeidheid, angst. Het leven in de bergen was hard. Rolf had verschillende oorlogen meegemaakt, maar deze strijd van hinderlagen, van verrassingsaanvallen, van zich altijd bespied voelen, van eenzaamheid en stilte, kwam hem erger voor. Het totale aantal guerrilleros wisselde, ze waren in kleine groepen georganiseerd om zich gemakkelijker te kunnen verplaatsen. Commandant Rogelio ging ze een voor een langs, hij had het opperbevel over het hele front. Rolf was aanwezig bij de training van de nieuwe strijders, hij hielp radio's en eerstehulpposten installeren, hij leerde op zijn ellebogen kruipen en pijn verdragen, en door met hen samen te leven en naar hen te luisteren begon hij langzamerhand te begrijpen waarom deze jongens tot al die offers bereid waren. De kampementen functioneerden volgens een zelfde discipline als in het leger, echter met dit verschil dat de guerrilla niet beschikte over de juiste kleding, medicijnen, voedsel, onderdak, transport en communicatiemiddelen. Het regende wekenlang en ze konden geen vuur aanleggen om hun kleren te drogen, ze leefden als het ware in een in zee verzonken bos. Rolf voelde zich als een koorddanser die op een over een ravijn gespannen koord liep, de dood loerde achter de eerstvolgende boom.

'Zo voelen we ons allemaal, maak je maar geen zorgen, je went er wel aan,' schertste de Commandant.

De proviand was heilig maar het gebeurde wel eens dat iemand de verleiding niet langer kon weerstaan en zich een blikje sardines toe-eigende. De straffen waren zwaar, niet alleen omdat het voedsel gerantsoeneerd moest worden, maar vooral om de jongens de waarde van solidariteit bij te brengen. Soms draaide iemand door en ging op de grond liggen huilen en om zijn moeder roepen. Dan ging de Commandant naar hem toe, hielp hem overeind en liep met hem naar een plek waar niemand hen kon zien om hem onopvallend te troosten. Als hij iemand op verraad betrapte was diezelfde man in staat eigenhandig een van de zijnen te executeren.

'Hier is het normaal om te sterven of om gewond te raken, je moet op alles voorbereid zijn. Als we het er levend afbrengen is dat iets bijzonders en als we winnen is dat een wonder,' zei Commandant Rogelio tegen Rolf.

Het scheen Rolf dat hij in die maanden stokoud was geworden en dat zijn lichaam gesleten was. Ten slotte wist hij niet meer waar hij mee bezig was en waarom, hij had geen begrip van tijd meer, soms kwam een uur hem voor als een week en dan ineens leek een week een droom. Het was buitengewoon moeilijk om de pure informatie, de essentie van de dingen te vatten. Rondom hem heerste een vreemde stilte, een stilte van woorden, maar tegelijkertijd een stilte beladen met voortekenen, bevolkt door oerwoudgeluiden, gekrijs en gefluister, verre stemmen die door de lucht werden aangevoerd, gekreun en gezucht van slaapwandelaars. Hij leerde kort te slapen, staande, zittend, overdag, 's nachts, half bewusteloos van vermoeidheid, en toch altijd op zijn hoede, van het minste gerucht opschrikkend. Hij walgde van het vuil en van zijn eigen lichaamsgeur, hij snakte ernaar om zich onder te dompelen in schoon water, zich tot op zijn botten met zeep af te boenen, hij zou alles hebben willen geven voor een kop hete koffie. In confrontaties met de soldaten zag hij mannen aan flarden geschoten worden, met wie hij de vorige nacht nog een sigaret had gerookt. Hij boog zich over hen heen met zijn camera en filmde hen als een buitenstaander, alsof hij de lichamen van grote afstand door een telescoop bekeek. Ik mag mijn kop niet verliezen, hield hij zichzelf voor, zoals hij dat al zo dikwijls onder soortgelijke omstandigheden had moeten doen. De beelden uit zijn jeugd kwamen terug in zijn herinnering, de dag dat hij de doden had moeten begraven in het concentratiekamp, en de meer recente beelden van andere oorlogen. Hij wist uit ervaring dat alles sporen bij hem achterliet, dat iedere gebeurtenis in zijn geheugen een vlek maakte en dat het soms een hele tijd duurde voor hij merkte dat een episode hem diep geraakt had, alsof de herinnering ergens bevroren was om plotseling, door de een of andere associatie, met een onverdraaglijke intensiteit op zijn netvlies te verschijnen. Ook vroeg hij zich zo nu en dan af waarom hij er mee doorging, waarom hij niet alles naar de hel liet gaan en terugkeerde naar de stad, dat zou gezonder zijn dan in deze doolhof van nachtmerries te blijven, weggaan, een tijdje op adem komen in de Kolonie en zich door zijn nichtjes laten sussen in de geuren van kaneel, kruidnagel, vanille en citroen. Toch liet hij zich door zijn twijfel niet weerhouden om de guerrilleros overal te volgen, met zijn camera op zijn schouder, zoals de anderen hun geweren droegen. Op een avond kwamen vier jongens met Commandant Rogelio aandragen, die op een geïmproviseerde draagbaar lag, ze hadden hem een deken omgeslagen en hij rilde en kronkelde; hij was vergiftigd door een schorpioen.

'Niks aan de hand, jongens, van zoiets gaat niemand dood,' mompelde hij. 'Laat me maar, het gaat vanzelf weer over.'

Rolf Carlé's gevoelens voor deze man waren tegenstrijdig, hij voelde zich bij hem nooit echt op zijn gemak, hij wist dat hij niet zijn volle vertrouwen genoot en begreep daarom niet waarom hij hem toch zijn werk liet doen, hij ergerde zich aan zijn ernst en tegelijk had hij bewondering voor wat hij met zijn mannen wist te bereiken. De jongens kwamen als melkmuilen uit de stad en binnen een paar maanden had hij er harde strijders van gemaakt, die ongevoelig waren voor vermoeidheid en pijn. Toch zag hij op een of andere manier kans om ze hun jeugdige idealen te laten bewaren. Er was geen antigif aanwezig tegen de schorpioenbeet, de medicijnkist was praktisch leeg. Rolf bleef bij de zieke om hem toe te dekken, water te geven en schoon te maken. Na twee dagen zakte de koorts en glimlachte de Commandant naar hem, waarop Rolf begreep dat ze ondanks alles vrienden waren.

Rolf Carlé had niet genoeg aan de informatie van de guerrilleros, de andere kant van het gebeuren ontbrak. Zonder veel woorden nam hij afscheid van Commandant Rogelio, allebei kenden ze de regels en het zou beledigend zijn geweest ze uit te spreken. Zonder met iemand over zijn ervaringen in de bergen te spreken, begaf Rolf Carlé zich naar het hoofdkwartier van het Leger, hij ging met de soldaten mee op oefening, sprak met de officieren, interviewde de President en kreeg zelfs toestemming om de militaire training bij te wonen. Toen hij klaar was had hij duizenden meters film, honderden foto's, uren geluidsopnamen; er was niemand in het land die over zo veel informatie over het onderwerp beschikte als hij.

'Geloof jij dat de guerrilla kans van slagen heeft, Rolf?'
'Eerlijk gezegd niet, meneer Aravena.'
'In Cuba is het wel gelukt. Daar hebben ze bewezen dat het mogelijk is om een regulier leger te verslaan.'

'Dat is alweer heel wat jaren geleden, de gringo's zullen nieuwe revoluties nooit toestaan. In Cuba waren de omstandigheden anders, daar streden ze tegen een dictatuur en hadden ze de steun van het volk. Hier is sprake van een democratie, weliswaar met allerlei tekortkomingen maar toch is het volk er trots op. De guerrilla kan niet rekenen op de sympathie van de mensen, en op een enkele uitzondering na hebben ze alleen studenten van de universiteit kunnen rekruteren.'

'Wat is jouw mening over die jongens?'

'Ze zijn idealistisch en ze zijn dapper.'

'Ik wil alles zien wat je bij elkaar gebracht hebt, Rolf,' eiste meneer Aravena.

'Ik moet de film zo redigeren dat alles wat nu niet vertoond mag worden eruit gaat. U hebt zelf eens tegen me gezegd dat wij er niet zijn om de geschiedenis te veranderen maar om nieuws te brengen.'

'Ik kan maar niet wennen aan die schoolmeesterachtige toon van je, Rolf. Dus jouw film zou het lot van het land kunnen veranderen?'

'Ja.'

'Deze documentaire hoort in mijn archief thuis.'

'Die mag onder geen voorwaarde in handen van het Leger vallen, dat zou fataal zijn voor de mannen in de bergen. Ik zal ze niet verraden en ik weet zeker dat u dat ook nooit zult doen.'

De directeur van de Nationale Televisie rookte zijn sigaar tot het laatste puntje op, zwijgend observeerde hij door de rook zijn pupil, zonder een spoor van sarcasme, nadenkend. Hij dacht terug aan de jaren van oppositie tegen de Generaal en analyseerde zijn gevoelens van toen.

'Je houdt er niet van om raad aan te nemen, Rolf,

maar deze keer moet je je wel iets van mij aantrekken,' zei hij ten slotte. 'Verstop je films, want de regering weet dat ze bestaan en zal alles in het werk stellen om ze je goedschiks of kwaadschiks afhandig te maken. Redigeer de boel, gooi er stukken uit, bewaar alles wat je nodig dunkt, maar ik waarschuw je, je zit op een fles nitroglycerine. Misschien kunnen we die documentaire binnen afzienbare tijd wel uitzenden en wie weet kunnen we over een jaar of tien zelfs de hele film laten zien, waarvan jij nu denkt dat hij de loop van de geschiedenis kan veranderen.'

Rolf Carlé kwam op zaterdag in de Kolonie aan met een afgesloten koffer, die hij nog extra beveiligd had met een kettingslot. Hij gaf hem aan zijn oom en tante met de opdracht er tegen niemand een woord over te zeggen en het verzoek hem te verstoppen tot hij hem weer kwam halen. Zonder enig commentaar wikkelde Burgel er een plastic gordijn omheen, waarna Rupert hem in de werkplaats onder een stapel planken schoof.

Om zeven uur 's morgens loeide de sirene van de confectiefabriek en gingen de poorten open om tweehonderd vrouwen binnen te laten. We moesten in een rij langs de opzichteressen lopen, die ons uit angst voor eventuele sabotage van top tot teen fouilleerden. In het atelier werd van alles gemaakt, van soldatenlaarzen tot en met de lintjes voor de generaalsuniformen, en alles werd geteld en nagemeten opdat er geen knoop, geen gesp en geen draadje in handen zou vallen van de criminelen, zoals de Kapitein bezwoer. Want die hufters zijn in staat om onze uniformen na te maken en zich onder onze troepen te mengen om ons vaderland uit te leveren aan het communisme, de duivel zal ze halen. De grote zalen zonder vensters werden verlicht door tl-lampen, de lucht werd naar binnen geblazen via buizen die aan het plafond hingen, beneden stonden de naaimachines in lange rijen opgesteld en rondom was op twee meter hoogte een nauwe gaanderij, waarover de opzichters heen en weer liepen, die tot taak hadden het arbeidsritme te controleren, zodat de productie geen moment zou stagneren door een hapering, een storing of een ander klein oponthoud. Op die verdieping bevonden zich ook de kantoren, kleine vierkante hokjes voor de officieren, de boekhouders en de secretaressen. Het lawaai leek op het enorme gedreun van een waterval, en men was dan ook gedwongen watjes in zijn oren te doen en via gebaren met elkaar te communiceren. Om twaalf uur werd het gedreun overstemd door de sirene voor de lunchpauze en begaf iedereen zich naar de eetzalen, waar een eenvoudige doch voedzame maaltijd werd verstrekt, die veel weg had van gevangeniskost. Voor veel arbeidsters was dit de enige maaltijd van de hele dag en sommige vrouwen namen een deel mee naar huis, hoewel ze zich er voor schaamden om langs de opzichteressen te moeten gaan met de in papier verpakte etensresten. Make-up was verboden, en het haar moest kortgeknipt zijn of met een hoofddoek bedekt, omdat het een keer gebeurd was dat de haarlok van een vrouw gegrepen was door de snel ronddraaiende klos van een machine. Toen de stroom werd afgezet, was het al te laat en was haar hele hoofdhuid afgerukt. Toch zagen de jongste meisjes kans er aardig uit te zien. Met hun bontgekleurde hoofddoeken, hun korte rokjes en een beetje rouge, probeerden ze de aandacht te trekken van een baas en hun lot te verbeteren door twee meter hogerop te komen, op de gaanderij van de kantoorbedienden, waar zowel het loon als de behandeling beter was. Het overigens nooit bewezen verhaal over een naaister die op die manier getrouwd was met een officier sprak tot de verbeelding van de jonge meisjes, maar de oudere vrouwen werden niet koud of warm van dit soort onwaarschijnlijke verhalen. Ze werkten zwijgend en zo snel mogelijk door, want ze stonden op stukloon en hoe meer ze produceerden, hoe meer ze verdienden.

Kolonel Tolomeo Rodriguez verscheen zo nu en dan op inspectie. Zijn komst veroorzaakte een daling van de temperatuur en een verhoging van het lawaai. Het gewicht van zijn rang en de autoriteit die hij uitstraalde waren zo groot dat hij zijn stem niet behoefde te verheffen en geen gebaar hoefde te maken om respect af te dwingen, alleen zijn blik was genoeg. Hij ging overal langs, bladerde door de voorraadboeken, liep door de keukens, ondervroeg de arbeidsters, bent u nieuw? wat hebben jullie vandaag gegeten? het is hier warm, zet de ventilatie wat hoger, u hebt ontstoken ogen, ga naar het kantoor en laat u een briefje geven. Niets ontging hem. Sommige onderofficieren haatten hem, iedereen was bang voor hem, het heette dat zelfs de President beducht voor hem was omdat hij kon rekenen op het respect van de jonge officieren en hij ieder moment zou kunnen zwichten voor de verleiding in opstand te komen tegen de grondwettige regering.

Ik had hem nooit anders dan vanuit de verte gezien omdat mijn kantoor aan het eind van de gaanderij was en mijn werk niet door hem behoefde te worden gecontroleerd. Toch kon ik zelfs op die afstand zijn autoriteit voelen. Op een dag in maart leerde ik hem kennen. Ik zat naar hem te kijken door het glas dat mij van de gaanderij scheidde, toen hij ineens omkeek en onze blikken elkaar kruisten. Niemand van het personeel keek hem ooit recht in de ogen, ze sloegen hun blikken neer, maar ik was zo gehypnotiseerd dat ik zelfs niet met mijn ogen knipperde. Het kwam mij voor als een eeuwigheid. Ten slotte kwam hij op me toe. Door het lawaai kon ik hem niet horen lopen en ik kreeg de indruk dat hij aan kwam zweven, op afstand gevolgd door zijn secretaris en de kapitein. Toen de kolonel me met een lichte buiging groette, kon ik van dichtbij vaststellen dat hij groot was en dat hij expressieve handen, dik haar en grote, gelijkmatige tanden had. Hij had de aantrekkelijkheid van een wild dier. Toen ik die middag de fabriek verliet stond er een grote, zwarte limousine voor de poort geparkeerd en een ordonnans gaf me een envelop met een handgeschreven uitnodiging van kolonel Tolomeo Rodriguez om met hem te gaan dineren.

'De kolonel verwacht een antwoord van u,' zei de man in de houding springend.

'Zegt u hem dat ik niet kan, dat ik al een andere afspraak heb.'

Toen ik thuiskwam vertelde ik het aan Mimi, die mijn opmerking dat deze man een vijand was van Huberto Naranjo luchtig wegwuifde en die de zaak uitsluitend bekeek vanuit het standpunt van de liefdeshoorspelen waarmee zij haar ledige uren vulde, en die tot de conclusie kwam dat ik juist gehandeld had, het is altijd goed je te laten smeken, herhaalde ze voor de zoveelste keer.

'Jij bent vast de eerste vrouw die hem een blauwtje laat lopen, ik durf te wedden dat hij het morgen nog eens probeert,' voorspelde ze.

Zo was het niet. Hij liet zich niet zien voor vrijdag, toen hij onverwacht de fabriek kwam inspecteren. Toen ik hoorde dat hij in het gebouw was, besefte ik dat ik al die dagen op hem had gewacht, glurend naar de gaanderij, trachtend een glimp van hem op te vangen in de enorme zee van naaimachines, ernaar verlangend hem te zien en tegelijk bang dat hij zou verschijnen, met een ongeduld dat ik in tijden niet gevoeld had, omdat ik sinds het begin van mijn relatie met Huberto Naranjo niet meer geplaagd werd door dergelijke kwellingen. De militair kwam echter niet in de buurt van mijn kantoor en toen de sirene van twaalf uur loeide slaakte ik een zucht van verlichting en toch ook van spijt. De volgende weken dacht ik soms aan hem.

Negentien dagen later kwam ik 's avonds thuis en trof daar kolonel Tolomeo Rodriguez aan, die met Mimi koffie zat te drinken. Hij zat op een poef, stond op en stak zonder te glimlachen zijn hand naar me uit.

'Ik hoop dat ik niet ongelegen kom. Ik ben gekomen omdat ik graag met u wil praten,' zei hij.

'Hij wil met je praten,' herhaalde Mimi, die zo wit zag als het papier van een aan de muur hangende gravure.

'Ik heb u een hele tijd niet gezien en ik heb de vrijheid genomen u een bezoek te brengen,' zei hij op de plechtige toon die hij vaker bezigde.

'Vandaar dat hij is gekomen,' voegde Mimi eraan toe.

'Accepteert u mijn uitnodiging om samen te gaan dineren?'

'Hij wil dat je met hem gaat eten,' vertaalde Mimi, die aan het eind van haar Latijn was, omdat ze hem herkend had zodra hij binnenkwam. Op slag waren al haar herinneringen teruggekomen; hij was degene die iedere drie maanden op inspectie kwam in de Santa Maria-gevangenis in de tijd van haar tegenspoed. Ze was volkomen in de war, hoewel ze erop vertrouwde dat hij geen verband zou leggen tussen de armzalige gevangene in de Harem, die aan malaria leed, onder de zweren zat en een kaalgeschoren kop had, en de oogverblindende vrouw die hem nu koffie inschonk.

Waarom weigerde ik niet opnieuw? Misschien niet uit angst, zoals ik toen geloofde, maar omdat ik zin had om bij hem te zijn. Ik nam een douche om de vermoeienissen van de dag van me af te spoelen, ik deed mijn zwarte jurk aan, ik borstelde mijn haar en ik presenteerde me in de salon. Ik was nieuwsgierig en tegelijkertijd woedend op mezelf omdat ik het als verraad aan Huberto voelde. Met een wat overdreven gebaar bood de militair me zijn arm, maar ik liep voor hem langs zonder hem aan te raken, onder de wanhopige blikken van Mimi, die de indrukken nog niet te boven was. Ik stapte in de limousine en ik hoopte maar dat de buren de escortemotoren niet zouden zien, want dan zouden ze denken dat ik het liefje van een generaal geworden was. De chauffeur bracht ons naar een van de meest exclusieve restaurants van de stad, een Versailles-achtig herenhuis waar de kok persoonlijk de hooggeëerde cliënten begroette en waar een oude man met een presidentiële sjerp over zijn borst en voorzien van een zilveren schaaltje de wijnen proefde. De kolonel scheen op zijn gemak, maar ik voelde me een drenkeling tussen de blauwe brokaten stoelen, de pronkerige kandelaars en een bataljon kelners. Ze gaven me een in het Frans geschreven menu en Rodriguez, die mijn ontreddering wel kon raden, bestelde ook voor mij. Ik kreeg een kreeft voorgezet, zonder dat ik wist hoe ik die moest aanpakken, maar de kelner haalde het vlees uit de schaal en legde dat op mijn bord. Voor me stond een batterij opgesteld van rechte en gebogen messen, twee kleuren glazen en vingerkommen, en ik was dankbaar voor de lessen die Mimi had gevolgd aan het instituut voor schoonheidskoninginnen en voor wat we geleerd hadden van onze vriend de binnenhuisarchitect, waardoor ik me wist te redden zonder mezelf belachelijk te maken, totdat ze me tussen het voorgerecht en het vlees een mandarijnijsje voorzetten. Verbaasd keek ik naar het piepkleine bolletje met daarop een muntblaadje en ik vroeg waarom ze het toetje vóór de tweede gang serveerden. Rodriguez begon te lachen en daarmee verdwenen de gouden strepen op zijn mouw en werd zijn gezicht jaren jonger. Vanaf dat moment ging alles veel gemakkelijker. Hij kwam me niet langer voor als een vooraanstaande nationale figuur, ik bekeek hem onderzoekend in het licht van de paleiskaarsen en hij wilde weten waarom ik zo naar hem keek, waarop ik hem antwoordde dat ik hem ontzettend veel op de opgezette poema vond lijken.

'Vertel me uw leven, kolonel,' vroeg ik hem tijdens het dessert. Ik geloof dat mijn verzoek hem verraste en hem heel even op zijn hoede deed zijn, maar hij moet meteen daarop beseft hebben dat ik geen spion van de vijand was, ik kon zijn gedachten bijna lezen, ze is gewoon een arm meisje uit de fabriek, wat zou haar familierelatie zijn met die televisieactrice, een heel knappe vrouw, zeker, veel knapper dan dit slecht geklede meisje, ik heb heel even op het punt gestaan haar uit te nodigen, maar men zegt dat dat een homoseksueel is, nauwelijks te geloven, hoe dan ook, ik kan niet het risico lopen met iemand van de verkeerde kant gezien te worden. Het eindigde ermee dat hij mij vertelde over zijn jeugd op het familielandgoed, ergens op het platteland, een woestenij, waar de wind over de steppen blaast, waar het water en de planten een bijzondere betekenis hebben en de mensen sterk zijn omdat ze in de droogte leven. Hij was geen man uit het tropische gebied van het land, hij had herinneringen aan lange paardritten over de vlakte, aan hete, droge middagen. Zijn vader, een plaatselijke autoriteit, had hem toen hij achttien was bij de Strijdkrachten geplaatst zonder hem naar zijn mening te vragen, om het vaderland met ere te dienen, zoon, zoals het hoort, had hij gezegd. En dat had hij zonder aarzelen gedaan, discipline komt voor alles, wie weet te gehoorzamen kan leren bevelen. Hij had weg- en waterbouw en politicologie gestudeerd, hij had gereisd, hij las weinig, hij hield veel van muziek, hij was een matige drinker, bijna geheelonthouder, hij was getrouwd en vader van drie kinderen. Hoewel hij doorging voor een ernstig iemand, gaf hij die avond blijk van gevoel voor humor en aan het eind bedankte hij me dat ik hem gezelschap had gehouden, hij had zich goed geamuseerd, zei hij, en hoewel ik niet meer dan vier zinnen had gezegd en hij de hele tijd aan het woord was geweest, verzekerde hij me dat ik een originele persoonlijkheid was.

'Ik moet u bedanken, kolonel. Ik was hier nog nooit geweest, het is hier heel elegant.'

'Het hoeft niet de laatste keer te zijn, Eva. Kunnen we elkaar de volgende week weer zien?'

'Waarom?'

'Wel, om elkaar beter te leren kennen...'

'Wilt u met me naar bed, kolonel?'

Hij liet zijn mes en vork vallen en hield een minuut lang zijn ogen op zijn bord gericht.

'Dat is een openhartige vraag, die een even openhartig antwoord verdient,' antwoordde hij ten slotte. 'Ja, dat wil ik. Gaat u akkoord?'

'Nee, dank u. Van avontuurtjes zonder liefde word ik droevig.'

'Ik heb niet gezegd dat liefde uitgesloten is.'

'En uw vrouw?'

'Laten we een ding heel duidelijk stellen, mevrouw mijn echtgenote heeft met dit gesprek niets te maken en over haar zullen we het nooit meer hebben. Laten we over ons praten. Ik hoor het eigenlijk niet tegen u te zeggen, maar ik kan u gelukkig maken als ik daar mijn best voor doe.'

'Laten we er niet omheen draaien, kolonel. Ik stel me voor dat u veel macht hebt, u kunt doen wat u wilt en u doet het ook, nietwaar?'

'U vergist zich. Mijn functie legt me verantwoordelijkheden en plichten op ten aanzien van het vaderland en ik ben bereid die te vervullen. Ik ben een soldaat en ik maak geen gebruik van privileges en zeker niet van dit soort. Ik ben niet van plan u onder druk te zetten of te verleiden, en toch weet ik zeker dat ik mijn zin zal krijgen, want wij voelen ons tot elkaar aangetrokken. Ik zal u van mening doen veranderen en uiteindelijk zult u mij gaan liefhebben...'

'Neemt u mij niet kwalijk, maar dat betwijfel ik.'

'Bereidt u er maar op voor, Eva, want ik laat u niet met rust voor u voor me zwicht,' lachte hij.

'In dat geval kunnen we beter geen tijd verspillen. Ik denk er niet over met u in discussie te gaan want dan trek ik aan het kortste eind. Laten we dan nu meteen maar gaan, dan is het in een vloek en een zucht achter de rug en daarna kunt u me met rust laten.'

Met een rood hoofd stond de militair op. Onmiddellijk kwamen twee kelners behulpzaam aansnellen en aan de naburige tafels draaiden de mensen zich om om naar ons te kijken. Daarop ging hij weer zitten en een hele tijd bleef hij strak en hoorbaar ademhalend zwijgen.

'Ik weet niet wat jij voor een soort vrouw bent,' zei hij ten slotte, mij voor het eerst tutoyerend. 'Onder normale omstandigheden zou ik je uitdaging hebben aangenomen en zouden we meteen vertrokken zijn naar een afgezonderde plek, maar ik heb besloten deze zaak anders aan te pakken. Ik zal je niet smeken. Ik ben ervan overtuigd dat jij mij zult opzoeken en als je geluk hebt, geldt mijn voorstel dan nog. Bel me op als je de behoefte hebt me te zien,' zei Rodriguez kortaf, en hij schoof me een visitekaartje toe waarop bovenaan het nationale wapen gedrukt was en daaronder in cursieve letters zijn naam.

Die avond kwam ik laat thuis. Mimi vond dat ik me stom had gedragen, die militair was een machtig iemand en zou ons het leven erg moeilijk kunnen maken, had je niet iets beleefder kunnen zijn? De volgende dag nam ik ontslag, ik pakte mijn spullen bij elkaar en verliet de fabriek om te ontkomen aan die man, die alles vertegenwoordigde wat Huberto Naranjo al jaren met inzet van zijn leven bestreed.

'Na regen komt zonneschijn,' sprak Mimi toen ze vaststelde dat het rad van fortuin een halve slag had gemaakt, waardoor ik op de plaats terechtkwam waarvan zij altijd al beweerd had dat ik er thuishoorde. 'Nu kan je echt gaan schrijven.'

Ze zat aan de eettafel met de kaarten voor zich uitgespreid, waarin zij kon lezen dat vertellen mijn bestemming was en de rest vergeefse moeite, precies zoals ikzelf al vermoedde sinds ik de *Duizend-en-één-nacht* gelezen had. Volgens Mimi wordt elk mens met een talent geboren en het hangt van het geluk of het ongeluk af om te ontdekken of er aan dat talent behoefte bestaat op deze wereld, want sommige mensen beschikken over vaardigheden waar niemand iets aan heeft, zoals bijvoorbeeld een van haar vrienden, die kan drie minuten zonder te ademen onder water blijven, maar daar heeft hij nooit iets aan gehad. Mimi had juist haar debuut gemaakt in een televisieserie, ze speelde de rol van de verdorven Alejandra, de rivale van Belinda, een blind meisje dat uiteindelijk, zoals in zo'n verhaal altijd het geval is, het gezichtsvermogen terugkrijgt en met de aanbedene trouwt. De tekstboeken zwierven door het hele huis en om haar te helpen de tekst uit haar hoofd te leren, moest ik alle andere rollen spelen. *(Luis Alfredo knijpt zijn ogen stijf dicht om niet te huilen, mannen huilen niet.)* Laat je gevoelens toch de vrije loop... Laat mij de oogoperatie betalen, liefste. *(Belinda huivert, ze is bang haar geliefde te verliezen...)* Ik zou graag zeker van je zijn, maar er is een andere vrouw in je leven, Luis Alfredo. *(Hij staart in de prachtige pupillen zonder licht.)* Alejandra betekent niets voor me, ze is alleen uit op het fortuin van de familie Martinez de la Roco, maar dat zal haar niet lukken. Niemand zal ons ooit kunnen scheiden, mijn liefste Belinda. *(Hij kust haar en zij ondergaat de heerlijke liefkozing, waarbij voor het publiek in het midden gelaten wordt of er verder nog iets gebeurt of niet. De camera zwenkt naar Alejandra die bij de deur naar hen staat te gluren, haar gezicht vertrokken van jaloezie. Over naar studio B.)*

'In televisieseries moet je geloven. Punt uit,' zei Mimi tussen twee teksten van Alejandra in. 'Als je ze gaat analyseren, verliezen ze hun toverkracht en blijft er niets meer van over.'

Ze verzekerde me dat iedereen in staat was drama's als van Belinda en Luis Alfredo te bedenken, maar dat het meer voor de hand lag dat ik dat zou gaan doen. Tenslotte had ik er jarenlang naar geluisterd op de keukenradio en had ik geloofd dat het allemaal echt was, en toen ik erachter kwam dat de werkelijkheid niet was zoals op de radio, had ik me voor de gek gehouden gevoeld. Mimi legde me omstandig uit wat de onbetwistbare voordelen waren van werken voor de televisie, waar voor iedere ongerijmdheid een plaats te vinden was en waar iedere figuur, hoe buitenissig ook, de kans kreeg om de onvoorbereide ziel van het publiek te prikkelen, een effect dat met een boek zelden te bereiken was. Die avond kwam ze thuis met een doos gebakjes en een zware, feestelijk verpakte doos. Er zat een schrijfmachine in. Dan kan jij aan het werk, zei ze. Tot laat in de nacht zaten we op bed wijn te drinken, taartjes te eten en te bespreken wat de ideale intrige was, een wespennest van hartstochten, echtscheidingen, bastaards, naïevelingen en snoodaards, rijken en armen, in staat om de toeschouwer vanaf het eerste moment te boeien en hem aan het scherm gekluisterd te houden gedurende tweehonderd ontroerende afleveringen. Misselijk en verzadigd van zoetigheid vielen we in slaap en ik droomde van jaloerse mannen en blinde meisjes.

Ik werd vroeg wakker. Het was een zachte, regenachtige woensdag, in niets verschillend van andere dagen in mijn leven, maar toch koester ik deze dag als een schat, van mij alleen. Sinds ik van juffrouw Inés het alfabet had geleerd, had ik bijna iedere nacht geschreven, maar ik voelde dat dit anders was, iets dat mijn leven een andere richting zou geven. Ik zette een pot sterke koffie en installeerde me achter mijn machine, ik pakte een vel papier, zo wit en schoon als een pas gestreken laken voor het vrijen, en draaide het in de machine. Een vreemd gevoel beving me, alsof een zoel windje mijn botten beroerde en door mijn onderhuidse bloedvaten stroomde. Ik geloofde dat die pagina al vijfentwintig jaar op me wachtte, dat ik alleen geleefd had voor dit moment, en ik wenste dat vanaf nu mijn enige taak zou zijn de in de ijlste lucht zwevende geschiedenissen te vangen en mij toe te eigenen. Ik tikte mijn naam en daarna kwamen de andere woorden vanzelf, moeiteloos volgde het ene op het andere, en zo ging het door. De personages maakten zich los uit de schaduwen waarin ze jaren verborgen waren geweest en verschenen in het licht van die woensdag, elk met een eigen gezicht, een eigen stem, met eigen hartstochten en eigen obsessies. De van voor mijn geboorte in mijn genetische geheugen opgeslagen geschiedenissen en de vele andere die ik jarenlang in mijn schriften had opgeschreven regen zich aaneen. Ik herinnerde me gebeurtenissen van lang geleden, ik haalde anekdotes op die mijn moeder me had verteld toen we tussen de gekken, de kankerpatiënten en de gebalsemde lijken van professor Jones woonden; er verscheen een door een slang gebeten indiaan en een tiran met door lepra misvormde handen; ik liet een oude vrijster herleven, die haar hoofdhuid was kwijtgeraakt doordat die haar was afgerukt door de klos van een machine, een hoogwaardigheidsbekleder op een stoel bekleed met bisschoppelijk velours, een Arabier met een ruim hart en nog vele andere mannen en vrouwen, wier levens ik naar mijn eigen soevereine hand zette. Stukje voor stukje veranderde ik het verleden in het heden, en ook de toekomst eigende ik me toe, de doden werden weer levend met de illusie van eeuwigheid, de delenden vonden elkaar, en alles wat door de vergetelheid in rook was opgegaan, kreeg opnieuw duidelijke contouren.

Niemand stoorde me en ik schreef bijna de hele dag door, zo verdiept dat ik zelfs vergat te eten. Om vier uur 's middags zag ik een dampende kop chocola voor mijn ogen opdoemen. 'Hier, ik heb wat warms voor je gemaakt.' Ik keek op naar de lange, slanke, in een blauwe kimono gehulde gestalte voor me en het duurde even voor ik Mimi herkende, want ik zat juist midden in het oerwoud achter een meisje met vuurrood haar aan. Ik liet me meesleuren zonder te denken aan alle raadgevingen: een script moet in twee kolommen getikt worden, ieder hoofdstuk omvat vierentwintig scènes, oppassen voor te veel wisseling van locatie, want dat is te duur, en vooral niet te lange teksten, want dan raken de acteurs in de war, een belangrijke zin wordt driemaal herhaald, en de plot moet eenvoudig zijn want je moet ervan uitgaan dat de toeschouwers dom zijn. Op de tafel groeide een berg papieren vol met aantekeningen, onleesbare krabbels, correcties en koffievlekken. Wanneer ik herinneringen uit het stof begon te halen en levenslopen aan elkaar begon te knopen, wist ik echter niet waar het heen zou gaan of wat de ontknoping zou zijn, als die er al zou zijn. Ik vermoedde dat er pas een eind aan mijn verhalen zou komen als ik zelf dood ging, en ik vond het een aantrekkelijke gedachte om zelf ook een rol te spelen in het verhaal en over de macht te beschikken om mijn eigen einde te bepalen of een leven voor mezelf te bedenken. De plot werd steeds ingewikkelder, de personages werden steeds weerbarstiger. Ik werkte – als men dit feest tenminste werken mag noemen – vele uren per dag, van 's morgens vroeg tot 's avonds laat. Ik besteedde geen aandacht meer aan mezelf, ik at als Mimi me eten voorzette, en ik ging slapen omdat zij me in bed stopte, maar ook in mijn dromen leefde ik door in dit nieuw geboren universum, hand in hand met mijn personages, hun ijle trekken vervaagden niet om terug te keren naar het duister van de verhalen die nog verteld moesten worden.

Na drie weken vond Mimi dat het moment was aangebroken om een praktische toepassing te vinden voor dit delirium, voordat ik, opgeslokt door mijn eigen woorden, zou verdwijnen. Het lukte haar een afspraak te maken met de directeur van de televisie om hem het verhaal aan te bieden, want het leek haar gevaarlijk voor mijn mentale gezondheid om nog langer met die inspanning door te gaan zonder dat ik enig uitzicht had het op het scherm te zien verschijnen. Op de afgesproken dag kleedde ze zich geheel in het wit – volgens haar horoscoop was dat de juiste kleur voor die dag – ze bevestigde een medaillon van de Maharadja tussen haar borsten, en trok mij met zich mee de deur uit. Zoals gewoonlijk voelde ik me bij haar vredig en kalm, beschermd door het licht van dat mythologische wezen.

Aravena ontving ons in zijn kantoor van plastic en glas, gezeten achter een indrukwekkend schrijfbureau dat zijn bon-vivantbuik niet kon verhullen. Hij viel me tegen, die dikke man met zijn waterige oogjes en zijn half opgerookte sigaar, hij was heel anders dan de van energie bruisende man die ik me had voorgesteld bij het lezen van zijn artikelen. Afwezig, aangezien de minst interessante kant van zijn werk het onontkoombare circus van langstrekkende komedianten was, groette Aravena ons met afgewend gezicht. Hij bleef uit het raam staren, waar de daken van de naburige gebouwen zich aftekenen tegen de wolkenpartijen van het naderende onweer. Hij vroeg hoeveel tijd ik nog nodig had om het script af te maken, wierp een vluchtige blik in de map die hij in zijn witte vingers hield en mompelde dat hij het zou lezen als hij tijd had. Ik stak mijn hand uit en pakte mijn verhaal terug, maar Mimi nam het me af en gaf het weer aan hem. Op het moment dat hij wel gedwongen was naar haar te kijken, liet ze haar wimpers dodelijk klapwieken, ze bevochtigde haar roodgeverfde lippen en vroeg hem of hij aanstaande zaterdagavond bij ons kwam eten, alleen een paar vrienden, een intiem etentje, zei ze op de onweerstaanbare fluistertoon die ze zichzelf had aangemeten om het tenorgeluid, waarmee ze op de wereld gekomen was, te verbergen. De man werd gevangen in een onzichtbare mist, een obscene geur, in een ijzersterk web. Gedurende een lang ogenblik zat hij roerloos met de map in zijn hand, geheel in verwarring, want ik neem aan dat hem nog nooit een zo wellustig aanbod was gedaan. De as van zijn sigaar viel op de tafel en hij merkte het niet.

'Was dat nu nodig om hem thuis uit te nodigen?' vroeg ik Mimi verwijtend toen we weer op straat stonden.

'Ik zal zorgen dat hij dat script aanneemt, al is het het laatste dat ik in mijn leven doe.'

'Je denkt er toch niet over om hem te verleiden...'

'Hoe denk jij dat in dat milieu iets bereikt wordt?'

Op zaterdagmorgen regende het en het bleef de hele middag stromen terwijl Mimi druk in de weer was met het bereiden van een maaltijd op basis van ongepelde rijst. Dat werd als deftig beschouwd sinds de macrobiotici en vegetariërs begonnen waren de mensen angst aan te jagen met hun dieettheorieën. Die dikke gaat dood van de honger, mompelde ik onder het schrappen van de wortels, maar zij trok zich niets van me aan. Ze had het veel te druk met het schikken van de bloemen, het aansteken van wierookstokjes, het uitzoeken van muziek en het verspreiden van de zijden kussens, want het was inmiddels ook mode geworden om je schoenen uit te doen en op de grond te zitten. Er kwamen acht eters, allemaal theatermensen, afgezien van Aravena, die vergezeld werd door die man met koperkleurig haar die vaak met zijn camera te zien was op de barricades van de een of andere verre revolutie, hoe heette hij ook weer? Ik gaf hem een hand met het vage gevoel dat ik hem ooit eerder had ontmoet.

Na het eten nam Aravena mij apart en bekende me dat Mimi hem fascineerde. Hij had haar niet uit zijn hoofd kunnen zetten, ze was in hem aanwezig als een verse brandwond.

'Ze is de volmaakte vrouwelijkheid, wij hebben allemaal iets tweeslachtigs, iets mannelijks en iets vrouwelijks, maar zij is erin geslaagd zich te ontdoen van ieder spoor van mannelijkheid en die schitterende rondingen te verkrijgen, ze is volmaakt vrouw, ze is schitterend,' zei hij zijn voorhoofd met een zakdoek afwissend.

Ik keek naar mijn vriendin, die me zo na stond en me zo bekend was, naar haar met potloden en penselen aangebrachte trekken, haar ronde borsten en heupen, haar platte buik, dor en ongeschikt voor het moederschap en voor wellust, iedere lijn van haar lichaam verkregen door taaie volharding. Alleen ik kende de geheime aard van dit fictieve schepsel, met pijn tot stand gekomen om de dromen van anderen te bevredigen, gespeend van eigen dromen. Ik heb haar zonder make-up gezien, als ze moe en down was, ik heb haar bijgestaan als ze depressief of ziek was, als ze niet kon slapen, ik houd zielsveel van die breekbare en tegenstrijdige mens die schuilgaat achter de veren en bijouterieën. Op dat moment vroeg ik me af of deze man met de dikke lippen en de gezwollen handen tot haar zou weten door te dringen om de kameraad, de moeder, de zuster te ontdekken die Mimi in werkelijkheid is. Aan de andere kant van de kamer ving zij de blik van haar nieuwe bewonderaar op. Ik had de neiging haar tegen te houden en te beschermen, maar ik beheerste me.

'Vooruit, Eva, vertel onze vriend eens een verhaal,' zei Mimi naast Aravena neerploffend.

'Waar moet het over gaan?'

'Een beetje ondeugend, niet?' suggereerde ze.

Ik vouwde mijn benen als een Indische, sloot mijn ogen en gedurende enkele ogenblikken liet ik mijn geest dwalen over de duinen van een witte woestijn, zoals ik altijd doe om een verhaal te bedenken. Plotseling verschenen op het zand een vrouw met een gele tafzijden onderrok, krijttekeningen van de koude landschappen die mijn moeder uit de tijdschriften van professor Jones had gehaald, en de spelletjes die Madame bedacht had voor de feesten van de Generaal. Ik begon te spreken. Mimi zegt dat ik een speciale stem heb om mijn verhalen te vertellen, een stem die, hoewel het mijn eigen stem is, de indruk maakt dat ze van iemand anders is, alsof ze opborrelt uit de aarde en door mijn lichaam omhoog komt. Ik voelde dat de omtrekken van de kamer vervaagden en verdwenen achter de nieuwe horizonten die ik opriep. De gasten zwegen.

'*Het waren harde tijden in het zuiden. Niet in het zuiden van dit land, maar van de wereld, daar waar de seizoenen omgewisseld zijn, daar waar Kerstmis niet in de winter valt, zoals in de beschaafde landen, maar midden in het jaar, zoals in de barbaarse gebieden...*'

Toen ik zweeg, was Rolf Carlé de enige die niet in zijn handen klapte. Later bekende hij me dat het een hele tijd geduurd had voor hij zich had kunnen losmaken van die pampa aan de zuidpool, waar twee gelieven zich met een zak vol goudstukken hadden teruggetrokken, en dat hij, toen hem dat gelukt was, vastbesloten was geweest om van mijn verhaal een film te maken, voordat de spookbeelden van die twee deugnieten zich meester zouden maken van zijn dromen. Ik vroeg me af waarom Rolf Carlé me zo bekend voorkwam, dat kon niet alleen komen omdat ik hem op de televisie had gezien. Ik pijnigde mijn hersenen om erachter te komen waar ik hem ooit ontmoet had, maar ik kon er niet opkomen, ik kende zelfs niet iemand die op hem leek. Ik wilde hem aanraken. Ik ging naar hem toe en streek met mijn vinger over de rug van zijn hand.

'Mijn moeder had ook sproeten...' Rolf Carlé verroerde zich niet en probeerde ook niet om mijn vingers tegen te houden. 'Ik heb gehoord dat je in de bergen bij de guerrilleros bent geweest.'

'Ik ben op veel plaatsen geweest.'

'Vertel me erover...'

We gingen op de grond zitten en hij beantwoordde vrijwel al mijn vragen. Hij vertelde me over zijn beroep, dat hem van de ene kant van de aardbol naar de andere bracht om de wereld door een lens te bekijken. We vermaakten ons de rest van de avond zo goed, dat we niet eens merkten dat iedereen wegging. Hij was de laatste die vertrok en ik geloof dat hij dat alleen deed omdat Aravena hem meesleepte. Bij de deur kondigde hij aan dat hij een paar dagen afwezig zou zijn om de onlusten in Praag te filmen, waar de Tsjechen de binnenvallende tanks met stenen te lijf gingen. Ik wilde afscheid nemen met een kus, maar hij stak zijn hand uit met een hoofdknikje dat op mij een wat plechtstatige indruk maakte.

Vier dagen later, toen Aravena me liet komen om het contract te tekenen, regende het nog steeds en in zijn luxueuze kantoor waren emmers neergezet om het water op te vangen dat door het dak lekte. Zoals de directeur me onomwonden liet weten, voldeed het draaiboek op geen enkele manier aan de gebruikelijke normen, om eerlijk te zijn was het een warboel van bizarre personages, van onwaarschijnlijke anekdotes, er mankeerde een echte romance aan, de hoofdpersonen waren niet knap en leefden niet in weelde, de draad van het verhaal was nauwelijks te volgen, de toeschouwers zouden de kluts kwijtraken, kortom, volgens hem was het een janboel, en geen mens, die ze alle vijf op een rijtje had, zou het risico nemen om het te produceren, maar hij zou dat wel doen omdat hij de verleiding niet kon weerstaan met deze buitenissigheden opschudding te veroorzaken in het land en omdat Mimi het hem dringend gevraagd had.

'Ga door met schrijven, Eva, ik ben benieuwd hoe het afloopt met die aaneenschakeling van nonsens,' zei hij bij het afscheid.

De overstromingen begonnen na drie dagen onafgebroken regen en de vijfde dag kondigde de regering de noodtoestand af. Door slecht weer veroorzaakte catastrofes waren gewoon, niemand nam ooit voorzorgsmaatregelen door de goten schoon te maken of de deksels van de riolen op te lichten, maar ditmaal ging het noodweer alle perken van de verbeelding te buiten. Door het water werden boerderijen van de berghellingen gesleurd, trad de rivier, die dwars door de stad liep, buiten haar oevers, kwamen huizen onder water te staan en werden auto's, bomen en het halve stadion weggespoeld. De cameramensen van de Nationale Televisie voeren in rubberboten rond en filmden slachtoffers die op de daken van hun huizen geduldig wachtten totdat ze gered zouden worden door militaire helikopters. Hoewel ze verkleumd en hongerig waren, zaten de meeste mensen te zingen, want ze vonden het dom om de toestand nog erger te maken met gejammer. Na een week hield het op met regenen, nadat men zich had verlaten op dezelfde proefondervindelijke methode die jaren tevoren was toegepast om de droogte te bestrijden. De bisschop bracht de Nazarener naar buiten en gewapend met paraplu's trok iedereen biddend en allerlei toezeggingen doend achter hem aan, spottend nagekeken door de werknemers van het Meteorologisch Instituut, die zich in verbinding hadden gesteld met hun collega's in Miami en die op basis van de metingen van de weerballons en de wolkenformaties, met stelligheid beweerden dat de stortbui nog negen dagen zou aanhouden. Drie uur nadat de Nazarener, die ondanks de baldakijn waarmee ze hem hadden trachten te beschermen doorweekt was als een drenkeling, was teruggezet op het altaar in de kathedraal klaarde de hemel echter op. De verf was uit zijn pruik gespoeld en over zijn gelaat stroomde een donkere vloeistof, zodat de allergelovigsten zich op hun knieeën lieten vallen in de vaste overtuiging dat het beeld bloed zweette. Een en ander verhoogde het prestige van de katholieke Kerk en gaf rust aan diegenen die zich zorgen maakten over de toenemende ideologische druk van de marxisten en over de komst van de eerste groepen mormonen, oprechte, energieke jonge mannen in hemden met korte mouwen, die de huizen van mensen binnendrongen en argeloze gezinnen bekeerden.

Toen de regen was opgehouden en men ging berekenen wat het zou kosten om de aangerichte schade te herstellen en de stad weer normaal te laten functioneren, zag men in de buurt van het Plein van de Vader des Vaderlands een eenvoudige doch in perfecte toestand verkerende lijkkist drijven. Hij was meegevoerd op de golven vanaf een woonoord op een berghelling ten westen van de stad, via allerlei in snelstromende rivieren veranderde straten, om ten slotte volkomen onbeschadigd midden in het centrum te stranden. Toen ze hem openmaakten, troffen ze er een rustig slapende oude vrouw in aan. Ik zag het op het nieuws van negen uur, ik belde meteen naar de studio om nadere bijzonderheden en vertrok met Mimi naar de door het Leger inderhaast ingerichte opvangcentra voor de getroffenen. We kwamen aan bij reusachtige legertenten, waar families bijeengroepten in afwachting van betere tijden. Velen waren zelfs hun identiteitsbewijzen kwijtgeraakt, maar onder het tentzeil heerste geen droefenis, de ramp was een goede aanleiding om een beetje uit te rusten en een gelegenheid om nieuwe vrienden te maken. Morgen zouden ze wel zien hoe ze uit die beroerde toestand konden komen, vandaag had het geen zin te huilen om wat het water had meegenomen. Daar vonden we Elvira, mager en onverschrokken. In haar nachthemd zat ze op een groot kussen aan een kring van toehoorders te vertellen hoe ze in haar merkwaardige ark was gered van de zondvloed. Zo kreeg ik mijn grootje terug. Toen ik haar op het scherm zag, herkende ik haar meteen, want hoewel haar haren wit waren en haar gezicht een landkaart van rimpels was geworden, had onze lange scheiding haar aard niet veranderd, vanbinnen was ze nog steeds dezelfde vrouw als met wie ik verhalen had geruild voor gebakken bananen en voor het recht om dode te spelen in haar kist. Ik baande me een weg, stortte me boven op haar en drukte haar aan mijn borst met de in al die jaren van scheiding opgekropte aandrang. Elvira kuste mij zonder veel misbaar, alsof in haar geest de tijd was blijven stilstaan en we el-

349

kaar de vorige dag nog hadden gezien, en alsof mijn volkomen veranderde uiterlijk slechts een gezichtsbedrog was veroorzaakt door haar vermoeide ogen.

'Moet je je voorstellen, vogeltje, al die tijd heb ik in die kist geslapen om me niet onvoorbereid door de dood te laten pakken en dan laat ik me uiteindelijk pakken door het leven. Ik ga nooit meer in een doodskist liggen, zelfs niet als het mijn beurt is om naar het kerkhof te gaan. Ik wil rechtop staande als een boom worden begraven.'

We namen haar mee naar huis. In de taxi zat Elvira aan een stuk door naar Mimi te kijken, zoiets had ze nog nooit gezien, net een enorme pop, vond ze. Later betastte ze haar van alle kanten met haar ervaren kokkinnenhanden en verkondigde dat haar huid blanker en zachter was dan van een ui, dat haar borsten steviger waren dan groene citroenen, en dat ze rook naar de amandelkruidkoek van de Zwitserse banketbakkerij, en nadat ze haar bril had opgezet om haar nog beter te bestuderen, twijfelde ze er niet meer aan dat dit schepsel niet van deze wereld was. Het is een aartsengel, concludeerde ze. Vanaf het eerste moment mocht Mimi haar ook, want afgezien van haar *mamma,* die altijd van haar was blijven houden, en ik, had ze geen familie, al haar familieleden hadden haar de rug toegekeerd toen ze haar in een vrouwenlichaam zagen. Ook zij had behoefte aan een grootmoeder. Elvira nam onze gastvrijheid aan omdat we zo aandrongen en omdat het kolkende water alles wat ze bezat had meegevoerd, behalve dan de lijkkist, waar Mimi geen bezwaar tegen had, alhoewel hij niet harmonieerde met de rest van het interieur. Maar Elvira wilde de kist niet meer. Hij had haar eenmaal het leven gered en ze wilde niet het risico lopen dat dat nog eens zou gebeuren.

Een paar dagen later kwam Rolf Carlé uit Praag terug en belde me op. Hij kwam me halen in een gedeukte jeep, we zetten koers naar de kust en halverwege de ochtend kwamen we bij een strand met helder water en roze zand, heel anders dan de zee met woeste golven die ik zo dikwijls bevaren had in de eetkamer van de ongetrouwde broer en zuster. We spetterden in het water en lagen in de zon tot we trek kregen, daarop kleedden we ons aan en gingen op zoek naar een restaurantje om gebakken vis te eten. De middag brachten we door met naar de zee kijken, witte wijn drinken en elkaar over ons leven vertellen. Ik vertelde over mijn vroege jeugd, toen ik dienstmeisje was bij allerlei vreemde mensen, over Elvira, die uit het water was gered, over Riad Halabi en over nog veel meer, maar ik hield mijn mond over Huberto Naranjo. Op grond van een vaste gewoonte in de clandestiniteit sprak ik zijn naam nooit uit. Rolf Carlé vertelde mij over de honger in de oorlog, over het verdwijnen van zijn broer Jochen, over zijn vader die aan een boom in het bos hing, over het concentratiekamp.

'Het is vreemd, maar ik heb hier nog nooit over gesproken.'

'Waarom niet?'

'Ik weet het niet, misschien omdat het mijn geheimen zijn. Ze zijn het duistere deel van mijn verleden,' zei hij, en daarna bleef hij een hele tijd zwijgend naar de zee staren met een andere uitdrukking in zijn grijze ogen.

'Wat is er met Katharina gebeurd?'

'Die is een treurige dood gestorven, alleen in een ziekenhuis.'

'Kom, ze is gestorven, maar niet zoals jij zegt. We zullen een mooi eind voor haar bedenken. Het was op een zondag, voor het eerst in dat seizoen scheen de zon. Katharina werd opgewekt wakker en een verpleegster zette haar op het terras in een ligstoel en wikkelde haar benen in een plaid. Je zusje bleef naar de vogels kijken, die hun nesten begonnen te bouwen onder de dakranden van het gebouw, en naar de nieuwe bladeren die aan de takken van de bomen begonnen te ontspruiten. Ze voelde zich beschut en veilig, zoals toen ze in jouw armen in slaap viel onder de keukentafel, en op dat moment droomde ze van jou. Ze had geen geheugen, maar instinctief beschikte ze nog over de warmte die jij haar gegeven had en elke keer dat ze zich gelukkig voelde, fluisterde ze jouw naam. Zo kwam het dat ze ook vrolijk jouw naam uitsprak toen haar geest uit haar gleed zonder dat ze het besefte. Niet veel later kwam je moeder bij haar op bezoek, zoals ze iedere zondag deed, en trof haar roerloos en met een glimlach op haar lippen aan, waarop ze haar ogen sloot, een kus op haar voorhoofd drukte en een maagdelijk witte doodskist voor haar kocht, waarin ze haar op het sneeuwwitte laken legde.'

'En mijn moeder, heb je voor haar ook een mooie bestemming?' vroeg Rolf Carlé schor.

'Ja. Van de begraafplaats keerde ze terug naar huis en zag dat de buren alle vazen hadden gevuld met bloemen, zodat ze zou weten dat ze niet alleen was. Maandag was de dag om brood te bakken en je moeder trok haar uitgaansjurk uit, deed haar schort voor en bracht de tafel in gereedheid. Ze voelde zich gerust omdat al haar kinderen het goed maakten, Jochen had een lieve vrouw gevonden en had ergens op de wereld een gezin gesticht, Rolf leefde zijn eigen leven in Amerika en Katharina was eindelijk bevrijd van fysieke belemmeringen en kon vliegen waar ze wilde.'

'Waarom denk jij dat ik mijn moeder nooit zover heb

kunnen krijgen om bij mij te komen wonen?'

'Dat weet ik niet... misschien wil ze niet weg uit haar land.'

'Ze is oud en alleen, bij mijn oom en tante in de Kolonie zou ze het toch veel prettiger hebben?'

'Niet iedereen is geschikt om te emigreren, Rolf. Zij is gelukkig met het verzorgen van haar tuin en het koesteren van haar herinneringen.'

II

Een week lang werd er in de nieuwsberichten over niets anders gepraat dan over de ontreddering die de overstromingen teweeggebracht hadden, en als Rolf Carlé er niet was geweest, zou de slachtpartij in een van de Operationele Centra van het Leger vrijwel onopgemerkt zijn gebleven, verzwolgen door het woelige water van de zondvloed en gesmoord in de kongsie van de macht. Een groep politieke gevangenen was in opstand gekomen en had zich, nadat ze zich meester hadden gemaakt van de wapens van hun bewakers, verschanst in een van de paviljoens. De commandant, een eigengereide, impulsieve man, had geen instructies afgewacht en eenvoudigweg het bevel gegeven de opstandelingen te vernietigen, en zijn woorden waren letterlijk opgevat. In oorlogsuitrusting hadden ze de aanval geopend, waarbij een onbekend aantal mannen werd gedood. Er waren geen gewonden, want de overlevenden werden op de binnenplaats verzameld en alsnog meedogenloos vermoord. Toen de bloeddronken bewakers ontnuchterden en de lijken telden, beseften ze dat het niet eenvoudig zou zijn hun optreden aannemelijk te maken voor de publieke opinie, en ook dat de journalisten zich niet om de tuin zouden laten leiden door de mededeling dat de geruchten iedere grond misten. Het gedreun van de mortieren had vogels in hun vlucht gedood. Kilometers in de omtrek waren er dode vogels uit de lucht komen vallen en niemand was zo goedgelovig om zich dit te laten verkopen als een nieuw wonder van de Nazarener. Daar kwam nog bij dat de lucht verpest werd door een onverbiddelijke stank die uit de massagraven opsteeg. Als eerste maatregel werd het hele gebied voor nieuwsgierigen afgesloten en overigens trachtte men het voorval te bedekken met een mantel van zwijgzaamheid en isolatie. De regering had geen ander alternatief dan de beslissing van de commandant te steunen. We kunnen niet van leer trekken tegen de strijdkrachten, daardoor komt de democratie in gevaar, brieste de President woedend in de beslotenheid van zijn kabinet. Daarop bedacht men de volgende verklaring: de subversieve elementen hadden elkaar uitgeroeid. Een leugen die ze zo dikwijls herhaalden dat ze hem op het laatst zelf gingen geloven. Rolf Carlé was echter voldoende op de hoogte van dit soort zaken om de officiële versie niet te geloven, en zonder een opdracht van Aravena af te wachten, ging hij zich met dingen bemoeien waaraan niemand anders zich ooit waagde. Een deel van de waarheid kreeg hij los van zijn vrienden in de bergen en de rest vernam hij van de bewakers, die de gevangenen hadden afgemaakt, en die al na een paar biertjes begonnen te kletsen, omdat ze niet langer in staat waren de last van een kwaad geweten te verdragen. Drie dagen later, toen de lijkenlucht al begon te vervagen en de laatste kadavers van rottende vogels waren weggeveegd, beschikte Rolf Carlé over de onweerlegbare bewijzen van wat er werkelijk was voorgevallen en hij was bereid de censuur te trotseren, hoewel Aravena hem waarschuwde dat hij zich geen illusies moest maken, op de televisie zou er met geen woord van gerept kunnen worden. Voor het eerst kreeg hij ruzie met zijn leermeester en maakte hem uit voor angsthaas en medeplichtige, maar Aravena hield voet bij stuk. Rolf sprak met enkele gedeputeerden van de oppositie, die hij zijn foto's en films toonde, zodat ze met eigen ogen konden zien wat voor methoden de regering gebruikte om de guerrilla te bestrijden en onder welke onmenselijke omstandigheden de gevangenen verkeerden. Het materiaal werd tentoongesteld in het Congres, waar de parlementariërs de moordpartij openlijk veroordeelden en eisten dat de graven zouden worden geopend en de schuldigen berecht. Terwijl de President het volk verzekerde dat hij bereid was de uiterste consequenties van het onderzoek te aanvaarden, ook als dat zou betekenen dat hij zijn ambt moest neerleggen, werden de graven echter in aller ijl bedekt door een ploeg dienstplichtige soldaten, die er een geasfalteerd sportveld op aanlegde en een dubbele rij bomen plantte, de dossiers raakten zoek in het labyrint van de gerechtelijke papiermolen, en de directeuren van alle persmedia werden op het ministerie van Binnenlandse Zaken ontboden om hen te waarschuwen voor de consequenties van het beledigen van de Strijdkrachten. Rolf Carlé hield hardnekkig vol. Ten slotte lukte het hem zowel Aravena's bedenkingen omver te praten als ook de uitvluchten van de gedeputeerden te overwinnen, zodat die een motie aannamen dat de commandant op zijn minst een berisping verdiende, en een wetsvoorstel indienen, waarin werd bepaald dat politieke gevangenen behandeld moesten worden overeenkomstig de Grondwet, dat ze recht hadden op openbare rechtszittingen en op het uitzitten van hun straffen in gevangenissen en niet in speciale centra, waar de burgerlijke autoriteiten de toegang werd ontzegd. Het gevolg was dat negen, in het Fort El Tucan opgesloten guerrilleros werden overgeplaatst naar de Santa Maria-gevangenis. Met die maatregel schoten de gevangenen niet veel op. Die werd uitsluitend genomen opdat het schandaal zich niet verder zou uitbreiden, maar door de algemene onverschilligheid in het vergeetboek zou raken, waarna men de zaak als afgedaan zou kunnen beschouwen.

In diezelfde week kondigde Elvira aan dat er een verschijning was op de patio, maar wij besteedden er geen aandacht aan. Mimi was verliefd en luisterde maar half. Ik had het veel te druk met de roerige hartstochten van mijn vervolgverhaal. De schrijfmachine ratelde de hele dag zodat ik geen lust had om me om routinezaken te bekommeren.

'Hier in huis bevindt zich een ziel in nood, vogeltje,' bleef Elvira aanhouden.

'Waar dan?'

'Hij kijkt over de achtermuur. Het is de geest van een man, ik zeg je dat we op onze hoede moeten zijn. Vanochtend heb ik een vloeistof tegen geesten gekocht.'

'Wil je hem die laten drinken?'

'Nee, meisje, wat heb jij toch voor ideeën! Om het huis te wassen. Die moet aangebracht worden op de muren, de vloeren, overal.'

'Wat een karwei! Bestaan er geen spuitbussen van?'

'Nee, kind, dat soort nieuwigheden werkt niet bij zielen van overledenen.'

'Ik heb nog niets gezien, grootje.'

'Ik wel. Hij is gekleed als een mens en hij is zo donker als Sint Martin de Porres, maar hij is niet menselijk, als ik hem zie krijg ik kippenvel, vogeltje. Het moet iemand zijn die de weg kwijt is, misschien is hij nog niet helemaal dood.'

'Misschien niet, grootje.'

Het ging echter niet om een ectoplasma op doortocht,

zoals we nog diezelfde dag konden vaststellen, toen de Neger aanbelde en Elvira zo van hem schrok dat ze op de grond ineenzonk. Hij was gestuurd door Commandant Rogelio en op zoek naar mij had hij in de straat rondgezworven. Uit angst argwaan te wekken, had hij niet naar me durven vragen.

'Herinner je je mij nog? We hebben elkaar leren kennen in de tijd van Madame, ik werkte toen in die kroeg in de Republiekstraat. Toen ik je voor het eerst zag, was je nog een snotneus,' zei hij om zich voor te stellen.

Ongerust omdat Naranjo nog nooit van tussenpersonen gebruik had gemaakt en het er de tijden niet naar waren om wie dan ook te vertrouwen, ging ik met hem mee naar een benzinestation aan de buitenkant van de stad. Verstopt achter een opslagplaats voor autobanden wachtte Commandant Rogelio me op. Ik had enkele seconden nodig om aan de duisternis te wennen en de man te ontdekken van wie ik zoveel gehouden had en die me nu voorkwam als een vreemde. We hadden elkaar lang niet gezien en ik had nog geen gelegenheid gehad om hem van de veranderingen in mijn leven te vertellen. Nadat we elkaar tussen de vaten brandstof en de blikken motorolie hadden gekust, vroeg Huberto Naranjo me om een plattegrond van de confectiefabriek, want hij was van plan uniformen te stelen om een aantal van zijn mannen als officier te verkleden. Hij had besloten een overval te plegen op de Santa Maria-gevangenis om zijn kameraden te bevrijden en tegelijk de regering een dodelijke klap toe te brengen en het Leger op een onvergetelijke manier te vernederen. Zijn plannen werden aan het wankelen gebracht toen ik hem vertelde dat ik niet kon meewerken omdat ik mijn baan had opgezegd en niet langer toegang had tot het gebouw. Ik kwam op het slechte idee hem te vertellen dat ik met kolonel Tolomeo Rodriguez in een restaurant had gedineerd. Ik besefte pas dat hij woest was, toen hij me poeslief begon uit te horen, met een smalend lachje dat ik goed van hem kende. We spraken af dat we elkaar zondag in de dierentuin zouden ontmoeten.

Nadat Mimi zichzelf die avond bewonderd had in de aflevering van het televisiespel, in gezelschap van Elvira, voor wie het feit dat ze haar op twee plaatsen tegelijk kon zien een bewijs te meer was van haar goddelijke aard, kwam ze mijn kamer in om me welterusten te wensen, zoals ze altijd deed. Ze trof mij aan terwijl ik lijnen zat te tekenen op een vel papier en ze wilde weten wat ik aan het doen was.

'Steek je niet in de nesten!' riep ze angstig uit toen ik haar verteld had wat de bedoeling was.

'Ik moet het doen, Mimi. We kunnen niet langer blijven negeren wat er in ons land gebeurt.'

'Dat kunnen we wel. Dat hebben we tot nog toe gedaan en daaraan hebben we het te danken dat het ons goed gaat. Bovendien trekt geen mens zich hier ergens iets van aan, die guerrilleros van jou hebben niet de minste kans van slagen. Denk toch eens aan hoe we begonnen zijn, Eva! Ik had het ongeluk als vrouw geboren te worden in een mannenlichaam, ik ben vervolgd als flikker, ze hebben me verkracht, gemarteld, in de gevangenis gegooid en kijk eens waar ik nu ben, dat heb ik allemaal aan mezelf te danken. En jij? Je hebt nooit anders gedaan dan werken, je bent een bastaard, met gemengd bloed van alle soorten, zonder familie, niemand om je op te voeden, niemand heeft je ooit laten inenten of gezorgd dat je vitamine kreeg. En toch zijn we vooruitgekomen. Wil jij dat allemaal weggooien?'

In zekere zin was het waar dat wij kans gezien hadden een paar kleine particuliere rekeningen met het leven te vereffenen. We waren zo arm geweest dat we de waarde van geld niet kenden en het als zand tussen onze vingers door lieten glijden, hoewel we nu voldoende verdienden om ons wat luxe te veroorloven. We dachten dat we rijk waren. Ik had een voorschot ontvangen voor de televisieserie, in mijn ogen een fabelachtig bedrag dat in mijn zak brandde. Mimi vond zelf dat ze in de beste periode van haar bestaan was aangeland. Ze was er eindelijk in geslaagd het juiste evenwicht te vinden in haar rij bontgekleurde pillen, en ze voelde zich eindelijk op haar gemak in haar lichaam, alsof ze zo geboren was. Van haar vroegere verlegenheid was niets meer over en ze kon nu zelfs grapjes maken over dingen waar ze zich vroeger voor geneerde. Naast haar rol van Alejandra in de televisieserie, was ze aan het repeteren voor de rol van de Heer van Eon, een travestiet en geheim agent uit de achttiende eeuw, die zijn hele leven de vorsten van Frankrijk had gediend in vrouwenkleren, en wiens ware aard pas aan het licht gekomen was toen ze hem op tweeëntachtigjarige leeftijd zijn doodshemd aantrokken. Mimi beschikte over alle voor die rol vereiste eigenschappen en de beroemdste dramaturg van het land had de komedie speciaal voor haar geschreven. Maar wat haar het gelukkigst maakte was dat ze geloofde eindelijk de man gevonden te hebben die de astrologie voor haar bestemd had, de man die haar in haar rijpe jaren zou vergezellen. Sinds ze met Aravena omging waren de illusies uit haar vroege jeugd weer herboren; een dergelijke relatie had ze nog nooit gehad, hij verlangde niets van haar, hij overlaadde haar met geschenken en complimentjes, hij nam haar mee naar de meest gefrequenteerde plaatsen, waar iedereen haar kon bewonderen, hij koesterde haar zoals een kunstverzamelaar zijn collectie koestert. Voor het eerst gaat alles goed, Eva, zoek geen moeilijkheden, smeekte Mimi mij, maar ik schermde met de argumenten die ik zo vaak uit de mond van Huberto Naranjo had gehoord. Ik antwoordde haar dat wij beiden afkomstig waren van de zelfkant van de maatschappij, veroordeeld om voor elke kruimel te vechten, en dat we, ook als we erin zouden slagen de ketenen te verbreken waarmee we sinds de dag van onze verwekking geboeid waren, nog binnen de muren zouden blijven van een grote gevangenis, het ging er niet om onze persoonlijke omstandigheden te wijzigen maar om de gehele maatschappij te veranderen. Mimi hoorde mijn redevoering tot het einde aan en toen ze sprak deed ze dat met haar mannenstem en met vastbesloten gebaren, die sterk contrasteerden met het zalmkleurige kantje langs de manchetten van haar ochtendjas en de krulletjes op haar hoofd.

'Alles wat je daar beweert getuigt van ongelooflijke naïviteit. In het onwaarschijnlijke geval dat jouw Naranjo zegeviert met zijn revolutie, ben ik er zeker van dat hij zich binnen de kortste keren net zo oppermachtig zal gedragen als alle mannen die over macht beschikken.'

'Dat weet ik nog niet. Hij is anders, hij denkt niet aan zichzelf maar aan het volk.'

'Dat is nu zo, omdat het hem niets kost. Hij is een voortvluchtige die zich ophoudt in het oerwoud, maar je zou hem eens moeten zien als hij in de regering zat. Kijk, Eva, mannen als Naranjo kunnen geen definitieve veranderingen teweegbrengen, ze passen de regels aan, maar ze blijven zich altijd op hetzelfde niveau bewegen. Autoriteit, rivaliteit, hebzucht, onderdrukking, het is altijd hetzelfde liedje.'

'Als hij het niet kan, wie dan wel?'

'Jij en ik bijvoorbeeld. De geest van de wereld moet veranderd worden. Maar goed, dat duurt nog wel even, en aangezien ik wel zie dat jij vastbesloten bent en ik je niet in de steek kan laten, ga ik met je mee naar de dierentuin. Wat die imbeciel nodig heeft is niet de plattegrond van de confectiefabriek, maar die van de Santa Maria-gevangenis.'

De laatste keer dat Commandant Rogelio haar ontmoet had, heette ze nog Melecio, zag ze eruit als een normale man en gaf ze Italiaanse les aan een taleninstituut. Hoewel Mimi regelmatig op tijdschriftomslagen stond afgebeeld en op de televisie te zien was, herkende hij haar niet omdat hij in een andere dimensie leefde, ver van dit soort frivoliteiten, waar hij slangen doodsloeg tegen de rotsen en vuurwapens hanteerde. Ik had hem dikwijls verteld over mijn vriendin, maar toch was hij er niet op voorbereid om bij de apenkooi die in het rood geklede vrouw te treffen, die zo mooi was dat hij volkomen van zijn stuk raakte en al zijn vooroordelen overboord moest gooien. Nee, dat was geen verklede flikker, dat was een olympisch vrouwmens dat zelfs een draak naar adem kon laten snakken.

Hoewel Mimi nergens kon lopen zonder de aandacht te trekken, zagen we kans in de massa onder te gaan. We wandelden kriskras tussen de kinderen door en gooiden maïs naar de duiven, net als ieder willekeurig gezin op de zondagse wandeling. Toen Commandant Rogelio wilde gaan theoretiseren, hield ze hem af met een van haar voor uitzonderlijke gevallen bestemde tirades. Ze liet hem duidelijk weten dat hij zijn redevoeringen wel voor zich kon houden omdat zij niet zo argeloos was als ik. Dat ze hem voor deze ene keer zou helpen om zo gauw mogelijk van hem af te zijn, in de hoop dat ze hem zouden doodschieten en hij regelrecht naar de hel zou gaan, zodat haar geduld niet langer op de proef gesteld zou worden; maar dat ze niet bereid was toe te staan dat hij haar ook nog zou indoctrineren met zijn Cubaanse ideeën, dat hij naar de verdommenis kon lopen, omdat ze al problemen genoeg had, dat ze er geen enkele behoefte aan had daar ook nog eens andermans revolutie bij te krijgen, wat dacht hij eigenlijk, het marxisme noch dat zootje opstandige baardapen interesseerde haar een moer, het enige wat zij wenste was in vrede verder te leven en het was te hopen dat hij dat begreep, want anders zou ze het hem op een andere manier duidelijk moeten maken. Daarna ging ze met opgetrokken benen op een betonnen bank zitten om met een wenkbrauwpotlood op het omslag van haar chequeboekje een plattegrond voor hem te tekenen.

De negen guerrilleros die uit Fort El Tucan waren overgeplaatst, bevonden zich nu in de isolatiecellen van de Santa Maria-gevangenis. Zeven maanden tevoren waren ze gearresteerd, maar alle verhoren hadden hen niet af kunnen brengen van hun besluit om te zwijgen, noch van hun verlangen om terug te keren naar de bergen en de strijd voort te zetten. Het debat in het Congres had hen op de voorpagina's van de kranten gebracht en had hen tot helden verheven in de ogen van de studenten, die de hele stad volplakten met affiches waarop hun gezichten te zien waren.

'Er mag niets meer over hen gezegd worden,' beval de President, die vertrouwen had in het slechte geheugen van de mensen.

'Zeg tegen de kameraden dat we hen zullen bevrijden,' beval Commandant Rogelio, die vertrouwen had in de durf van zijn mannen.

Slechts eenmaal was er uit deze gevangenis een Franse bandiet ontsnapt, die erin geslaagd was via de rivier de zee te bereiken, door zich te laten drijven op een van gezwollen hondenkrengen gemaakt vlot, maar sindsdien had nooit iemand meer een poging ondernomen. Afgemat door de hitte, door voedselgebrek, ziektes en het geweld waaronder ze elk moment van hun straftijd te lijden hadden, beschikten de gedetineerden, als ze ooit de kans zouden hebben om te vluchten, niet over voldoende kracht om de binnenplaats over te steken, en nog minder om zich in het oerwoud te wagen. De speciale gevangenen hadden geen enkele kans van slagen, tenzij het hun zou lukken de metalen poorten te openen, de met mitrailleurs bewapende bewakers te overmeesteren, het hele gebouw door te sluipen, over de muur te klimmen, tussen piranha's door de brede rivier over te zwemmen en de jungle binnen te dringen, en dat alles met blote handen en tot het uiterste verzwakt. Al deze kolossale hindernissen waren Commandant Rogelio niet onbekend, en toch verzekerde hij zonder een spier te vertrekken dat hij hen zou redden en geen van zijn mannen trok zijn belofte in twijfel, zeker de negen in de isolatiecellen opgesloten mannen niet. Toen hij eenmaal over de eerste woede heen was, kwam hij op het idee mij als lokvogel te gebruiken om kolonel Tolomeo Rodriguez in de val te laten lopen.

'Goed, zolang jullie hem geen kwaad doen,' zei ik.

'Het gaat erom dat hij gegijzeld wordt, niet gedood. We zullen hem behandelen als een juffertje om hem uit te wisselen tegen onze kameraden. Waarom heb je zo'n belangstelling voor die kerel?'

'Nergens om... Ik waarschuw je dat het niet gemakkelijk zal zijn om hem te overrompelen, hij is gewapend en hij heeft lijfwachten. Hij is niet gek.'

'Ik neem aan dat hij geen escorte meeneemt als hij met een dame uitgaat.'

'Je vraagt toch niet van me om met hem naar bed te gaan?'

'Nee! Alleen dat je met hem afspreekt op de plaats die wij je wijzen en ervoor zorgt dat hij wordt afgeleid. Meteen daarna komen wij. Een schone operatie, zonder schieten en zonder opschudding.'

'Ik zal eerst zijn vertrouwen moeten winnen en dat lukt niet in één keer. Ik heb tijd nodig.'

'Ik geloof dat je wat ziet in die Rodriguez... Ik zou zweren dat je graag met hem wilt slapen,' zei Huberto Naranjo in een poging er een grapje van te maken, maar zijn stem klonk hard.

Ik gaf geen antwoord, mijn gedachten waren afgedwaald naar het idee dat het best interessant zou kunnen zijn om Rodriguez te verleiden, al was ik er in mijn hart niet helemaal zeker van of ik in staat zou zijn hem aan zijn vijanden over te dragen of dat ik zou proberen hem te waarschuwen. Mimi had gelijk, ik was ideologisch niet klaar voor deze oorlog. Onbewust kwam er een glimlach op mijn gezicht en ik geloof dat dat er de oorzaak van was dat Huberto zijn plannen meteen veranderde en besloot terug te vallen op zijn eerste opzet. Volgens Mimi stond dat gelijk aan zelfmoord, zij kende het bewakingssysteem, bezoekers werden per radio aangekondigd en als het een groep officieren betrof, waar Huberto Naranjo zijn mannen voor wilde laten doorgaan, zou de directeur zich persoonlijk naar het militaire vliegveld begeven om hen te verwelkomen. Zelfs de paus zou de gevangenis niet binnenkomen zonder identiteitscontrole.

'Dan zit er niets anders op dan dat we wapens binnensmokkelen voor de kameraden,' zei Commandant Rogelio.

'Jij bent zeker niet goed bij je hoofd,' schamperde Mimi. 'In mijn tijd zou dat al moeilijk zijn geweest, want zowel bij het komen als bij het gaan werd iedereen gefouilleerd, maar nu is het echt onmogelijk. Ze hebben nu een metaaldetector, en al zou je een wapen inslikken, dan vinden ze het nog.'

'Dat hindert niet. Ik zal ze er hoe dan ook uit halen.'

In de dagen die volgden op onze ontmoeting in de dierentuin, trof hij ons op verschillende plaatsen om de details door te nemen en naarmate de lijst langer werd, begon het steeds duidelijker te worden dat het een onzinnig plan was. Niets kon hem ervan afbrengen. Het grootste waagstuk is de overwinning, luidde zijn antwoord als wij hem op de gevaren wezen. Ik tekende de plattegrond van de uniformfabriek en Mimi die van de gevangenis. We berekenden de bewegingen van de wacht, we leerden de routines, en we bestudeerden zelfs de windrichting, het licht en de temperatuur op ieder uur van de dag. Al doende werd Mimi aangestoken door Huberto's enthousiasme, maar ze verloor het einddoel uit het oog, ze vergat dat het ging om het bevrijden van de gevangenen en beschouwde het ten slotte als leuk tijdverdrijf. Gefascineerd tekende ze plattegronden, stelde ze lijsten op en bedacht ze strategieën, zonder daarbij risico's in te calculeren, omdat ze ervan overtuigd was dat het bij plannen zou blijven, die zoals zoveel dingen in de lange loop van de geschiedenis van dit land, nooit zouden worden uitgevoerd. De onderneming was zo vermetel dat ze het verdiende tot een goed einde te worden gebracht. Com-

mandant Rogelio zou zelf gaan met zes van zijn guerrilleros, die hij had uitgekozen omdat ze het dapperst waren
en over de meeste ervaring beschikten. Bij de indianen in
de buurt van Santa Maria zouden ze een kamp opslaan.
Het stamhoofd had aangeboden hen over de rivier te zetten en hun gids te zijn in het oerwoud. Hij was bereid om
met hen mee te werken sinds het leger zijn dorp had
overvallen en een spoor van verbrande hutten, opengere-
ten dieren en verkrachte vrouwen had achtergelaten. Ze
zouden zich met de gevangenen in verbinding stellen via
een paar indianen, die in de gevangeniskeuken werkten.
Op de aangegeven dag moesten de gedetineerden klaar
zijn om enkele bewakers te ontwapenen en naar de binnenplaats te sluipen, waar Commandant Rogelio en zijn
mannen hen zouden bevrijden. Het zwakste punt van
het plan was, zoals Mimi aangaf, en om tot die conclusie
te komen hoefde men niet veel ervaring te hebben, dat
het de guerrilleros eerst moest lukken uit de isolatiecellen
te komen. Toen Commandant Rogelio bepaalde dat het
plan uiterlijk dinsdag de week erop moest worden uitgevoerd, keek ze hem door haar lange nertswimpers aan en
op dat moment begon het haar te dagen dat het plan
ernst werd. Een beslissing met een dergelijke reikwijdte
kon niet lukraak genomen worden. Ze pakte haar tarotkaarten en beduidde hem dat hij met zijn linkerhand
moest couperen, daarna legde ze de kaarten neer volgens
een al in de antieke Egyptische beschaving vastgestelde
volgorde om vervolgens daarin te lezen wat de bovenna-
tuurlijke krachten te vertellen hadden. Met een sarcas-
tisch lachje keek hij toe en mompelde dat hij niet goed
bij zijn hoofd moest zijn dat hij het succes van een dergelijke onderneming liet afhangen van dit extravagante
schepsel.

'Het kan niet op dinsdag, het moet op zaterdag,' besliste Mimi toen ze de koning omdraaide en die op zijn kop kwam te liggen.

'Het gebeurt wanneer ik wil,' antwoordde hij, waarmee hij zonneklaar maakte wat hij van die onzin dacht.

'De kaarten zeggen zaterdag en zelfs jij bent niet in staat de Tarot te trotseren.'

'Dinsdag.'

'Op zaterdagavond gaat de helft van de bewakers aan de zwier in het bordeel van Agua Santa en de andere helft kijkt op de televisie naar baseball.'

Dat was het doorslaggevende argument in het voordeel van de waarzeggerij. Terwijl we nog bezig waren de verschillende alternatieven tegen elkaar af te wegen, herinnerde ik mij ineens de Universele Materie. Commandant Rogelio en Mimi sloegen hun ogen op van de tarotkaarten en keken me volkomen verbouwereerd aan. En zo kon het gebeuren dat ik, zonder dat ik het ook maar een ogenblik van plan was geweest, ten slotte in gezelschap van een half dozijn guerrilleros bezig was met het kneden van koud porselein in een indianenhut niet ver van het huis van de Turk waar ik de beste jaren van mijn jeugd had doorgebracht.

Ik reed Agua Santa binnen in een haveloze auto met gestolen nummerplaten en met de Neger aan het stuur. Het dorp was niet veel veranderd, de hoofdstraat was iets uitgedijd, er waren wat nieuwe huizen, winkels en televisieantennes bij gekomen, maar het kabaal van de krekels, de onverbiddelijke benauwdheid van het middaguur en de druk van de jungle die aan de rand van de weg begon, dat alles was nog onveranderlijk aanwezig. Lijdzaam en hardnekkig verduurden de inwoners de hete adem en de slijtageslag van de jaren, vrijwel geïsoleerd van de rest van het land door een genadeloze plantengroei. Aanvankelijk zouden we niet stoppen in het dorp, ons doel was het indianendorp halverwege de weg naar Santa Maria, maar toen ik de pannendaken zag, de straten die glansden van de laatste regenbui, en de vrouwen op hun rieten stoelen op de stoep voor hun huizen, kwamen al mijn herinneringen onontkoombaar sterk naar boven en verzocht ik de Neger dringend langs De Parel van het Oosten te rijden, om er heel even vanuit de verte een blik op te werpen. In de afgelopen tijd waren er zoveel dingen kapotgegaan, zoveel mensen overleden of zonder vaarwel te zeggen vertrokken, dat ik me voorstelde dat er van de winkel niet veel meer over was dan een onherstelbaar fossiel, een aan de vergetelheid prijsgegeven, verwaarloosde puinhoop, en ik was dan ook verbaasd hem als een onaangetaste luchtspiegeling te zien oprijzen. De voorgevel was herbouwd, de verf van de geschilderde naam was nog vers, in de etalage prijkten landbouwwerktuigen, levensmiddelen, aluminiumpannen en twee etalagepoppen met blonde pruiken. Alles zag er zo nieuw uit dat ik de verleiding niet kon weerstaan om uit te stappen en even om de hoek van de deur te gluren. Ook het interieur had een verjongingskuur ondergaan, de toonbank was nieuw, maar de zakken graan, de rollen goedkope stoffen en de potten met snoepgoed waren nog net als vroeger.

Riad Halabi was bij de kassa rekeningen aan het schrijven, hij droeg een batisten tropenhemd en hield een witte zakdoek voor zijn mond. Hij was nog precies zo als ik hem mij herinnerde, wat hem betrof was er geen minuut voorbijgegaan, hij was geheel intact, zoals soms de herinnering aan de eerste liefde geheel intact kan zijn.

Verlegen ging ik op hem toe, bevangen door dezelfde schroom als waarmee ik op mijn zeventiende jaar op zijn schoot was gaan zitten om hem te vragen mij een liefdesnacht te schenken en hem de maagdelijkheid aan te bieden, die mijn peettante placht te meten met haar koord met zeven knopen.

'Goedemiddag, verkoopt u ook aspirine?' was het enige wat ik wist uit te brengen.

Riad Halabi keek niet op en tilde het potlood niet op waarmee hij zijn boekhouding aan het doen was, hij wees naar de andere kant van de winkel.

'Vraag maar aan mijn vrouw,' zei hij lispelend met zijn hazenlip.

Ik draaide me om in de vaste overtuiging daar juffrouw Inés te zien, veranderd in de echtgenote van de Turk, zoals ik me had voorgesteld dat het zou aflopen, maar ik zag een meisje dat niet ouder was dan veertien, een donker kind, klein en dik met geverfde lippen en een onderdanige blik. Ik kocht de aspirines en dacht eraan hoe deze man me jaren tevoren had afgewezen omdat ik te jong was en dat zijn huidige vrouw op dat moment nog in de luiers moest hebben gelegen. Wie weet welk lot mij beschoren zou zijn geweest als ik toen bij hem gebleven was, al weet ik één ding zeker, in bed zou hij me heel gelukkig hebben gemaakt. Met een mengeling van verstandhouding en jaloezie lachte ik tegen het meisje met de rode lippen en ik vertrok zonder zelfs maar een blik te wisselen met Riad Halabi, ik was blij voor hem, hij zag er goed uit. Sindsdien denk ik aan hem terug als aan de vader die hij in werkelijkheid voor mij geweest was; een voorstelling die beter bij hem past dan die van de minnaar van één nacht. Buiten verbeet de Neger zijn ongeduld, dit hoorde niet bij de ontvangen instructies.

'Laten we maken dat we wegkomen. De Commandant heeft gezegd dat niemand ons mag zien in dit van god verlaten oord waar iedereen je kent,' zei hij verwijtend.

'Het is geen van god verlaten oord. Weet je waarom het Agua Santa heet? Omdat er een bron is die alle zonden wegwast.'

'Neem mij een beetje in de maling.'

'Echt, als je je in dat water wast, voel je je niet meer schuldig.'

'Alsjeblieft, Eva, stap in en laten we maken dat we hier wegkomen.'

'Niet zo haastig. Ik heb hier nog iets te doen, maar we moeten wachten tot het donker is, dat is veiliger...'

Vergeefs dreigde de Neger me aan de kant van de weg achter te laten, want als ik eenmaal iets in mijn kop heb, ben ik daar zelden vanaf te brengen. Anderzijds was mijn aanwezigheid onontbeerlijk om de gevangenen te bevrijden, zodat hij niet alleen moest toegeven maar ook nog, zodra de zon was ondergegaan, een gat graven. Ik liep voor hem uit achter de huizen langs, naar een ruw terrein, dik overwoekerd door planten, waar ik hem een plek aanwees.

'We gaan iets opgraven,' zei ik en hij gehoorzaamde omdat hij veronderstelde dat, tenzij mijn hersenen verweekt waren door de hitte, dit ook een onderdeel moest zijn van het plan.

We hoefden ons niet bijzonder uit te sloven, de leemachtige aarde was vochtig en rul. Op iets meer dan een halve meter diepte stuitten we op een in plastic gewikkeld en met schimmel overdekt pak. Ik veegde het met de punt van mijn blouse af en stopte het zonder het open te maken in mijn zak.

'Wat zit erin?' wilde de Neger weten.
'Een bruidsschat.'

De indianen ontvingen ons in een ellipsvormige open ruimte waarin een houtvuur knetterde, de enige lichtbron in de dichte duisternis van het oerwoud. Een groot driehoekig dak van bladeren en takken deed dienst als gemeenschappelijke beschutting en daaronder waren op verschillende hoogten hangmatten opgehangen. De volwassenen droegen een of ander kledingstuk, een gewoonte die ze hadden aangewend in het contact met aangrenzende dorpen, maar de kinderen liepen naakt, omdat de altijd vochtige textiel een broedplaats was voor parasieten en witte schimmel, die allerlei ziekten veroorzaakten. De meisjes hadden bloemen en veren in hun oren, een vrouw was met haar ene borst een kind en met de andere een jong hondje aan het zogen. Opmerkzaam keek ik naar die gezichten, in elk daarvan mijn eigen beeld zoekend, maar ik ontmoette uitsluitend de serene blikken van mensen die zich niets meer afvragen. Het stamhoofd deed twee stappen naar voren en begroette ons met een hoofdknikje. Zijn lichaam was kaarsrecht, hij had grote, wijd uit elkaar staande ogen, vlezige lippen en zijn haar was geknipt als een ronde helm, met een kaalgeschoren plek in zijn nek waarin trots de littekens te zien waren van vele knotsgevechten. Ik herkende hem meteen, het was de man die iedere zaterdag aan de kop van de stoet met zijn stam naar Agua Santa was gekomen om aalmoezen te vragen, die mij op een ochtend zittend naast het lijk van Zulema had aangetroffen, die iemand naar Riad Halabi had gestuurd om hem van het onheil te verwittigen, en die zich na mijn arrestatie voor het politiebureau had opgesteld om als een waarschuwende tamboer op de grond te stampen. Ik wilde dolgraag weten hoe hij heette, maar de Neger had me al van tevoren uitgelegd dat die vraag een belediging zou zijn. Voor deze indianen was een naam uitspreken hetzelfde als hen in het hart treffen, ze beschouwden het in strijd met het gezonde verstand om een vreemdeling bij de naam te noemen of omgekeerd hem toe te staan dat hij hen bij hun naam aansprak. Daarom kon ik me maar beter niet voorstellen, dat zou verkeerd begrepen kunnen worden. Het stamhoofd bekeek me zonder enig emotie te tonen, hoewel ik zeker wist dat hij mij ook herkend had. Hij maakte een gebaar om ons de weg te wijzen en daarop bracht hij ons naar een hut zonder ramen, waar het naar verbrande lappen rook en waar twee krukjes, een hangmat en een olielamp het enige meubilair vormden.

Onze opdracht luidde daar te wachten op de rest van de groep, die zich even voor de vastgestelde vrijdagavond bij ons zou voegen. Ik vroeg naar Huberto Naranjo, omdat ik me had voorgesteld dat we deze dagen samen zouden zijn, maar niemand kon me iets over hem vertellen. Zonder me uit te kleden ging ik in de hangmat liggen, belaagd door de onophoudelijke geluiden van de jungle, de vochtigheid, de muskieten en de mieren, de angst dat de giftige slangen en spinnen langs de touwen zouden glijden of zich zouden losmaken van het bladerdak om in mijn slaap op me te vallen. Ik kon niet slapen. Urenlang lag ik mezelf af te vragen wat mij hierheen had gevoerd, maar ik kon er geen enkel zinnig antwoord op bedenken, mijn gevoelens voor Huberto Naranjo schenen mij geen afdoende verklaring. Iedere dag voelde ik mij verder verwijderd van de tijd dat ik alleen leefde voor de vluchtige ontmoetingen met hem, toen ik als een vlinder om de verzengende kaars heendraaide. Ik geloof dat ik uitsluitend om mezelf op de proef te stellen had toegestemd om aan dit avontuur mee te doen, om te zien of ik door deel te nemen aan deze ongewone oorlog erin zou slagen weer nader te komen tot de man die ik ooit had liefgehad zonder iets van hem te verlangen. Die nacht lag ik echter moederziel alleen in een door luizen overdekte hangmat, die naar hond en naar rook stonk. Ik deed het ook niet uit politieke overtuiging, want hoewel ik het eens was met de uitgangspunten van deze utopische revolutie en de wanhopige moed van het handjevol guerrilleros me ontroerde, had ik er een voorgevoel van dat die tot mislukken gedoemd was. Ik kon niet ontkomen aan de voortekenen van het noodlot die me sinds enige tijd omhulden, een vaag gevoel van bezorgdheid dat, als ik bij Huberto Naranjo was, omsloeg in een flits van helder inzicht. Zelfs als de hartstocht in zijn ogen brandde, kon ik het net van ontreddering voelen dat zich rondom hem sloot. Om indruk te maken op Mimi herhaalde ik zijn betogen, maar eerlijk gezegd dacht ik niet dat de guerrilla kans van slagen had in dit land. Ik wenste me niet voor te stellen hoe het met deze mannen en hun dromen zou aflopen. Die slapeloze nacht in de indianenhut voelde ik me bedroefd. De temperatuur daalde en ik kreeg het koud, ik ging naar buiten en hurkte bij het bijna gedoofde vuur om daar de rest van de nacht door te brengen. Nauwelijks waarneembare bleke stralen filterden door het gebladerte en ik merkte dat ik zoals altijd tot rust kwam door de maan.

Bij zonsopgang hoorde ik de indianen wakker worden onder het gemeenschappelijke dak, verstijfd in hun hangmatten, pratend en lachend. Vrouwen gingen water halen, gevolgd door kinderen die vogelroepen en kreten van oerwouddieren nabootsten. In het ochtendlicht kon

374

ik het dorp beter zien, een handjevol hutten bestreken met dezelfde leemkleur, terneergedrukt door de adem van de jungle, daaromheen een stukje akkerland, waar wat cassave- en maïsplanten groeiden en een enkele bananenboom, dat was het hele bezit van de stam, die generaties lang uit hebzucht was beroofd. Deze indianen, die even arm waren als hun voorouders vanaf het begin van de Amerikaanse geschiedenis, hadden de verstoring door de conquistadores overleefd zonder hun gewoonten, hun taal en hun goden geheel en al te verliezen. Van de geweldige jagers die ze ooit geweest waren, was nog maar armzalig weinig over, maar de lange reeks tegenslagen was niet in staat geweest de herinnering aan het verloren paradijs uit te wissen noch het geloof in de legendes volgens welke ze dat zouden terugvinden. Ze lachten nog veel. Ze bezaten wat kippen, twee varkens, drie kano's, visgerei en de met taaie volharding tegen het onkruid verdedigde rachitisachtige jonge aanplant. Ze besteedden hun tijd aan hout en voedsel zoeken; ze vlochten bootjes en manden en slepen speerpunten die ze langs de kant van de weg aan toeristen verkochten. Een enkele keer ging er iemand op jacht en kwam als hij geluk had terug met een paar lelijke grote vogels of een kleine jaguar, die hij onder de anderen verdeelde, maar waar hij, om de geest van de buit niet kwaad te maken, zelf geen hap van at.

Ik vertrok met de Neger om ons van de auto te ontdoen. We reden naar een dichtbegroeid gedeelte, waar we hem in een onmetelijk ravijn moesten laten storten, buiten het bereik van het gekrijs van de papegaaien en de nieuwsgierigheid van de apen. Onaangedaan duwden we hem naar beneden en keken toe hoe hij, vanwege het gigantische gebladerte en de slingerplanten volstrekt geluidloos, werd opgeslokt door de vegetatie, die zich zonder een spoor achter te laten boven hem sloot. In de daar-opvolgende uren verschenen de zes guerrilleros een voor een, te voet en langs verschillende wegen, met de gepaste terughoudendheid van wie lang een hardvochtig leven heeft geleid. Ze waren jong, vastberaden, koelbloedig en eenzaam, ze hadden hoekige kaken en scherpe ogen, hun huid was getaand door weer en wind en hun lichamen waren overdekt met littekens. Tegen mij zeiden ze alleen het allernoodzakelijkste, hun gebaren waren afgemeten, ze vermeden iedere verspilling van energie. Een deel van hun wapens hadden ze ergens verstopt om ze pas op het moment van de overval te gaan ophalen. Een van de jongens verdween met een indiaan als gids in het bos, om met een verrekijker aan de oever van de rivier de gevangenis te observeren. Drie anderen vertrokken naar het militaire vliegveld om daar volgens de aanwijzingen van de Neger explosieven aan te brengen; de twee overblijvenden organiseerden alles wat nodig was voor de terugtocht. Allemaal deden ze hun werk zonder ophef of commentaar, alsof het een routineaangelegenheid was. Tegen het vallen van de avond kwam er een jeep over het pad en ik rende hem tegemoet. Ik hoopte dat Huberto Naranjo er eindelijk aankwam. Ik had veel aan hem gedacht, in de hoop dat een paar dagen samen onze relatie volkomen zou veranderen, en ons met een beetje geluk de liefde zou teruggeven die ooit mijn leven geheel gevuld had en die nu zijn glans verloren scheen te hebben. Het laatste wat ik verwacht had, was Rolf Carlé met een rugzak en zijn camera te zien uitstappen. We keken elkaar onthutst aan. We hadden geen van beiden gedacht de ander hier en onder deze omstandigheden aan te treffen.

'Wat doe jij hier?' vroeg ik.

'Ik kom voor het nieuws,' lachte hij.

'Welk nieuws?'

'Dat wat zaterdag gaat gebeuren.'

'Kom nou... Hoe weet je dat?'

'Commandant Rogelio heeft me verzocht het te filmen. De autoriteiten zullen proberen de waarheid te verzwijgen en ik ben gekomen om te kijken of ik die wel kan
vertellen. En waarom ben jij hier?'

'Om te boetseren.'

Rolf Carlé camoufleerde de jeep en verdween met zijn
apparatuur in het voetspoor van de guerrilleros, die, om
later niet herkend te worden voor de camera, zakdoeken
voor hun gezicht deden. Intussen wijdde ik me aan de
Universele Materie. In het halfdonker van de hut spreidde ik een stuk plastic uit op de aangestampte grond en ik
legde daarop de benodigde ingrediënten klaar voor het
recept dat ik geleerd had van mijn Joegoslavische mevrouw. Aan natgemaakt papier voegde ik een gelijke hoeveelheid meel en cement toe, ik lengde het aan met nog
wat water, en kneedde totdat ik een stevige asgrijze massa
had verkregen. Met als deegroller een fles rolde ik de
massa uit, onder het toeziend oog van het stamhoofd en
een aantal kinderen, die onder elkaar opmerkingen
maakten in hun zangerige taal, elkaar aanstootten en rare
gezichten trokken. Toen ik een dikke, soepele lap had,
wikkelde ik daar de stenen in, die op hun ovale vorm waren uitgezocht. Als voorbeeld had ik een handgranaat
van het leger, met een gewicht van driehonderd gram,
een actieradius van tien meter en een bereik van vijfentwintig meter, van donker metaal. Hij zag eruit als een
kleine, rijpe kalebas. Vergeleken met de Indische olifant,
de musketiers, de bas-reliëfs van de faraograven en andere uit ditzelfde materiaal door de Joegoslavische dame
gefabriceerde werkstukken, was de namaakgranaat iets

377

heel simpels. Toch moest ik nog heel wat proefstukken maken, omdat ik het een hele tijd niet gedaan had en ik zo gespannen was dat ik mijn gedachten er niet helemaal bij had en mijn vingers verkrampt waren. Toen ik er eindelijk in geslaagd was de juiste verhoudingen te krijgen, realiseerde ik me dat ik niet voldoende tijd had om de granaten te kneden, hard te laten worden, te verven en te wachten tot de lak droog was, en ik bedacht dat als ik de massa zou kleuren, ze na het drogen niet meer geschilderd behoefde te worden, maar door het mengen met de verf werd de massa minder elastisch. Ik vloekte binnensmonds en krabde mijn muggenbeten zo heftig dat het bloed eruit liep.

Het indianenstamhoofd, dat alle etappes van de bewerking uiterst nieuwsgierig gevolgd had, ging de hut uit en kwam even later terug met een handje bladeren en een lemen pot. Hij hurkte naast me en begon geduldig de bladeren te kauwen. Hoe meer hij er tot moes maalde en in de pot spuugde, hoe zwarter zijn lippen en zijn tanden werden. Nadat hij de pap door een doek gezeefd had, had hij een donkere vloeistof, olieachtig als plantensap, die hij mij aanreikte. Ik mengde een klodder door wat massa en zag dat het experiment geslaagd was: na het drogen behield het deeg een kleur die op die van de echte granaat leek, terwijl de wonderbaarlijke eigenschappen van de Universele Materie bewaard waren gebleven.

Na het vallen van de nacht keerden de guerrilleros terug en nadat ze met de indianen wat gekookte vis en stukken cassave gedeeld hadden, gingen ze liggen slapen in de hut die hun was toegewezen. Het oerwoud werd dicht en donker als een tempel, de stemmen werden gedempt en zelfs de indianen spraken fluisterend. Niet lang daarna arriveerde Rolf Carlé die mij aantrof bij het nog gloeiende vuur, met mijn armen om mijn benen geslagen en mijn hoofd tussen mijn knieën. Hij hurkte naast me.

'Wat is er met je?'

'Ik ben bang.'

'Waarvoor?'

'Voor de geluiden, voor het donker, voor de boze geesten, de slangen, de wilde dieren, de soldaten, voor wat we zaterdag gaan doen, bang dat we allemaal gedood zullen worden...'

'Ik ben ook bang, maar toch zou ik dit voor niets ter wereld willen missen.'

Ik pakte zijn hand en hield die enkele ogenblikken stijf vast, zijn huid was warm en opnieuw had ik de indruk dat ik hem al duizend jaar kende.

'Wat een gek stelletje zijn wij,' probeerde ik te lachen.

'Vertel een verhaal om ons een beetje af te leiden,' stelde Rolf Carlé voor.

'Wat zou je graag willen horen?'

'Iets wat je nog nooit aan iemand hebt verteld. Bedenk iets voor mij.'

Er was eens een vrouw wier beroep verhalen vertellen was. Ze ging overal rond om haar koopwaar aan te prijzen, avontuurlijke, spannende, enge of wellustige verhalen tegen een redelijke prijs. Op een middag in augustus bevond ze zich midden op een plein toen ze een man op zich toe zag komen, een trotse, magere man, hard als staal. Hij was moe, hij droeg een wapen in zijn arm, hij zat onder het stof van vele verre oorden, en toen hij bleef staan, snoof ze een geur van droefheid op en ze wist meteen dat deze man uit de oorlog kwam. De eenzaamheid en het geweld hadden ijzeren splinters achtergelaten in zijn ziel en hadden hem het vermogen ontnomen om zichzelf lief te hebben. Ben jij de vrouw die verhalen vertelt? vroeg de vreemdeling. Om u te dienen, antwoordde zij. De man haalde vijf goudstukken uit zijn zak en legde die in haar hand. Verkoop me dan een verleden, want het mijne is vol bloed en geween en het is mij van geen enkel nut om verder door het leven te komen, ik ben in zoveel strijd verwikkeld geweest dat ik er zelfs de naam van mijn moeder heb verloren, zei hij. Zij kon niet weigeren, want ze vreesde dat de vreemdeling op het plein in elkaar zou storten tot een hoopje stof, zoals dat uiteindelijk met iedereen gebeurt die niet over mooie herinneringen beschikt. Ze gebaarde hem naast haar te komen zitten en toen ze zijn ogen van dichtbij zag werd ze bevangen door medelijden en kwam er een heftig verlangen in haar op hem in haar armen te klemmen. Ze begon te spreken. De hele dag en de hele nacht was ze bezig met het bedenken van een mooi verleden voor deze krijgsman, ze riep al haar eigen ervaring en de hartstocht die de onbekende bij haar gewekt had te hulp. Het werd een lang verhaal, want ze wilde hem een bestemming geven als in een roman en ze moest alles verzinnen, vanaf zijn geboorte tot de huidige dag, zijn dromen, zijn verlangens en zijn geheimen, het leven van zijn ouders en van zijn broers en zusters, zelfs de geografie en de geschiedenis van zijn land. Eindelijk brak de nieuwe dag aan en bij de eerste zonnestraal stelde ze vast dat de geur van droefenis vervlogen was. Ze slaakte een zucht, sloot haar ogen en toen ze merkte dat haar geest zo leeg was als die van een pasgeborene, begreep ze dat ze in haar zucht om hem te behagen haar eigen geheugen aan hem had afgestaan, ze wist niet meer wat van haar was en wat nu hem behoorde, hun beider verledens waren vervlochten tot een enkele streng. Ze was op de bodem aangeland van haar eigen verhaal en kon de woorden niet meer terughalen, maar dat wilde ze ook niet en ze gaf zich over aan het genot om samen met hem te versmelten in een en dezelfde geschiedenis...'

Toen ik uitgesproken was, stond ik op, schudde het stof en de bladeren van mijn kleren en liep naar de hut om in de hangmat te gaan liggen. Rolf Carlé bleef bij het vuur zitten.

Vrijdagmorgen heel vroeg arriveerde Commandant Rogelio, zo geluidloos dat de honden niet blaften toen hij het dorp binnenkwam, maar zijn mannen merkten het wel, die sliepen met hun ogen open. Ik schudde de stijfheid van de afgelopen twee dagen van me af en ging naar hem toe om hem te omhelzen, maar hij maakte een afwerend gebaar, dat alleen ik opmerkte, hij had gelijk, het was schaamteloos om intimiteit te tonen in het bijzijn van mannen die in lang geen liefde hadden gekend. De guerrilleros verwelkomden hem met licht spottende grappen en schouderklopjes en het werd me duidelijk hoeveel vertrouwen ze in hem hadden, want vanaf dat moment nam de spanning af alsof zijn aanwezigheid voor hen een waarborg was. Hij had een koffer bij zich met de zorgvuldig opgevouwen en gestreken uniformen, de onderscheidingen, de petten en de reglementair voorgeschreven laarzen. Ik ging de proefgranaat halen en gaf hem die.

'Mooi,' zei hij goedkeurend. 'Vandaag zullen we zorgen dat de massa in de gevangenis komt. De metaaldetector merkt er niets van. Vannacht kunnen de kameraden hun wapens gaan maken.'

'Weten ze hoe ze dat moeten doen?' vroeg Rolf Carlé.

'Je denkt toch niet dat we dat detail over het hoofd gezien hebben?' vroeg Commandant Rogelio lachend. 'We hebben hun de instructies al gestuurd en de stenen hebben ze beslist ook al. Het enige wat ze moeten doen is die bekleden en een paar uur laten drogen.'

'De massa moet in plastic verpakt blijven om niet uit te drogen. De structuur moet erin worden aangebracht met een lepel en dan moet het gewoon hard worden. Door het drogen wordt de kleur donkerder en gaat het eruitzien als metaal. En laten ze in godsnaam niet vergeten om de valse slaghoedjes aan te brengen voor ze hard zijn,' lichtte ik toe.

'In dit land is alles mogelijk, zelfs wapens maken uit krantenpapier. Niemand zal ooit mijn reportage geloven,' zuchtte Rolf Carlé.

Twee jongens uit het dorp peddelden in een kano naar de gevangenis en overhandigden een zak aan de indianen in de keuken. Behalve trossen bananen, stukken cassave en een paar kazen zat daar ook de Universele Materie in, die er onschuldig uitzag als ongebakken brood. De bewakers besteedden er geen aandacht aan want het was normaal dat er levensmiddelen werden afgeleverd. Intussen gingen de guerrilleros alle bijzonderheden van het plan nog eens na en daarna hielpen ze de stam bij de laatste voorbereidingen. De gezinnen pakten hun miserabele bezittingen bij elkaar, bonden de kippen aan de poten vast, verzamelden hun voorraden en hun werktuigen. Hoewel het niet de eerste keer was dat ze gedwongen werden naar een andere uithoek van de streek te verhuizen, zaten ze nu in zak en as, want op deze open plek in de jungle hadden ze vele jaren gewoond. Het was een goede plek, niet ver van Agua Santa, de weg en de rivier. De volgende dag zouden ze hun kleine stukjes landbouwgrond moeten achterlaten, want zodra de soldaten zouden ontdekken dat zij hadden meegewerkt aan het ontsnappen van de gevangenen, zouden de represailles zwaar zijn. Ze waren wel voor minder zware vergrijpen als een cataclysme over indianennederzettingen heen gevallen, waarbij hele stammen vernietigd waren en ieder spoor van hun aanwezigheid op deze aarde was weggevaagd.

'Arme mensen... er zijn nog maar zo weinig!' zei ik.

'Ook zij zullen een plaats hebben in de revolutie,' verzekerde Commandant Rogelio.

Maar de indianen hadden geen belangstelling voor de revolutie noch voor enige andere zaak die van het verafschuwde blanke ras afkomstig was, ze waren niet eens in staat om dat lange woord uit te spreken. Ze deelden de idealen van de guerrilleros niet, ze hechtten geen geloof aan hun beloften en hadden geen begrip voor hun beweegredenen. Dat ze toch bereid waren hen te helpen bij het plan waarvan ze de reikwijdte niet konden overzien, was omdat de militairen hun vijanden waren en ze zo wraak zouden kunnen nemen voor het onnoemelijk onrecht dat hen in de loop der tijden was aangedaan. Het stamhoofd begreep heel goed dat ook als zij slechts zijdelings bij de zaak betrokken zouden zijn, zij er toch voor verantwoordelijk gesteld zouden worden omdat hun dorp in de nabijheid van de gevangenis lag. Ze zouden niet de kans krijgen iets uit te leggen, en aangezien ze de gevolgen ervan hoe dan ook zouden moeten dragen, kon het beter voor een goede zaak zijn. Hij zou met die zwijgende bebaarde mannen meewerken, die in ieder geval niet hun voedsel stalen of hun dochters betastten, en daarna zou ook hij vluchten. Al weken van tevoren had hij een vluchtweg gekozen, steeds verder het gebladerte binnendringend, in de hoop dat de ondoordringbare vegetatie het optrekkende Leger tot staan zou brengen en hen enige tijd bescherming zou bieden. Zo was het al vijfhonderd jaar gegaan: vervolging en uitroeiing.

Commandant Rogelio had de Neger er met de jeep op

uitgestuurd om een paar geiten te kopen. 's Avonds zaten we met de indianen om het vuur. De dieren werden aan het spit geroosterd en we ontkurkten een paar flessen rum, die voor deze laatste maaltijd gereserveerd was. Het werd een prachtig afscheid, ondanks de bezorgdheid die zwaar in de lucht hing. We dronken met mate, de jongens hieven liederen aan en Rolf Carlé wekte bewondering met een paar goocheltrucs en met de instantfoto's uit zijn toestel, een wonderbaarlijk apparaat dat binnen een minuut de beeltenissen van de stomverbaasde indianen uitspuugde. Ten slotte stelden twee mannen zich beschikbaar om de wacht te betrekken terwijl de rest zich te ruste legde. We hadden een zware taak voor de boeg.

In de enige hut die beschikbaar was, en waar de olielamp in een hoek een flikkerend licht verspreidde, gingen de guerrilleros op de grond liggen en ik in de hangmat. Ik had me voorgesteld dat ik deze uren alleen met Huberto zou doorbrengen, we waren nog nooit een hele nacht samen geweest, maar toch was ik tevreden over deze regeling. Het gezelschap van de jongens stelde me gerust en eindelijk was ik in staat mijn angst te bedwingen, me te ontspannen en te slapen. Ik droomde dat ik de liefde bedreef terwijl ik op een schommel heen en weer zwaaide. Ik zag mijn eigen knieën en dijen tussen de kanten zomen van een gele tafzijden onderrok, hoog naar achteren zwaaiend hing ik in de lucht en zag onder me het opgerichte geslachtsdeel van een man op me wachten. De schommel bleef even boven stilstaan en ik hief mijn gezicht op naar de hemel, die purper gekleurd was en daarna viel ik met duizelingwekkende vaart naar beneden om me te laten doorboren. Angstig deed ik mijn ogen open en merkte dat ik in een warme nevel gehuld was, ik hoor-

de het woeste klotsen van de rivier in de verte, het ge-
kwetter van de nachtvogels en de geluiden van de dieren
in het kreupelhout. De ruwe stof van de hangmat
schuurde door mijn blouse heen mijn rug en ik werd belaagd door muskieten, maar ik kon me niet bewegen om
ze weg te jagen, ik was verdwaasd. Ik verzonk weer in een
diepe slaap, badend in het zweet, en ditmaal droomde ik
dat ik in een smal bootje voer, in de armen van een minnaar wiens gezicht bedekt was door een masker van Universele Materie, op iedere beweging van de golven drong
hij in mij binnen, zodat ik onder de blauwe plekken
kwam te zitten en opzwol, verzadigd en gelukkig werd,
onstuimige kussen, voortekenen, de zang van het be-
drieglijke oerwoud, een gouden kies als liefdesgift, een
zak granaten die geluidloos uiteenspatten en de lucht be-
zaaiden met fosforescerende insecten. Met een schok
ontwaakte ik in het halfdonker van de hut en even wist ik
niet waar ik was noch wat die huivering in mijn buik te
betekenen had. Ik zag niet, zoals anders, de geestesverschijning van Riad Halabi die mij van de andere zijde
van de herinnering liefkoosde, maar het silhouet van
Rolf Carlé, die op de vloer tegenover mij, met zijn rug
steunend tegen zijn rugzak, zijn ene been opgetrokken
en het andere rechtuit, zijn armen over zijn borst gekruist, naar me zat te kijken. Ik kon zijn gelaatstrekken
niet onderscheiden, ik zag alleen zijn ogen en zijn tanden
schitteren toen hij tegen me glimlachte.

'Wat is er met je?' fluisterde ik.

'Hetzelfde als met jou,' antwoordde hij, ook heel
zachtjes om de anderen niet wakker te maken.

'Ik geloof dat ik droomde...'

'Ik ook.'

Zachtjes slopen we naar buiten, naar de kleine open

plek midden in het dorp, waar we samen bij het smeulende vuur gingen zitten, omringd door het onvermoeibare gefluister van het oerwoud, in het flauwe licht van de manestralen die door het gebladerte heendrongen. We spraken niet, we raakten elkaar niet aan, we probeerden niet te slapen. Samen wachtten we op het aanbreken van de zaterdag.

Toen het licht begon te worden, ging Rolf Carlé water halen voor koffie. Ik stond op en rekte me uit, mijn hele lichaam deed pijn alsof ik een pak slaag had gehad, maar eindelijk was ik tot rust gekomen. Toen zag ik dat er een rood omrande vlek in mijn broek zat, en dat verwonderde me want dat was me in jaren niet gebeurd, ik was het al haast vergeten. Ik glimlachte blij want ik wist dat ik nooit meer van Zulema zou dromen en dat mijn lichaam de angst voor de liefde had overwonnen. Terwijl Rolf Carlé de vlammen aanblies om het vuur te doen oplaaien en de koffiepot aan een haak hing, ging ik naar de hut. Ik haalde een schone blouse uit mijn koffer en scheurde die in repen om er verband van te maken en liep naar de rivier. Met natte kleren en zingend kwam ik terug.

Om zes uur 's morgens stond iedereen klaar om te beginnen aan deze voor ons leven beslissende dag. We namen afscheid van de indianen en keken toe hoe ze zwijgend vertrokken met hun kinderen, hun varkens, hun kippen, hun honden en hun pakken en als een rij geesten in het gebladerte verdwenen. Alleen degenen die de guerrilleros zouden helpen bij het oversteken van de rivier en hen zouden gidsen bij de terugtocht door de jungle waren achtergebleven. Rolf Carlé was een van de eersten die vertrok met zijn camera in zijn hand en zijn rugzak op zijn rug. Ook de andere mannen vertrokken, ieder naar hun eigen plek.

Huberto Naranjo nam afscheid van me met een kus op mijn mond, een kuise, sentimentele kus, pas goed op jezelf, jij ook, ga direct naar huis en probeer geen aandacht te trekken, maak je geen zorgen, alles zal goed gaan, wanneer zien we elkaar weer, ik zal me een poosje schuil moeten houden, wacht niet op me, nog een kus, ik sloeg mijn armen om zijn hals en drukte hem stijf tegen me aan, ik aaide met mijn gezicht langs zijn baard, met vochtige ogen, want ik was ook bezig vaarwel te zeggen tegen de zovele jaren gedeelde hartstocht. Ik stapte in de jeep, waarvan de Neger de motor al gestart had om mij naar het noorden te brengen, naar een verafgelegen dorp, waar ik de bus zou nemen naar de hoofdstad. Huberto Naranjo gebaarde iets naar me en we glimlachten tegelijk. Mijn lieve vriend, laat er niets akeligs met je gebeuren, ik houd veel van je, fluisterde ik, en ik wist zeker dat hij binnensmonds hetzelfde zei, met de gedachte dat het goed was op elkaar te kunnen rekenen en altijd dicht bij elkaar te zijn om elkaar te beschermen en te helpen, vredig omdat er een wending in onze relatie was gekomen om eindelijk daar te belanden waar ze altijd al had moeten zijn, met de gedachte dat we kornuiten waren, een innig dierbare, lichtelijk incestueuze broer en zuster. Pas goed op jezelf, jij ook, herhaalden we.

De hele dag zat ik in de heen en weer slingerende bus, die hotsend en botsend over de weg reed die vol kuilen zat van het zware vrachtverkeer en die tot op de draad versleten was door de regenval, die diepe gaten in het asfalt had geslagen en waarin boa constrictors hun nesten hadden gemaakt. In een bocht van de weg opende de begroeiing zich eensklaps in een waaier van onmogelijke kleuren groen en werd het daglicht wit. Voor onze ogen verrees de volmaakte illusie van het Paleis van de Armen, vijftien centimeter boven de dichte humusbedekking van de aarde zwevend. De chauffeur stopte de bus en de passagiers legden hun handen op hun borst en hielden hun adem in, zo lang als de betovering duurde, tot deze na enkele ogenblikken langzaam vervluchtigde. Het Paleis verdween, het oerwoud kwam er weer voor in de plaats en de dag herkreeg weer zijn gewone doorzichtigheid. De chauffeur startte de motor opnieuw en vol verbazing gingen wij weer op onze plaatsen zitten. Niemand zei meer een woord totdat we uren later de hoofdstad bereikten. Iedereen was bezig geweest voor zichzelf een verklaring te vinden voor deze openbaring. Hoewel ik er ook geen verklaring voor had, was het voor mij haast iets natuurlijks. Ik had het jaren geleden al eens gezien, toen ik in de vrachtauto van Riad Halabi zat. Toen had ik half geslapen en had hij me wakker geschud omdat de nacht verlicht werd door de lampen van het Paleis, we waren uitgestapt en naar het visioen toe gerend, maar de schaduwen hadden het opgeslokt voor we het hadden kunnen bereiken. Ik kon de gedachte aan wat er die middag om vijf uur in de Santa Maria-gevangenis zou gebeuren, niet uit mijn hoofd zetten. Ik voelde een ondraaglijke druk op mijn slapen en ik vervloekte mijn eigen ziekelijke afwijking om me de afschuwelijkste dingen voor te stellen. Laat het goed gaan, laat het goed gaan, help hen, smeekte ik mijn moeder zoals ik altijd deed op cruciale ogenblikken, en voor de zoveelste keer moest ik vaststellen dat haar geestesverschijning onvoorspelbaar was. De ene keer verscheen ze plotseling zonder enige aankondiging en maakte ze mij vreselijk aan het schrikken, en de andere keer liet ze, zelfs als ik haar dringend riep, op geen enkele manier merken dat ze me gehoord had. Door het landschap en de drukkende hitte moest ik terugdenken aan de tijd dat ik zeventien was, toen had ik deze zelfde weg afgelegd met een koffer vol nieuwe kleren, het adres van een kostschool voor jonge-dames en de kersverse ontdekking van de wellust. In die uren had ik toen mijn lot in eigen handen genomen en sindsdien waren me vele dingen overkomen, ik had de indruk dat ik vele levens had geleefd, dat ik iedere nacht in rook was opgegaan om 's morgens weer opnieuw ge-boren te worden. Ik probeerde te slapen maar de onheil-spellende voortekenen lieten me niet met rust en zelfs de luchtspiegeling van het Paleis van de Armen was niet in staat de zwavelsmaak weg te nemen die ik in mijn mond had. Mimi had ooit mijn voorspellingen geanalyseerd aan de hand van de vage voorschriften uit het handboek van de Maharadja en was tot de conclusie gekomen dat ik er maar liever niet op moest vertrouwen, mijn voor-spellingen kondigden nooit iets belangrijks aan, alleen maar onbeduidende gebeurtenissen, integendeel, als mij eens iets fundamenteels overkomt, gebeurt dat altijd vol-komen onverwacht. Mimi had me aangetoond dat mijn rudimentaire vermogen tot voorspellen van geen enkele waarde was. Laat alles goed aflopen, smeekte ik mijn moeder nogmaals.

Ik zag er erbarmelijk uit toen ik 's zaterdagsavonds, vuil van de transpiratie en het stof, thuiskwam. Ik had bij het busstation een taxi genomen die me tot voor de deur had gebracht. Onderweg reden we langs het door Engel-se lantaarns verlichte park, de Country Club met de rijen palmen, de landhuizen van miljonairs en ambassadeurs en de nieuwe uit glas en staal opgetrokken gebouwen. Ik waande me op een andere planeet, onmetelijk ver van een indianendorp en van jonge mannen met een koortsachtige blik in hun ogen, die bereid waren zich dood te vechten met fopgranaten. Alle vensters van het huis waren verlicht en een ogenblik werd ik bevangen door paniek bij de gedachte dat de politie mij al voor was geweest, maar voor ik kon omkeren waren Mimi en Elvira al bij de deur. Als een automaat ging ik naar binnen en ik liet me neerploffen op een stoel, ik wenste dat alles zich had afgespeeld in een verhaal dat ontsproten was aan mijn benevelde brein, dat het niet waar was dat Huberto Naranjo, Rolf Carlé en de anderen op dit moment al dood zouden kunnen zijn. Ik keek de kamer rond alsof ik haar voor het eerst zag en ze leek me gezelliger dan ooit tevoren, het allegaartje van meubelen, mijn onwaarschijnlijke voorouders die me vanuit hun lijsten aan de muur beschermden en in een hoek de opgezette poema, nog steeds even woest, ondanks alle ellende en alle omzwervingen die hij in de halve eeuw van zijn bestaan had moeten verduren.

'Wat is het heerlijk om hier weer te zijn,' zei ik mijn gemoed luchtend.

'Wat is er in godsnaam gebeurd?' wilde Mimi weten, nadat ze had vastgesteld dat ik nog volkomen intact was.

'Ik weet het niet. Toen ik vertrok waren ze nog met de voorbereidingen bezig. Omstreeks vijf uur moest de strijd losbranden, voordat de gevangenen zouden worden teruggebracht naar de cellen. Op dat tijdstip zouden ze op de binnenplaats een relletje ontketenen om de bewakers af te leiden.'

'Dan zou het nu al bekend gemaakt moeten zijn op de radio of op de televisie, maar er is geen woord over gezegd.'

'Des te beter. Als ze hen gedood hadden, zouden we het wel te horen krijgen. Maar als ze kans gezien hebben te ontsnappen, zal de regering blijven zwijgen, zolang ze er geen draai aan heeft kunnen geven.'

'Voor mij zijn het vreselijke dagen geweest, Eva. Ik heb niet kunnen werken, ik was ziek van angst, ik stelde me voor dat je gevangengenomen was, dood, door een gifslang gebeten, door de piranha's opgegeten. Die vervloekte Huberto Naranjo! Ik weet niet waarom wij aan die waanzin hebben meegedaan,' riep Mimi uit.

'Ach vogeltje, je trekt een gezicht als een sperwer. Ik ben nog van de oude stempel, ik moet niks hebben van al die wanorde. Ik zeg altijd maar, waarom zou een meisje haar neus in mannenzaken steken?' zuchtte Elvira, terwijl ze bedrijvig heen en weer liep om koffie in te schenken, het bad te laten vollopen en schone kleren te pakken. 'Een flink heet bad in water met lindebloesem en alle angst die je hebt doorstaan valt van je af.'

'Ik ga liever onder de douche, grootje.'

Het nieuws dat ik na zoveel jaren weer was gaan menstrueren, werd door Mimi met gejuich ontvangen, maar voor Elvira was het geen reden tot blijdschap, het was en bleef een vieze boel en ze was blij dat zij de leeftijd te boven was van die vervelende last, het zou mooier zijn als mensen eieren konden leggen, net als kippen. Uit mijn zak haalde ik het pakje dat ik in Agua Santa had opgegraven en legde het op de schoot van mijn vriendin.

'Wat is dat?'

'Je bruidsschat. Die mag je verkopen om je in Los Angeles te laten opereren, dan kun je trouwen.'

Mimi verwijderde het met aarde bevlekte plastic en haalde een door vocht en termieten aangevreten kistje te voorschijn. Ze forceerde het deksel en toen het opensprong rolden de juwelen van Zulema in haar schoot, glanzend alsof ze pas waren gepoetst, het goud geler dan voorheen, smaragden, topazen, granaten, parels, amethisten, alles nog fraaier door een nieuw licht. De sieraden die in mijn ogen maar armzalig waren geweest toen ik ze aan het zonlicht blootstelde op de patio van Riad Halabi, zagen er nu, in de handen van het mooiste schepsel ter wereld, uit als het geschenk van een kalief.

'Waar heb je die gestolen? Heb ik je geen eerbied en een goed geweten bijgebracht?' fluisterde Elvira geschrokken.

'Ik heb ze niet gestolen, grootje. Midden in het oerwoud bevindt zich een stad van zuiver goud. De straten zijn er met goud geplaveid, de huizen hebben gouden daken, de marktkramen en de banken op het plein zijn van goud en alle inwoners hebben er gouden tanden. De kinderen spelen er met stenen in alle kleuren, zoals deze.'

'Ik verkoop ze niet, Eva, ik ga ze dragen. Die operatie is iets vreselijks. Ze halen alles weg en zetten er een uit een stuk darm gemaakte vrouwenholte voor in de plaats.'

'En Aravena?'

'Die houdt van me zoals ik ben.'

Zowel Elvira als ik slaakte een zucht van verlichting. Ik had die hele aangelegenheid altijd al een ontzettende slachtpartij gevonden, die uiteindelijk niets anders kon opleveren dan een lachwekkende imitatie van de natuur, en voor Elvira stond het idee om de aartsengel te verminken gelijk aan heiligschennis.

Zondags heel vroeg, toen we allemaal nog sliepen, werd er gebeld. Elvira kwam foeterend uit bed en trof bij de deur een ongeschoren kerel aan met een zware rugzak, op zijn schouder droeg hij een zwart apparaat en in zijn gezicht dat donker was van het stof, de vermoeidheid en de zon, schitterden zijn tanden. Ze herkende Rolf Carlé niet. Op dat moment kwamen Mimi en ik in ons nachthemd te voorschijn en we hoefden niets te vragen, want zijn glimlach zei genoeg. Hij kwam me halen, want hij had besloten mij te verstoppen totdat de storm was gaan liggen. Hij was ervan overtuigd dat de ontsnapping een heibel zou ontketenen, waarvan de consequenties nog niet te overzien waren. Hij was bang dat ik in het dorp door iemand gezien was, die mij zou identificeren als het meisje dat jaren geleden in De Parel van het Oosten werkte.

'Ik heb je nog zo gezegd dat we ons niet in dat wespennest moesten steken,' jammerde Mimi, die onherkenbaar was zonder haar gevechtsbeschildering.

Ik kleedde me aan en stopte wat kleren in een tas. Voor de deur stond de auto van Aravena, die Rolf in alle vroegte van hem geleend had, toen hij bij hem thuis was om hem een aantal rollen film ter hand te stellen met het meest opwindende materiaal van de laatste jaren. De Neger had hem daarheen gebracht en had vervolgens de jeep meegenomen, met de opdracht die te laten verdwijnen, zodat de eigenaar ervan niet opgespoord kon worden. De directeur van de Nationale Televisie was niet gewend om vroeg op te staan en toen Rolf hem had verteld waar het om ging, had hij gedacht dat hij nog sliep. Om zichzelf wakker te schudden had hij een half glas whisky gedronken en de eerste sigaar van die dag opgestoken, daarna had hij erover zitten nadenken wat hij kon doen met hetgeen hij daar in handen had gekregen. Rolf had hem echter niet de tijd gegund voor overpeinzingen en had hem om de sleutels van zijn auto gevraagd, want hij was nog niet klaar met zijn werk. Aravena had hem die overhandigd met dezelfde woorden als Mimi, steek je niet in een wespennest, jongen. Waarop Rolf had geantwoord: daar steek ik al tot mijn nek toe in.

'Kan jij autorijden, Eva?'

'Ik heb het wel geleerd, maar nog nooit echt gedaan.'

'Ik kan mijn ogen niet meer openhouden. Om deze tijd is er weinig verkeer, rij langzaam en neem de weg naar Los Altos, naar de bergen.'

Een beetje angstig installeerde ik me achter het stuur van het met rood leer beklede slagschip, ik draaide met onzekere vingers de contactsleutel om, startte de motor en hotsend gingen we op weg. Mijn vriend sliep binnen twee minuten en werd pas wakker toen ik hem twee uur later aanstootte om te vragen welke richting ik moest nemen op een splitsing. En zo arriveerden we die zondag in de Kolonie.

Burgel en Rupert ontvingen ons met de luidruchtige, openhartige genegenheid die bij hen hoorde en ze gingen meteen een bad klaarmaken voor hun neef, die er ondanks het slaapje in de auto uitzag als een overlevende van een aardbeving. Rolf Carlé lag in een nirvana van heet water uit te rusten toen de twee nichtjes haastig kwamen aanlopen, een en al nieuwsgierigheid omdat het de eerste keer was dat hij een vrouw in huis bracht. We stonden met ons drieën in de keuken en een halve minuut bekeken we elkaar onderzoekend en taxerend, aanvankelijk met natuurlijk wantrouwen en daarna uiterst welwillend. Aan de ene kant twee weelderige blonde vrouwen met blozende wangen, gekleed in de geborduurde vilten rokken, gesteven blouses en kanten schorten waarmee ze de toeristen in verrukking brachten; aan de andere kant ik, niet bepaald tot in de puntjes verzorgd. De nichtjes waren precies zoals ik ze me had voorgesteld uit de beschrijving van Rolf, alleen tien jaar ouder, en ik was blij dat ze in zijn ogen eeuwig halfvolwassen zouden blijven. Ik geloof dat zij in één oogopslag door hadden dat ze een mededingster voor zich hadden, en het zal hen wel verbaasd hebben dat ik zo anders was dan zij. Misschien waren ze wel gevleid geweest als Rolf zijn keuze had laten vallen op hun evenbeeld. Maar aangezien ze allebei de goedheid zelve zijn, gooiden ze hun jaloezie overboord en heetten ze me gastvrij welkom als een zuster. Ze gingen hun kinderen halen en stelden me voor aan hun grote, goedmoedige, naar sierkaarsen ruikende mannen. Daarna gingen ze hun moeder helpen met het klaarmaken van het eten. Niet veel later zat ik aan de tafel, opgenomen in de welvarende familiekring, met een jong herdershondje aan mijn voeten en een stuk ham met puree van zoete aardappels in mijn mond, en ik waande me zo ver van de Santa Maria-gevangenis, van Huberto Naranjo en van de granaten van Universele Materie dat toen ze de televisie aanzetten om naar het nieuws te kijken en er een militair verscheen om nadere bijzonderheden te vertellen over de ontsnapping van de negen guerrilleros, ik mijn uiterste best moest doen om zijn woorden te bevatten.

Zuchtend en zwetend maakte de gevangenisdirecteur bekend dat een groep terroristen met helikopters een overval had gepleegd. Ze waren bewapend geweest met bazooka's en machinepistolen, en binnen hadden de delinquenten de bewakers onder bedreiging van handgranaten overmeesterd. Met een stok wees hij op een plattegrond van het gebouw nauwkeurig aan hoe de bewegingen van de betrokkenen waren geweest, vanaf het moment dat ze hun cellen hadden verlaten totdat ze in het oerwoud verdwenen waren. Hij kon niet verklaren hoe ze zich de wapens verschaft hadden en langs de metaaldetectoren gekomen waren, het leek wel toverij, de granaten waren als vanzelf in hun handen ontstaan. Zaterdagmiddag om vijf uur, toen ze hun cellen mochten verlaten om naar de latrines te gaan, hadden ze de bewakers de granaten onder de neus gehouden en gedreigd hen allemaal in de lucht te laten vliegen als ze zich niet overgaven. Volgens de directeur, die spierwit zag door een gebrek aan slaap en die een baard van twee dagen had, hadden de dienstdoende cipiers van de afdeling dapper weerstand geboden, maar ze hadden geen andere uitweg gezien dan hun wapens over te dragen. Deze dienaren van het vaderland, die nu verpleegd werden in het Militaire Hospitaal met het uitdrukkelijk verbod bezoekers te ontvangen en zeker geen journalisten, waren nadat ze ongevaarlijke verwondingen hadden opgelopen, door de guerrilleros in een cel opgesloten, zodat ze geen alarm hadden kunnen slaan. Tegelijkertijd hadden hun medeplichtigen een rel ontketend onder de gevangenen op de binnenplaats, hadden groepen subversieve elementen in de gevangenis de elektriciteitskabels doorgesneden, hadden ze op vijf kilometer afstand de landingsbaan van het vliegveld opgeblazen, hadden ze de enige toegangsweg voor gemotoriseerde voertuigen onklaar gemaakt en de patrouilleboten gestolen. Daarna hadden ze touwen en bergbeklimmershaken over de muren gegooid, touwladders opgehangen en daarlangs waren de gedetineerden ontsnapt, besloot de man in uniform met de aanwijsstok bevend in zijn hand. Een nieuwslezer met een verwaten stem nam zijn plaats in om te verklaren dat het duidelijk was dat hier sprake was van een actie van het internationale communisme, de vrede op het hele continent stond op het spel, de autoriteiten zouden niet rusten voor de schuldigen gepakt waren en de medeplichtigen gevonden. Het nieuws werd besloten met een korte mededeling: generaal Tolomeo Rodriguez was benoemd tot Opperbevelhebber van de Strijdkrachten.

Tussen twee slokken bier door liet oom Rupert weten dat ze al die guerrilleros naar Siberië moesten sturen, eens kijken of ze dat leuk zouden vinden, hij had nog nooit gehoord dat iemand over de Berlijnse Muur geklommen was naar de communistische kant, dat gebeurt alleen maar om te ontsnappen aan het rode gevaar, en hoe is de situatie in Cuba, daar hebben ze niet eens pleepapier, en kom mij niet aan met praatjes over gezondheidszorg, onderwijs, sport en meer van die onzin, want daar heeft een mens geen moer aan op het moment dat hij zijn kont wil afvegen, foeterde hij. Rolf Carlé beduidde me met een knipoogje dat het beter was er niet op in te gaan. Burgel schakelde over op een ander kanaal om de aflevering van de serie te zien, ze was benieuwd hoe het verder zou gaan. Gisteravond had de verdorven Alejandra door een kier van de deur geloerd naar Belinda en Luis Alfredo, die elkaar hartstochtelijk kusten, daar houd ik van, tegenwoordig laten ze het van dichtbij zien als ze elkaar kussen, vroeger voelde je je bekocht, dan keken de verliefden elkaar in de ogen, namen elkaar bij de hand en net als het mooiste nog moest komen, kregen wij de maan te zien, wat een manen hebben wij al moeten zien, en dan moesten wij ons maar afvragen hoe het verder ging, kijk dan, Belinda beweegt haar ogen, volgens mij is ze niet echt blind. Ik stond op het punt haar alle details te onthullen van het draaiboek, dat ik zo vaak met Mimi had moeten repeteren, maar gelukkig deed ik het niet, haar illusies zouden erdoor verstoord zijn. De twee nichtjes en hun mannen bleven geboeid naar het scherm kijken, terwijl hun kinderen op de stoelen al sliepen en buiten de avond viel, vredig en fris. Rolf pakte mijn arm en samen gingen we een ommetje maken.

We wandelden door de kronkelige straatjes van dat ongewone dorp uit een andere eeuw, verscholen tegen een tropische bergrug, met zijn smetteloze huizen, zijn bloementuinen, zijn etalages met koekoeksklokken, zijn piepkleine kerkhof met zijn graven in perfect symmetrische rijen, alles even glimmend en absurd. In de bocht van de laatste straat bleven we staan om te kijken naar het hemelgewelf en de lichtjes van de Kolonie, die aan onze voeten over de uitlopers van de bergrug lag uitgespreid als een groot tapijt. Toen ook onze voetstappen niet meer klonken op het plaveisel kreeg ik het gevoel dat ik mij in een pasgeboren wereld bevond, waarin het geluid nog niet geschapen was. Voor het eerst hoorde ik de stilte. Tot dat moment waren er altijd geluiden in mijn leven geweest, soms nauwelijks waarneembaar, zoals het gemurmel van de geesten van Zulema en Kamal of het gefluister van het oerwoud bij het aanbreken van de dag, soms ook oorverdovend, zoals de radio in de keukens van mijn jeugd. Het maakte mij net zo opgewonden als vrijen of verhalen bedenken, en ik zou deze verstomde ruimte willen vangen en als een schat bewaren. Ik snoof de geur van de dennenbomen op, me volkomen overgevend aan dit nieuwe genot. Ten slotte begon Rolf Carlé te praten en verdween de betovering, waardoor ik net zo gefrustreerd werd als toen ik als kind een hoopje sneeuw in mijn handen in water had zien veranderen. Hij vertelde me wat er volgens hem gebeurd was in de Santa Maria-gevangenis. Ten dele had hij dat kunnen filmen en de rest wist hij van de Neger.

Zaterdagmiddag hadden de directeur en de helft van de bewakers zich in het bordeel in Agua Santa bevonden, precies zoals Mimi had gezegd, en ze waren zo dronken dat ze, toen ze de explosie op het vliegveld hoorden, meenden dat het Nieuwjaar was en zelfs hun broeken niet hadden aangetrokken. Intussen was Rolf Carlé het eilandje genaderd in een kano, met zijn apparatuur verstopt onder palmbladeren. Nadat Commandant Rogelio en zijn mannen de rivier hadden overgestoken in een sloep die ze de bewakers op de kade afhandig hadden gemaakt, hadden ze zich in uniform aangediend bij de hoofdingang, waar de sirene zo hard was gaan loeien dat er een circuskabaal losbarstte. Er waren geen autoriteiten aanwezig om bevelen te geven en omdat ze eruitzagen als hoge officieren, hield niemand de bezoekers tegen. Op datzelfde tijdstip kregen de gevangenen hun enige maaltijd van de dag aangereikt door een opening in de ijzeren celdeuren. Eén begon er te klagen over vreselijke buikpijn, ik ga dood, help, ik ben vergiftigd, waarop zijn kameraden, in hun cellen, ogenblikkelijk met hem meejammerden, moordenaars, moordenaars, we worden vermoord. Twee bewakers waren de cel van de zieke binnengegaan om hem tot bedaren te brengen, waar ze hem aantroffen met in iedere hand een granaat en met een zo vastberaden blik in zijn ogen dat ze geen kik durfden te geven. Commandant Rogelio had zowel zijn kameraden als de medeplichtigen in de keuken zonder een schot te lossen naar buiten gebracht, zonder geweld en zonder haast. Met hetzelfde vaartuig had hij hen naar de overkant van de rivier gebracht, waar ze met de indianen als gids in het oerwoud verdwenen. Rolf had alles gefilmd met een telelens, en daarna had hij zich de rivier laten afzakken tot de plek waar hij zich bij de Neger zou voegen. Toen zij in de jeep al op topsnelheid op weg waren naar de hoofdstad, waren de militairen het er nog niet over eens hoe ze de weg moesten blokkeren en de achtervolging moesten inzetten.

'Ik ben blij voor ze, maar ik weet niet wat je aan die films hebt als alles gecensureerd wordt.'

'We zullen ze toch laten zien...' zei hij.

'Je weet toch, Rolf, wat voor soort democratie het hier is. Onder het voorwendsel van het anticommunisme is er niet meer vrijheid dan onder de dictatuur ten tijde van de Generaal...'

'Als ze ons verbieden het als nieuws te brengen, zoals gebeurd is met de slachtpartij in het Operationele Centrum, dan zullen we de waarheid vertellen in de eerstvolgende televisieserie.'

'Wat zeg je?'

'Jouw vervolgserie wordt uitgezonden zodra die onzin over die miljonair en dat blinde meisje is afgelopen. Jij moet zorgen dat de guerrilla en de overval op de gevangenis in het draaiboek komen. Ik heb een koffer vol film over de gewapende strijd. Daar zit een heleboel materiaal bij dat jij mooi kunt gebruiken.'

'Dat zullen ze nooit toestaan...'

'Over twintig dagen zijn er verkiezingen. De volgende president zal proberen een liberale indruk te maken en hij zal voorzichtig zijn met censuur. Hoe dan ook, jij kunt altijd zeggen dat het maar fictie is, en aangezien de televisieserie veel meer kijkers trekt dan de nieuwsberichten, zal iedereen kunnen weten wat er in de Santa Maria-gevangenis werkelijk is gebeurd.'

'En ik? De politie zal willen weten hoe ik aan al die wijsheid kom.'

'Ze zullen jou geen haar krenken, want dat zou hetzelfde zijn als toegeven dat je de waarheid spreekt,' antwoordde Rolf Carlé. 'En over verhalen gesproken, ik moet nog steeds denken aan de betekenis van dat verhaal over die vrouw, die een verleden verkoopt aan een krijgsman...'

'Pieker je daar nu nog over? Jij bent wel traag van begrip, zeg!'

De presidentsverkiezingen verliepen ordelijk en opgewekt, alsof het uitoefenen van republikeinse rechten een jarenlange gewoonte was en niet als door een wonder eerst onlangs verworven, zoals het in werkelijkheid was. De overwinning werd behaald door de kandidaat van de oppositie, precies zoals Aravena had voorspeld, wiens neus voor politiek er in de loop der jaren niet minder op was geworden, integendeel. Niet lang daarna kwam Alejandra bij een auto-ongeluk om het leven en Belinda, die het gezichtsvermogen terug had gekregen, trouwde, gehuld in meters en meters witte tule en op haar hoofd een kroon van valse diamanten en oranjebloesem van was, met haar aanbedene, Martinez de la Roca. Het land slaakte een diepe zucht van verlichting, want het geduld was behoorlijk op de proef gesteld door haast een jaar lang dagelijks de verwikkelingen van die mensen te moeten volgen. De Nationale Televisie gaf de geduldige kijkers echter niet de kans om rustig adem te halen, want onmiddellijk daarna werd mijn serie uitgezonden, die ik in een vlaag van sentiment de titel *Bolero* had gegeven, als eerbetoon aan de liedjes die de uren in mijn kinderjaren gevoed hadden en mij als uitgangspunt hadden gediend voor vele verhalen. Het publiek werd al in de eerste aflevering overrompeld en kreeg in de daaropvolgende niet de kans van zijn verbazing bij te komen. Ik geloof dat geen mens begreep waar dit zonderlinge verhaal op uit zou lopen, ze waren gewend aan jaloezie, nijd, ambities, of in ieder geval maagdelijkheid, maar niets van dit alles was op hun scherm te zien, en iedere avond gingen ze vol verwarring naar bed, met beelden van felle ruzies tussen vergiftigde indianen, balsemmeesters in rolstoelen, door hun leerlingen aan bomen opgehangen onderwijzers, ministers op kakstoelen bekleed met bisschoppelijk velours, en nog veel meer ongerijmdheden, die tegen geen enkele logische analyse bestand waren en niet voldeden aan de geijkte wetten van de commerciële televisieserie. Ondanks de teweeggebrachte ontreddering ontplooide *Bolero* zich en het duurde niet lang of zelfs echtgenoten gingen vroeg naar huis om de aflevering van die avond te zien. De regering waarschuwde meneer Aravena, die op zijn post benoemd was op grond van zijn goede naam en zijn sluwheid van een oude vos, dat hij de moraal, de goede zeden en de vaderlandsliefde in de gaten moest houden, en met het oog daarop moest ik enkele liederlijke activiteiten van Madame weglaten en de achtergronden van de Hoerenopstand veranderen, maar verder hoefde ik vrijwel niets te wijzigen. Mimi vervulde een belangrijke rol, zij speelde zichzelf zo perfect dat ze de populairste actrice van het artiestenwereldje werd. De verwarring rond haar oorspronkelijke aard verhoogde haar faam, want wie haar zag kon nauwelijks geloof hechten aan het praatje dat ze ooit een man was geweest, of erger nog, dat ze dat in sommige anatomische opzichten nog zou zijn. Natuurlijk was er ook wel iemand die beweerde dat ze haar succes dankte aan haar liefdesrelatie met de directeur van de televisie, maar aangezien zij geen van beiden de moeite namen dat te ontkennen, stierf dat roddelpraatje een natuurlijke dood.

Ik schreef iedere dag een nieuwe aflevering en ik ging volkomen op in de wereld die ik door de allesoverheersende macht van de woorden schiep, ik was getransformeerd tot een versnipperd wezen, tot in het oneindige gereproduceerd zag ik mijn eigen spiegelbeeld in veel-

voud weerkaatst, ik leefde talloze levens, ik sprak met vele tongen. De personages werden zo echt dat ze allemaal
tegelijk in mijn huis verschenen, zonder de chronologi-
sche volgorde van het verhaal te eerbiedigen, de levenden
tegelijk met de doden, en elk al zijn leeftijden met zich
meedragend, zodat terwijl Consuelo-kind de strotten
van de kippen opensneed tegelijkertijd de naakte Con-
suelo-vrouw haar haren losmaakte om een in doodsnood
verkerende man te troosten; terwijl Huberto Naranjo in
korte broek in de kamer argeloze voorbijgangers voor de
gek hield met vissen zonder staart verscheen hij tegelijk-
kertijd plotseling op de bovenverdieping met zijn com-
mandantslaarzen besmeurd door het slijk van de oorlog;
terwijl mijn peettante heupwiegend kwam aanlopen zoals in haar beste jaren, zat ze tegelijkertijd tandeloos en
met een dik litteken in haar hals in zichzelf gekeerd op
het terras te bidden voor een haar van de paus. Allemaal
scharrelden ze door de kamers en brachten de dagelijkse
routine van Elvira volkomen in de war, die al haar energie nodig had om met hen te discussiëren en alles weer op
te ruimen wat ze in het voorbijgaan als een orkaan over-
hoop gehaald hadden. Ach, vogeltje, haal al die krankzinnigen toch uit mijn keuken, ik word er zo moe van
om ze steeds te moeten wegjagen met de bezem, klaagde
ze, maar als ze hen 's avonds hun rollen zag spelen op het
scherm, zuchtte ze van trots. En het eindigde ermee dat
ze hen als haar eigen familie ging beschouwen.

Twaalf dagen voor de afleveringen over de guerrilla zouden worden opgenomen, ontving ik een oproep van het
ministerie van Defensie. Ik begreep niet waarom ze me
daar op kantoor ontboden, en niet een stelletje agenten
van de Politieke Politie in hun onmiskenbare zwarte wa-

gens stuurden, maar om Mimi en grootje niet ongerust te maken zei ik er tegen hen geen woord over. Rolf kon ik ook niet waarschuwen, want die zat in Parijs, waar hij de eerste vredesonderhandelingen met de Vietnamezen filmde. De onheilsboodschap had ik verwacht sinds ik maanden geleden de fopgranaten van Universele Materie had gemaakt en in mijn hart wenste ik er in één keer mee geconfronteerd te worden, om eindelijk verlost te zijn van de knagende angst die onder mijn huid schrijnde. Ik dekte mijn schrijfmachine af, ordende mijn papieren, kleedde me aan met de zorg van iemand die zijn doodskleed past, stak mijn haar op en verliet het huis, de geesten die nog op mijn rug zaten wegwuivend. Aangekomen bij het gebouw van het Ministerie klom ik een dubbele marmeren trap op, ik ging door bronzen deuren waarnaast bewakers met pluimen op hun petten op wacht stonden en liet mijn papieren zien aan een bode. Een soldaat ging me voor in een lange gang met een loper, hij liet me een deur binnengaan waarin het nationale wapen was uitgesneden. Ik stond in een gemeubileerde kamer, met zware gordijnen en kristallen luchters. Op de gebrandschilderde ramen was Christoffel Columbus vereeuwigd met zijn ene voet op de Amerikaanse kust en de andere op zijn schip. Toen pas viel mijn oog op generaal Tolomeo Rodriguez, die achter een mahoniehouten bureau zat. Zijn massieve gestalte tekende zich in tegenlicht af tussen de exotische flora van de Nieuwe Wereld en de laars van de conquistador. Dat ik hem meteen herkende, merkte ik aan de duizeling die mij beving en me bijna aan het wankelen bracht, maar het duurde even voor mijn ogen voldoende gewend waren aan het licht om zijn katachtige blik, zijn slanke handen en zijn volmaakte tanden te kunnen onderscheiden. Hij stond op, begroette me met zijn wat stijve beleefdheid en verzocht me plaats te nemen in een van de leunstoelen. Hij kwam naast me zitten en vroeg een secretaresse koffie te brengen.

'Kent u me nog, Eva?'

Hoe zou ik hem ooit kunnen vergeten? Hoewel onze enige ontmoeting alweer een tijd geleden was, had ik het te danken aan de verwarring waarin deze man mij gebracht had, dat ik ontslag had genomen bij de fabriek en dat ik mijn brood was gaan verdienen met het schrijven van verhalen. De eerste minuten werden gevuld met allerlei onbenulligheden. Ik zat op het puntje van mijn stoel en het kopje beefde in mijn handen, hij was ontspannen en bekeek mij met een ondoorgrondelijke blik. Nadat het onderwerp hoffelijkheden was uitgeput, vervielen we allebei in een stilzwijgen, tot het voor mij ondraaglijk werd.

'Waarom hebt u me laten komen, generaal?' vroeg ik ten slotte toen ik me niet langer kon beheersen.

'Om u een overeenkomst aan te bieden,' en daarop deelde hij me op zijn belerende toon mede, dat hij over een volledig dossier van mijn leven beschikte, vanaf de krantenknipsels over Zulema's dood tot en met de bewijzen van mijn huidige relatie met Rolf Carlé, die polemische cineast, die ook door de Veiligheidsdienst in de gaten gehouden werd. Nee, er was geen sprake van dat hij me bedreigde, integendeel, hij was mijn vriend, of beter gezegd mijn toegewijde bewonderaar. Hij had de draaiboeken van *Bolero* zelf gecontroleerd en daarin onder andere frappante bijzonderheden aangetroffen, zowel over de guerrilla als over die ongelukkige ontsnapping van de gedetineerden uit de Santa Maria-gevangenis. 'U bent mij een verklaring schuldig, Eva.'

Ik had de neiging mijn benen op te trekken op de leren stoel en mijn gezicht achter mijn armen te verbergen, maar ik bleef doodstil zitten. Overdreven aandachtig staarde ik naar het patroon van het vloerkleed zonder in mijn uitgebreide archief van verzinsels iets te kunnen vinden dat geschikt was als antwoord. De hand van generaal Tolomeo Rodriguez beroerde ternauwernood mijn schouder, ik had niets te vrezen, dat had hij toch al gezegd, sterker nog, hij zou zich niet bemoeien met mijn werk, ik kon rustig doorgaan met mijn serie, hij had zelfs niets in te brengen tegen de kolonel in aflevering honderdacht, die zo veel op hem leek dat hij had moeten lachen toen hij het las, en als figuur was hij niet slecht, hij kwam er tamelijk fatsoenlijk af, alleen één ding, opgepast met de heilige eer van de Strijdkrachten, daar mag niet mee gespot worden. Eén opmerking moest hem wel van het hart, zoals hij ook onlangs in een onderhoud met de directeur van de Nationale Televisie naar voren had gebracht, er zou iets veranderd moeten worden aan die schertsvertoning van geboetseerde wapens en er moest vermeden worden dat er melding werd gemaakt van het bordeel in Agua Santa, want daardoor zouden niet alleen de bewakers en de ambtenaren van de gevangenis belachelijk gemaakt worden, het zou het geheel volkomen onaannemelijk maken. Hij bewees mij een gunst door deze wijzigingen te verordineren, de serie zou er ongetwijfeld nog beter op worden indien aan beide zijden wat doden en gewonden vielen, het publiek zou dat prachtig vinden en er zou tevens door voorkomen worden dat een dergelijke ernstige aangelegenheid ontaardde in een klucht.

'Wat u daar voorstelt zou de zaak zeker dramatischer maken, maar de waarheid is dat de guerrilleros zonder enig geweld zijn ontsnapt, generaal.'

'Ik constateer dat u beter geïnformeerd bent dan ik, Eva. Laten we niet discussiëren over militaire geheimen. Ik hoop dat u mij niet zult dwingen maatregelen te nemen en dat u mijn suggesties zult volgen. Staat u mij toe en passant op te merken dat ik uw werk bewonder. Hoe doet u het? Ik bedoel, hoe schrijft u?'

'Ik doe mijn best... De werkelijkheid is een ratjetoe. Wij zijn niet in staat die te meten of te ontcijferen, omdat alles tegelijkertijd gebeurt. Terwijl u en ik hier zitten te praten, is Christoffel Columbus achter uw rug Amerika aan het ontdekken en diezelfde indianen, die hem op het gebrandschilderde raam welkom heten, lopen nog steeds naakt in het oerwoud rond, een paar uur bij dit kantoor vandaan, en dat zullen ze over honderd jaar nog doen. Ik probeer me een weg te banen in dat labyrint, een beetje orde aan te brengen in al die chaos, het bestaan iets draaglijker te maken. Als ik schrijf, vertel ik het leven zoals ik graag zou willen dat het was.'

'Waar haalt u uw ideeën vandaan?'

'Uit de dingen die gebeuren, uit de dingen die gebeurd zijn nog voor ik geboren werd, uit de kranten, uit wat de mensen zeggen.'

'En uit de films van die Rolf Carlé, naar ik aanneem.'

'U hebt mij hier toch niet ontboden om over *Bolero* te praten, nietwaar, generaal? Vertelt u mij alstublieft wat u met me voorhebt.'

'U hebt gelijk. De vervolgserie is al besproken met meneer Aravena. Ik heb u laten komen omdat de guerrilla verslagen is. De president is van plan een eind te maken aan die strijd die voor de democratie zo schadelijk en voor het land zo kostbaar is. Binnenkort zal hij een pacificatieplan aankondigen en amnestie aanbieden aan die guerrilleros die de wapens neerleggen en bereid zijn de wetten te eerbiedigen en deel te nemen aan de samenleving. En ik kan u nog iets nieuws verklappen, de president denkt erover om de Communistische Partij te legaliseren. Ik moet toegeven dat ik het met die maatregel niet eens ben, maar het is niet mijn taak om de uitvoerende macht iets tegen te werpen. Al zal ik hem er wel voor waarschuwen dat de Strijdkrachten nooit zullen tolereren dat vreemde belangen het volk op verderfelijke gedachten brengen. Met ons leven zullen wij de idealen van de grondleggers van ons vaderland verdedigen. Kort samengevat, wij doen de guerrilla een uniek aanbod, Eva. Uw vrienden zullen kunnen terugkeren tot het normale leven,' besloot hij.

'Mijn vrienden?'

'Ik doel op Commandant Rogelio. Ik denk dat de meesten van zijn mannen de amnestie zullen aanvaarden als hij dat doet, en daarom wil ik hem graag uitleggen dat het een eerzame oplossing is, en de enige kans die hij krijgt, een andere zal ik hem niet geven. Ik moet iemand hebben die zijn vertrouwen geniet om ons in contact te brengen en diegene zou u kunnen zijn, Eva.'

Voor het eerst tijdens het onderhoud keek ik hem recht in de ogen en ik bleef hem strak aankijken, ik was ervan overtuigd dat generaal Tolomeo Rodriguez zijn verstand verloren moest hebben als hij meende dat ik mijn eigen broeder in een val zou lokken, verdomme, dacht ik, het is de omgekeerde wereld, nog niet lang geleden heeft Huberto Naranjo mij gevraagd dat met jou te doen.

'Ik zie dat je me niet vertrouwt,' zei hij zacht, zonder zijn ogen af te wenden.

'Ik weet niet waar u op doelt.'

'Alstublieft, Eva, ik verdien toch op zijn minst dat u

mij niet onderschat. Ik weet dat u bevriend bent met Commandant Rogelio.'

'Vraagt u dit dan niet van me.'

'Ik vraag het u omdat het een rechtvaardige overeenkomst is, die hen het leven kan redden en mij tijd spaart, maar ik heb begrip voor uw twijfel. Aanstaande vrijdag zal de president de te nemen maatregelen bekend maken aan het volk, ik hoop dat u mij dan wel gelooft en bereid zult zijn mee te werken aan het welzijn van iedereen, vooral dat van die terroristen, die geen ander alternatief hebben dan pacificatie of dood.'

'Pardon, generaal, guerrilleros, geen terroristen.'

'U mag ze noemen zoals u wilt, dat verandert niets aan het feit dat zij zich buiten de wet bevinden en dat ik, hoewel ik over alle middelen beschik om hen te vernietigen, hun een reddingsboei toegooi.'

Ik beloofde dat ik erover na zou denken. Ik hoopte daardoor tijd te winnen. Heel even moest ik denken aan Mimi, toen ze de positie van de planeten aan het firmament was nagegaan en haar kaarten had gelezen om te voorspellen hoe de toekomst eruit zou zien voor Huberto Naranjo: ik heb het altijd al gezegd, die jongen eindigt nog eens als magnaat of als bandiet. Ik kon een glimlach niet onderdrukken, want wie weet vergisten de astrologie en de waarzeggerij zich opnieuw. In een flits zag ik het beeld voor me van Commandant Rogelio, die in het parlement van de Republiek, vanuit een met fluweel beklede bank, dezelfde strijd streed die hij nu in de bergen voerde met een geweer. Generaal Tolomeo Rodriguez begeleidde me naar de deur en bij het afscheid hield hij mijn hand geruime tijd in de zijne.

'Ik heb me in u vergist, Eva. Maanden heb ik vol ongeduld gehoopt dat u mij zou opbellen, maar ik ben erg trots en ik houd me altijd aan mijn woord. Ik heb gezegd dat ik geen druk op u zou uitoefenen en dat heb ik ook niet gedaan, maar daar heb ik nu spijt van.'

'Doelt u op Rolf Carlé?'

'Ik veronderstel dat dat tijdelijk is.'

'En ik hoop dat het voor altijd zal zijn.'

'Niets is voor altijd, meisje, alleen de dood.'

'Ook het leven probeer ik te leven zoals ik graag zou willen dat het zou zijn... als een roman.'

'Er is dus voor mij geen hoop?'

'Ik ben bang van niet, maar hoe dan ook, bedankt voor uw complimentjes, generaal Rodriguez.' En op mijn tenen staand om zijn krijgshaftige lengte te kunnen overbruggen, drukte ik een vluchtige kus op zijn wang.

Slot

Zoals ik al had vastgesteld, is Rolf Carlé in sommige opzichten traag van begrip. Die man, die zo alert is als het erom gaat een beeld te vangen in zijn camera, reageert traag wanneer het zijn eigen emoties betreft. In de ruim dertig jaar van zijn bestaan had hij geleerd een eenzaam leven te leiden en had hij zijn uiterste best gedaan om zijn eigen gewoontes in stand te houden, ondanks de preken waarmee zijn tante Burgel hem om de oren had geslagen en waarin ze de deugden van huiselijkheid had verheerlijkt. Wellicht was dat er de reden van dat het zo lang duurde eer hij begreep dat er iets veranderd was toen hij mij zittend op de zijden kussens aan zijn voeten een verhaal hoorde vertellen.

Na de ontsnapping uit de Santa Maria-gevangenis had Rolf mij achtergelaten in het huis van zijn oom en tante in de Kolonie. Zelf was hij die nacht nog teruggekeerd naar de hoofdstad. Hij kon niet gemist worden op het moment dat het hele land in rep en roer raakte omdat de radiozenders van de guerrilla de stemmen van de voortvluchtigen lieten horen, die revolutionaire leuzen schreeuwden en de spot dreven met de autoriteiten. Bekaf, onuitgeslapen en hongerig was hij vier dagen onafgebroken bezig om alle mensen te interviewen die iets met de zaak te maken hadden, vanaf de madame van het bordeel in Agua Santa en de afgezette gevangenisdirecteur tot en met Commandant Rogelio, die kans zag in hoogsteigen persoon twintig seconden op het televisiescherm te verschijnen, met een ster op zijn zwarte baret en een zakdoek voor zijn gezicht, voordat de uitzending, naar men zei wegens een technische storing, werd onderbroken. Op donderdag werd Aravena bij de President ontboden, waar hem dringend werd aangeraden toezicht te houden op zijn reporters als hij er prijs op stelde zijn functie te behouden. Is die Carlé geen buitenlander? Nee, Excellentie, hij is genaturaliseerd, kijkt u maar naar zijn papieren. Jammer, waarschuwt u hem in ieder geval dat hij zich niet moet mengen in aangelegenheden die de binnenlandse veiligheid betreffen, want dat zou hij kunnen gaan betreuren. De directeur liet zijn beschermeling bij zich op kantoor komen, waar hij vijf minuten onder vier ogen met hem sprak, met het gevolg dat Rolf Carlé nog diezelfde dag terugkeerde naar de Kolonie met de uitdrukkelijke opdracht daar uit de circulatie te blijven totdat zijn naam niet langer in opspraak was.

Hij stapte het ruime houten huis binnen, waar nog geen weekendtoeristen waren, en begroette iedereen luidkeels, zoals hij altijd deed, maar hij gaf zijn tante Burgel niet de gelegenheid hem een stuk taart in zijn mond te stoppen en liet zich niet van top tot teen aflikken door de honden. Hij ging onmiddellijk op zoek naar mij, want sinds een paar weken werd hij in zijn dromen geplaagd door een spookbeeld met een gele onderrok, dat hem uitdaagde, hem ontglipte, hem heet maakte, en hem, als hij erin slaagde het na een urenlange felle achtervolging te omhelzen, enkele ogenblikken in opperste verrukking bracht voordat de dag aanbrak, waarna hij in diepe wanhoop, alleen, zwetend en schreeuwend, wakker werd. Het was tijd om deze belachelijke verwarring onder woorden te brengen. Ik zat onder een eucalyptusboom en deed alsof ik mijn vervolgverhaal schreef, maar in werkelijkheid gluurde ik gespannen zijn kant uit. Ik zorgde dat een zuchtje wind de stof van mijn rok bewoog en dat ik er in het middaglicht uitzag als de kalmte zelve, heel anders dan het gulzige vrouwmens dat hem 's nachts het hoofd op hol bracht. Ik voelde dat hij vanaf een afstand minutenlang naar me keek. Ik veronderstel dat hij ten slotte het besluit nam er niet langer omheen te draaien en mij glashelder, hoewel binnen de perken van de goede manieren die bij hem hoorden, uiteen te zetten hoe hij erover dacht. Met grote stappen kwam hij naar me toe en hij begon me te kussen zoals dat in romantische verhalen gebeurt en zoals ik al een eeuwigheid gehoopt had dat hij het zou doen, zoals ik even tevoren de ontmoeting tussen mijn hoofdpersonen in *Bolero* beschreven had. Ik maakte van zijn nabijheid gebruik om hem stiekem te besnuffelen en zo kon ik de geur van mijn partner identificeren. Ik begreep daardoor waarom ik vanaf het eerste moment geloofd had dat ik hem allang kende. Per slot van rekening was alles te herleiden tot het elementaire feit dat ik mijn man had gevonden, nadat ik zo lang overal naar hem op zoek was geweest. Het schijnt dat hij diezelfde indruk had, maar gezien zijn rationele temperament met enige reserve tot dezelfde conclusie kwam. We bleven elkaar strelen en woordjes toefluisteren die alleen jonggeliefden elkaar durven te zeggen zonder dat ze bang zijn voor aanstellerig door te gaan.

Terwijl we elkaar onder de eucalyptusboom kusten, begon het donker te worden en daalde de temperatuur plotseling, zoals 's nachts het geval is daar in de bergen. We stonden op om het goede nieuws van onze pas aan het licht gekomen liefde te gaan verbreiden. Rupert ging onmiddellijk zijn dochters waarschuwen en haalde daarna zijn flessen belegen wijn uit de kelder, terwijl Burgel, zo geëmotioneerd dat ze in haar moedertaal begon te zingen, aan de slag ging om de ingrediënten voor haar befaamde stoofgerecht te hakken en te kruiden, en er op de patio een vreugdegehuil opsteeg van de honden die onze stralende vibraties het eerst hadden opgevangen. Het mooiste servies kwam op de tafel, die gedekt werd voor een schitterend feestmaal. De kaarsenfabrikanten klonken, in hun hart gerustgesteld, op het geluk van hun vroegere rivaal en de twee nichtjes gingen giechelend en smoezend het donzen dekbed opschudden en verse bloemen neerzetten in de mooiste gastenkamer, dezelfde kamer als waarin ze jaren geleden hun eerste lessen in wellust hadden gegeven en genoten. Na de maaltijd in de familiekring trokken Rolf en ik ons terug in de kamer die voor ons in gereedheid was gebracht. We betraden een ruim vertrek, met een open haard waarin dennenblokken knisperden, en met een groot bed, afgedekt met het best opgeschudde dekbed van de hele wereld en omgeven door een muskietennet dat van het plafond afhing, wit als een bruidssluier. Die nacht en alle daarop volgende nachten stoeiden wij met een zo oneindige vurigheid dat al het hout van het huis de fonkelende glans van goud verkreeg.

En daarna beminden we elkaar enige tijd eenvoudig en bedachtzaam, totdat de liefde langzaam uitsleet en begon te rafelen.

Of misschien is dit niet wat er gebeurde. Misschien waren wij zo gelukkig op een uitzonderlijke liefde te stuiten, en behoefde ik die niet te fantaseren, maar alleen maar in een feestkleed te steken om haar in de herinnering te laten voortleven, overeenkomstig het uitgangspunt dat het mogelijk is de werkelijkheid te scheppen naar het beeld dat men zelf voor ogen heeft. Ik overdreef een beetje, bijvoorbeeld door te zeggen dat onze eerste huwelijksnacht zo uitzonderlijk was dat de aard van dit operettedorp en de natuurlijke orde erdoor veranderden, dat de straatjes zich zuchtend kronkelden, dat de duiven hun nesten bouwden in de koekoeksklokken, dat de amandelbomen op het kerkhof in één nacht tot bloesem kwamen en dat de teven van oom Rupert voor hun tijd loops werden. Ik schreef dat in die gezegende weken de tijd zich uitrekte, in zichzelf opkrulde, zich binnenstebuiten keerde als de doek van een goochelaar, en ik zorgde ervoor dat Rolf Carlé, die zijn plechtstatige houding had laten varen en wiens trots in rook was opgegaan, erin slaagde zijn nachtmerries te bezweren en dat hij de liedjes uit zijn kindertijd weer kon zingen, en dat ik de buikdans uitvoerde die ik bij Riad Halabi in de keuken had geleerd, en dat ik onder veel gelach en vele slokjes wijn heel veel verhalen vertelde, die soms zelfs gelukkig eindigden.